D0324811

UNE FEMME HONORABLE

OUVRAGES DU MÊME AUTEUR

Le Tout-Paris (Gallimard).
Nouveaux Portraits (Gallimard).
La Nouvelle Vague, portraits de la jeunesse (Gallimard).
Si je mens... (Stock).
Une poignée d'eau (Laffont).
La Comédie du Pouvoir (Fayard).
Ce que je crois (Grasset).

FRANÇOISE GIROUD

Une femme honorable

Fayard

© *Librairie Arthème Fayard, 1981.*

Je remercie vivement Francis Perrin et Bertrand Goldschmidt de leurs informations et remarques, qui m'ont été précieuses.

« Les esprits valent ce qu'ils exigent.
Je vaux ce que je *veux* »

Paul VALÉRY.

« La seule personne que la gloire n'ait pas corrompue », disait Einstein en parlant d'elle.

En quoi donc était-elle faite pour être incorruptible, la femme la plus illustre de notre siècle ? En femme assurément, c'était l'explication. Un peu courte, cependant.

Cette petite phrase, lue par hasard, je l'avais en tête comme on garde en poche un caillou ramassé sur une plage, que l'on roule parfois entre les doigts.

Comment d'autres cailloux ont rejoint le premier, peu importe. Un jour, ils ont composé ensemble l'esquisse d'un visage de femme irritant, captivant, intrigant, très différent de ce que l'on m'avait enseigné d'elle à l'école.

Quand on cherche à déchiffrer les traces que laisse une vie, on peut en faire plusieurs lectures. Ce livre est ma lecture de la vie de Marie Curie, telle qu'elle m'est apparue depuis que j'ai été conduite sur ses pas et qu'elle ne m'a plus lâchée, cette ensorceleuse aux yeux gris.

Ce n'est pas un ouvrage d'universitaire. On ne trouvera pas, l'accompagnant, l'imposant appareil de notes qui qualifie un chercheur. Seulement de temps en temps, les quelques précisions qui m'ont paru nécessaires au lecteur non familier avec l'histoire scientifique ou politique de l'époque où s'est inscrite l'existence de celle dont le nom dans son entier, tel qu'il figure sur sa tombe, est Marie Curie-Sklodowska — 1867-1934.

Femme d'orgueil, de passion et de labeur, qui fut actrice de son temps parce qu'elle eut l'ambition de ses moyens et les moyens de son ambition, actrice du nôtre enfin, puisque, entre Marie Curie-Sklodowska et la force atomique, la filiation est directe.

D'ailleurs, elle en est morte.

I

L'Humiliation

1

Certains habitants de Varsovie se souviennent encore du vieux monsieur qui venait s'asseoir dans le square où se dresse la statue de Marie Curie. Et qui restait, la contemplant...

Casimir Zorawski, professeur de mathématiques à l'Ecole polytechnique, aurait-il eu dans ses vingt ans un peu plus d'audace, Marie fût devenue sa femme, et l'histoire de la science en eût été changée.

L'épisode serait négligeable — un amour de jeunesse, pas de quoi en faire un chapitre d'une vie si féconde — si Marie n'y était tout entière.

Souffrant mille morts, mais lucide. Et si ce beau garçon, bon cavalier, bon patineur, bon valseur, bon parti guigné par toutes les mères de la région, était, en fait, quelconque ?

Le cœur percé, mais qu'est-ce que le cœur à côté de la face qu'il faut toujours garder...

> « Il y a eu des jours très durs, que je compterai certainement parmi les plus cruels de ma vie. La seule chose qui adoucisse leur souvenir c'est que, malgré tout, je suis sortie de tout ceci honnêtement, la tête haute... »

Effrayée par la violence de ses impulsions, le feu de ses sentiments et obstinée déjà à les murer de glace.

> « J'ai une nature difficile, une nature à vaincre... »

Pleinement consciente enfin, à 18 ans, de sa valeur.

Qui suis-je et pour faire quoi... ? Dès qu'elle s'est posé la question, la seule qui vaille quand on s'interroge sur soi-même, Marie lui a donné réponse : elle sera « quelqu'un ». Lorsqu'elle se juge à 23 ans, condamnée à y renoncer, elle écrit à sa sœur Bronia :

> « Mon cœur se rompt quand je pense à mes aptitudes gâchées qui, tout de même, devaient valoir quelque chose... »

Et à son frère Jozef :

> « Maintenant que j'ai perdu l'espoir de devenir jamais quelqu'un, toute mon ambition s'est reportée sur Bronia et toi.[1] »

Alors quoi ? Le « destin ordinaire des femmes » ? Elle n'a jamais imaginé en faire le sien.

Ses dons, son éducation, sa philosophie, la nature de son ambition, tout l'en écarte.

Mais dans le chalet de Zakopane où elle s'attarde, seule, en septembre 1891, promenant sa mélancolie sous les grands sapins noirs des Carpates, traînant une grippe qui n'en finit pas, un homme, Casimir Zorawski, pourrait l'y soumettre. Et une part d'elle-même l'espère.

1. Cité par Eve Curie dans *Madame Curie* (Gallimard). On trouvera en page 382 la source de toutes les lettres reproduites ici.

Dans deux mois elle aura vingt-quatre ans.

Elle est pauvre. Elle n'est pas encore belle. Elle a pour tout diplôme l'équivalent du baccalauréat. Pourquoi deviendrait-elle « quelqu'un » ?

D'ailleurs, elle aime Casimir, et l'attend.

***

D'où vient-elle, cette jeune femme nerveuse qui conjugue curieusement timidité et assurance ? C'est une fille de la terre, qui a besoin d'air, d'espace, d'arbres. Elle entretient avec la nature une relation quasi charnelle. Les plantes le savent et, sous ses doigts, s'épanouissent. Les fleurs qu'elle soigne sont longues à se faner. Les chevaux obéissent à sa main.

Aussi loin que l'on se souvienne, les nombreux Sklodowski ont été métayers ou fermiers sur le domaine du seigneur de Sklody dont ils portent le blason.

Au début du siècle, ils sont passés d'une relative aisance à une condition ingrate dont le grand-père de Marie, Jozef, a réussi à s'échapper. Il est parvenu à faire des études et finira directeur de lycée.

Comme tous les patriotes de sa génération, il a pris les armes, en 1830, contre Nicolas Ier, tsar de toutes les Russies et roi de Pologne.

Lorsque, émoustillé par la révolution parisienne, Nicolas met l'armée polonaise sur pied de guerre en vue d'une expédition contre la France, les officiers se révoltent. Ce n'est que l'une des insurrections qui ponctuent l'histoire de ce pays régulièrement dépecé par ses voisins. Une armée russe de cent mille hommes est chargée, cette fois, d'en venir à bout. La Fayette demande qu'un prompt secours soit apporté à ceux qui combattent pour libérer leur patrie, et que tant de liens attachent à la France.

« La sédition est toujours un crime... », répond le Président du Conseil, Casimir Périer. Et c'est avec la complicité active du gouvernement français que les troupes de la rébellion seront défaites, ce dont Louis-Philippe se vantera en ces termes : « C'est nous que le cabinet de Saint-Pétersbourg doit remercier d'avoir écrasé la Pologne. »

Sinistre destin d'un peuple que toutes les nations se sont successivement ou simultanément employées à rayer de la carte...

La répression a été sauvage. Familles entières déportées, soldats incorporés de force dans l'armée russe, enfants pauvres enlevés à leurs parents pour être emmenés en Russie, arrestations massives.

Mais, qu'elle se trouve sous la férule russe, prussienne, autrichienne ou sous les trois conjuguées, la Pologne produit des insurgés comme elle produit du seigle.

Deux des sept enfants de Jozef Sklodowski, un garçon et une fille, participeront à leur tour à tous les combats de leur génération.

L'aîné des Sklodowski, celui qui deviendra le père de Marie, n'a pas, lui, la vigueur farouche des siens. C'est un homme de cabinet, épris de musique, de littérature, de science.

Pour pouvoir faire des études supérieures, il compose avec le système et fréquente l'Université russe, la seule dont le diplôme permette d'enseigner dans une école d'Etat. Puis il épouse une jolie brune aux yeux gris, fille de hobereaux ruinés par les malheurs de la Pologne.

Enseignante comme lui, elle est devenue directrice du pensionnat pour jeunes filles bien-nées où elle a fait elle-même ses études.

Le couple dispose là, rue Freta, d'un petit appartement de fonction, celui où, en huit ans, Mme Sklodowska donnera le jour à cinq enfants.

Quatre ans avant la naissance de Marie, la dernière, dans la nuit du 15 au 16 janvier 1863, la police a opéré une razzia parmi les jeunes gens de la ville suspects d'entretenir l'esprit de fronde, pour les incorporer dans l'armée russe. Une fois encore, ça a été le soulèvement, dix-huit mois de combats désespérés et, pour finir, cinq gibets dressés sur les remparts de Varsovie, cinq corps se balançant au bout de cinq cordes, ceux des chefs des insurgés.

« Frappez les Polonais jusqu'à ce qu'ils désespèrent de leur propre vie !... recommande Bismarck. J'ai de la sympathie pour leur situation, mais si nous voulons survivre, notre seul recours est de les exterminer. »

Pour sa part, il s'y emploie. Près de cinq millions de Polonais vivent alors sous sa régence, 80 000 hommes seront enrôlés de force dans l'armée prussienne quand la guerre éclatera, en 1870, contre la France. Plus de dix-huit millions ont appris qu'ils n'ont aucune mansuétude à attendre du successeur de Nicolas, Alexandre II. « Point de rêveries, dit-il. Ce que mon père a fait est bien fait. »

L'année où Marie vient au monde, à Varsovie, la Pologne russe perd jusqu'à son nom. Elle s'appelle désormais « territoire de la Vistule ».

La langue russe est imposée jusque dans l'enseignement du catéchisme. Les Polonais sont progressivement remplacés par des Russes dans toutes les fonctions publiques. Le couvercle, cette fois, est vissé.

Tout ceci, qui appartient à l'Histoire, est inséparable du tissu moral, social, familial dans lequel les enfants de Wladyslaw et Bronislawa Sklodowski se sont développés.

De naissance, Marie possède les trois dispositions qui font les sujets brillants, chéris des professeurs : la mémoire, le pouvoir de concentration et l'appétit d'apprendre.

Dans le folklore familial, trois petites scènes sont restées inscrites.

La première : Marie a quatre ans. Elle est à la campagne, avec ses parents, chez l'un ou l'autre de ces Sklodowski restés cultivateurs qui accueillent chaleureusement, pendant les vacances, les cousins de Varsovie.

Les cinq enfants galopent dans les champs, escaladent les arbres, barbotent dans les torrents, soignent les chevaux, se cachent sous le grain des granges... C'est le Paradis.

Mais sur le chapitre de l'éducation, les parents ne badinent pas. Bronia, qui a sept ans, doit avoir appris à lire avant la rentrée. Elle s'y emploie, avec des lettres en carton découpé que Marie mélange. Un matin, elle déchiffre péniblement le texte de l'album que lui tend son père. Marie, impatientée, s'en saisit et lit, en trébuchant à peine, la première phrase. Stupeur. Silence. Enchantée de son effet, elle poursuit... Et fond en larmes, soudain consciente d'être indécente, impardonnable peut-être, bafouillant pour qu'on l'excuse : « Je ne l'ai pas fait exprès... C'est parce que c'est si facile... »

La seconde scène se passe à l'école, l'institution privée où les demoiselles Sklodowska, cheveux nattés, uniforme bleu marine à col blanc empesé, ont ce matin-là cours d'histoire. Marie a dix ans. Elle suit, sans même paraître y mettre une particulière application, la même classe que sa sœur Hela, plus âgée de deux ans.

Interrogée sur Stanislas-Auguste, elle répond :

« Stanislas-Auguste Poniatowski a été élu roi de Pologne en 1764. Il était intelligent, il comprenait les tares qui affaiblissaient le royaume et il leur cherchait des remèdes. Malheureusement, c'était un homme sans courage... »

La maîtresse approuve, l'encourage à poursuivre. Elle enseigne contre la règle l'histoire de la Pologne en polonais, à vingt-cinq petites filles captivées.

Elles ont devant elles des manuels polonais, leurs cahiers...

Soudain, une sonnerie grelotte...

Lorsque la porte de la classe s'ouvre devant M. Hornberg, inspecteur des institutions privées de Varsovie, qu'accompagne Mlle la Directrice, un peu pâle, vingt-cinq petites filles lèvent un regard innocent. Elles ont chacune à la main un carré d'étoffe dans lequel elles brodent des boutonnières... Sur leur pupitre, du fil, des ciseaux...

En évidence devant la maîtresse, un volume ouvert en langue russe.

« Classe de couture, M. l'Inspecteur, dit la Directrice. Ces enfants en font deux heures par semaine... »

Hornberg soulève le couvercle d'un pupitre. Rien. Il est vide.

Entre la sonnerie, signal convenu donné par le portier, et le moment où l'inspecteur a atteint le seuil de la classe, livres et cahiers se sont évaporés, dissimulés dans le dortoir des internes...

Hornberg s'est calé sur une chaise. Interrogation. Que la maîtresse désigne une élève.

C'est Marie bien sûr. Elle est première, infailliblement, dans toutes les matières, calcul, histoire, littérature, allemand, français, et elle parle russe à la perfection, avec l'accent de Saint-Pétersbourg.

L'épreuve que tant d'écoliers ont subie avec un mélange d'émoi et de fierté, l'enfant polonaise va la traverser dans la honte. Car M. l'Inspecteur vérifie des connaissances bien particulières :

« Quels sont les tsars qui ont régné depuis Catherine II sur notre Sainte Russie ?

« Dis les noms et les titres des membres de la famille impériale...

« Quel est le titre du tsar dans l'échelle des dignitaires ?

« Quel est mon titre ? »

Marie exécute un parcours sans faute.

Que pourrait-il encore demander, M. l'Inspecteur, pour s'assurer que l'Institution Sikorska dispense un enseignement irréprochable ? Il a trouvé :

« Dis-moi qui nous gouverne... »

Maîtresse et directrice se figent. Vingt-quatre petites filles pétrifiées sont suspendues au souffle de Marie, raide, crispée, qui tarde à répondre...

« Allons ! qui nous gouverne ? répète Hornberg.

— Sa Majesté Alexandre II, tsar de toutes les Russies. »

Hornberg se lève et quitte la classe, suivi par Mlle la Directrice, pour continuer son inspection dans la salle voisine.

« Marya, viens ici... » dit la maîtresse.

L'enfant sort de son rang, s'approche. Et reçoit un baiser.

Alors, elle éclate en sanglots.

Humiliée jusqu'à l'os par sa servilité obligée devant l'inspecteur russe, elle n'oubliera jamais. D'ailleurs, elle n'oublie jamais rien.

La troisième scène se situe à la même époque, dans la salle à manger où, après le goûter, les enfants répètent leurs leçons à tue-tête.

Marie, les coudes sur la table, les pouces dans les oreilles pour se protéger du bruit, est plongée dans un livre. Cette façon qu'elle a de s'absorber, de s'engloutir, de s'isoler, excite toujours l'amusement des autres enfants.

Ce jour-là, leur cousine Henriette, qui a le diable au corps, complote avec Hela et Bronia. Les trois filles montent autour de Marie une pyramide de chaises et attendent, en étouffant leurs rires, que l'échafaudage s'écroule.

Les minutes passent... Marie n'a rien vu, rien entendu, rien senti. Soudain elle fait un geste et les chaises tombent dans un grand vacarme. Les filles hurlent de joie, Marie frotte son épaule qu'une chaise a heurtée, se lève, prend son livre, jette : « C'est bête... » et sort de la pièce dignement.

Pas commode, mademoiselle Sklodowska, quand on attente à sa dignité par la plaisanterie. Les enfants en ont toujours horreur. Adulte, elle n'y sera pas plus accessible. L'humour, la distance à soi-même lui resteront étrangers. Elle prend tout au sérieux, et d'abord elle-même.

Ce n'est pas son trait le plus séduisant mais ce sera, souvent, sa force.

***

Bronia a achevé ses études secondaires au Gymnase, avec la médaille d'or qui sanctionne les meilleurs. Il serait beau de voir que Marie ne l'obtienne pas, et dès 15 ans.

Elle réussit. Et craque. « Troubles nerveux », diagnostique vaguement le médecin. Ce ne sera pas le dernier de ces effondrements provisoires qui la rendent plus attachante que le cortège de ses victoires. Elle est donc fragile quelque part, Marie...

Ou bien sont-ils trop poussés, ces enfants Sklodowski, comme on le dit des primeurs, par un père dont ils représentent toute la fierté et qui, fait plus remarquable, ne distingue pas les filles du garçon quand il s'agit d'enrichir leur esprit, de développer leurs connaissances dans tous les domaines, de stimuler leurs ambitions intellectuelles ?

Jozef, Bronia, Hela ne s'en portent pas plus mal en tout cas. Et Marie n'a pas besoin qu'on la pousse. Il faut plutôt la retenir. C'est ce que fait son père alarmé, en l'expédiant à la campagne, chez un oncle notaire. Elle y passe l'hiver, puis une ancienne élève de Mme Sklodowska l'invite avec Hela pour l'été.

D'abord, elle écrit à une amie :

> « Je ne fais rien, ce qui s'appelle rien... Je ne lis aucun ouvrage sérieux, rien que des petits romans anodins et stupides... Je me sens incroyablement bête. Quelquefois je me mets à rire toute seule et je considère avec une véritable satisfaction mon état d'intégrale stupidité ! »

Les années qu'elle vient de vivre ont été fertiles en chocs pour une petite fille hyperémotive et qui, toujours, « prend sur elle », comme le dit si bien le langage populaire.

L'aînée de ses sœurs, Sophia, est morte à 14 ans du typhus. Sa mère a succombé à la tuberculose qui s'est déclarée après la naissance de Marie. L'enfant n'a jamais eu le droit d'embrasser sa mère, et sans savoir pourquoi : tel est le conformisme du temps. Et les Sklodowski sont profondément conformistes, à leur manière.

La jeune femme était pieuse. Sa mort précoce mine la foi religieuse de Marie, d'abord révoltée puis à tout jamais indifférente à ce qu'elle appellera « un bonheur perdu ».

Promu sous-inspecteur du Gymnase où il continue d'enseigner la physique et les mathématiques, M. Sklodowski a quitté, avec sa famille, la rue Freta pour l'appartement attaché à son nouveau poste. C'est un fonctionnaire scrupuleux, méticuleux. Pourtant, un jour de 1873, retour de vacances, il a trouvé sur son bureau l'annonce de sa disgrâce. Le directeur russe du Gymnase a trouvé tiède son zèle investigateur. Il est privé de ses attributions, perd le logement qui les accompagne et la moitié de ses appointements.

Comment joindre les deux bouts ?

Selon la vieille recette des foyers bourgeois aux finances délabrées : en prenant des pensionnaires. Dans le nouvel appartement où la famille a transporté les canapés de moleskine, les fauteuils Restauration, la pendule de malachite, la tasse de Sèvres, la toile « attribuée » au Titien, le grand bureau du professeur autour duquel les enfants s'assoient, l'après-midi, pour faire leurs devoirs, il y aura bientôt deux, trois, cinq, dix élèves du professeur au Gymnase qui sont logés, nourris et auxquels il donne des leçons particulières.

Assombri, surmené, le malheureux a de surcroît commis l'unique légèreté de sa vie : il a confié à un beau-frère toutes ses économies en vue d'une spéculation mirifique. Ses trente mille roubles se sont volatilisés et le sentiment de sa culpabilité le ronge.

Tout n'est pas noir, cependant, dans le tableau, parce qu'il y entre beaucoup d'amour et d'ardeur à vivre. La tribu est comme soudée, et le restera toujours.

Et l'argent, si nécessaire qu'il soit, ne fait pas partie de ses valeurs.

Aux yeux de ses enfants, M. Sklodowski possède les seules richesses qu'ils ont appris à convoiter : la culture, le savoir, la connaissance. Et, de fait, ce modeste professeur polonais ne se tient pas seulement au courant des progrès de la physique, sa spécialité. Il a l'ample registre des intellectuels de son temps. Celui où, en particulier dans l'Europe orientale, il était courant de parler quatre langues, de savoir le grec et le latin, d'avoir mille vers en tête et, parfois, d'en écrire. Celui où plus on était éloigné ou isolé des foyers de culture et de création, plus on était avide d'en saisir tous les feux, et de s'y réchauffer.

Le samedi, autour du samovar, la soirée est consacrée à la littérature, l'anglaise et la française, l'allemande et la polonaise que le père lit à haute voix dans le texte et commente, un peu pontifiant peut-être, tandis que quatre paires d'yeux clairs le regardent, éblouis.

Si, la mère disparue et la maison dans la gêne, les napperons s'effilochent, l'acajou est moins lustré, les guimpes moins amidonnées, les repas plus sommaires, du côté de l'esprit c'est l'opulence.

Loin du foyer pendant plus d'un an, Marie n'a cessé d'écrire. C'est une épistolière enragée. Et il semble qu'une fois rétablie, la grave adolescente ait découvert le plaisir d'être.

« Je ne puis croire à l'existence de la géométrie et de l'algèbre... Je les ai complètement oubliées... »

« Ah ! comme la vie est gaie à Zwola ! Il y a toujours beaucoup de monde et il y règne une liberté, une égalité, une indépendance que tu ne peux pas imaginer... »

« ... J'ai goûté aux délices du carnaval samedi dernier et j'imagine que plus jamais je ne m'amuserai autant... »

« ... Ce *kulig* a été d'un bout à l'autre un ravissement. Mon garçon d'honneur était un garçon de Cracovie, très beau et très élégant. Nous avons dansé une mazurka blanche à huit heures du matin au grand jour... J'ai tellement dansé que pendant les valses, j'avais plusieurs tours retenus d'avance... »

« ... Notre existence est merveilleuse... j'apprends à ramer — je fais déjà des progrès — et les baignades sont idéales. »

Elle a pris, avec sa sœur, la tête d'une joyeuse bande de garçons et de filles pour laquelle les maîtres de maison ont toutes les indulgences, qu'ils sont heureux de gâter. Et de galops en fêtes champêtres, de bals en razzias dans les cuisines dévalisées, les semaines s'envolent...

« ... Nous faisons tout ce qui nous passe par la tête, nous dormons tantôt la nuit, tantôt le jour, nous dansons, nous faisons de telles folies que nous mériterions parfois d'être enfermées dans un asile d'aliénés... »

En rentrant un matin, à l'aube, elle a jeté ses escarpins mordorés. La semelle en a demandé grâce, tant cette nuit-là elle a dansé.

> « ... En un mot, peut-être que plus jamais, jamais de toute ma vie, je ne m'amuserai ainsi. »

La parenthèse délicieuse est fermée. Marie a 16 ans...

Les enfants Sklodowski ne sont plus des enfants.

Jozef, grand garçon athlétique, est étudiant en médecine, Bronia a saisi d'une main ferme les rênes de la maison. Elle cuisine, elle astique, elle ravaude. Et elle enrage : l'Université n'est pas ouverte aux filles.

Hela, la beauté de la famille, travaille le chant et ravage les cœurs.

Marie court le cachet. « Leçons d'arithmétique, de géométrie, de français par jeune fille diplômée. Prix modérés. »

Elle va, les yeux fixés sur son étoile polaire. Un jour, elle a lu dans quelque ouvrage : « Tandis qu'il traversait la cour de la Sorbonne, Claude Bernard... »

La cour de la Sorbonne, c'est la cour de l'Olympe où se retrouvent les dieux. Comment y accéder ? Varsovie fourmille de jeunes filles et de jeunes gens qui espèrent gagner de quoi payer leurs études à l'étranger en donnant des leçons particulières.

M. Sklodowski, lui, se ronge. Ah ! Si cette funeste spéculation... Bientôt, avec sa maigre retraite de fonctionnaire, il ne pourra même pas assurer la subsistance de sa couvée, lui qui a rêvé de les voir déployer leurs ailes dans les cieux de la science.

Marie est alors une petite personne d'apparence robuste, fraîche sous ses cheveux blonds indociles, et gentillette. Plus tard, elle sera belle et mieux encore, mais toujours avec une façon de se désintéresser de son apparence où il entre, semble-t-il, plus d'orgueil que de modestie.

A l'âge où l'on rêve devant son miroir en essayant des rubans, elle se défigure, avec l'assistance de sa cousine Henriette, en coupant ras ses boucles.

Geste singulier où il serait un peu simple de ne voir que la volonté de se nier comme fille. Rien n'indique, ni dans son cahier intime, ni dans sa correspondance, ni dans le cours de sa vie, qu'elle ait jamais refusé sa part de féminité. Elle manifeste — et c'est autre chose — le mépris du futile.

Ce qu'elle nie, en revanche, c'est sa part animale, celle qui a faim, froid, sommeil, celle qui s'enrhume souvent parce que, selon son père, elle n'a « jamais daigné adapter son habillement aux conditions atmosphériques ». C'est tout ce qu'elle assimile à de la faiblesse. Ses brèves colères, par exemple, qui trahissent comme un éclair ce qu'elle domine d'orages dissimulés.

En jeunes personnes accomplies de leur temps et de leur pays, les petites Sklodowska parlent cinq langues et savent broder, pianoter, dessiner, patiner, nager, danser. Elles ont appris aussi à « compter ». Elles ont vu leur mère ressemeler elle-même leurs chaussures.

Ce qui les afflige, ce n'est pas l'unique robe que l'on fait teindre et transformer encore une fois par la couturière en journée (« Elle sera convenable et très jolie ! » écrit Marie). C'est qu'elles ne voient pas d'issue au tunnel où elles sont engagées.

Le mariage ? Il n'entre pas dans leurs plans. Non qu'elles l'écartent systématiquement. Mais ce n'est pas un but, moins encore un moyen d'assouvir leur soif d'instruction, cette instruction inséparable à leurs yeux de l'émancipation des femmes considérée comme un élément majeur de progrès des sociétés. Les insurgées de la génération de Marie croient encore que si les moyens leur sont donnés de faire la preuve qu'elles sont, intellectuellement, égales aux hommes, cette preuve sera admise. Or, son administration passe par les études supérieures.

Où, comment y accéder ?

Bronia voit arriver ses vingt ans. Marie ses dix-sept ans. Ensemble, elles tirent des plans sur la comète, se jurant assistance mutuelle pour parvenir à leurs fins. La relation qui lie les deux sœurs est posée, telle qu'elle les unira jusqu'au dernier souffle de Marie.

Bronia est exubérante, chaleureuse, maternelle, sensible aux nourritures terrestres. Elle a le cœur grand, des mains faites pour soigner et un amour sans borne pour sa petite sœur.

Marie, close, barricadée, intransigeante, ne s'abandonnera jamais qu'avec elle mais alors, jusqu'au bout.

Elle seule verra Marie sangloter, sombrer, appeler au secours, assurée que, où que Bronia se trouve, elle accourra. C'est la part d'enfance de Marie que, toujours, Bronia protégera, consolera. Et peut-être est-ce de cette confiance dans la solide Bronia que naîtra l'attitude constante de Marie vis-à-vis de femmes dont le rôle ne sera pas négligeable dans son existence.

Il est clair, en tout cas, que la force, pour elle, se trouve chez les femmes. Et qu'elle ne l'attend pas des hommes.

*
* *

Pour l'heure, elle ne pleure pas. Elle bout.

C'est une femme, Mlle Piasecka, institutrice sensiblement plus âgée qu'elle, fiancée avec un étudiant expulsé de l'Université pour activité subversive, qui l'introduit au sein de « l'Université volante ».

Ce nom ambitieux recouvre un cercle où jeunes hommes et jeunes femmes — les plus nombreuses — affolés de patriotisme, cultivent clandestinement le positivisme.

Car la résistance polonaise n'a pas été brisée. Mais tant de sang versé, de soulèvements matés, d'illusions anéanties, tant de souffrances vaines sont venus à bout de son romantisme.

Dans toute l'Europe, d'ailleurs, le grand débordement sentimental et religieux par quoi l'on a tenté de compenser le matérialisme implacable du machinisme triomphant, a reflué. De Paris est parti un nouveau message qui s'infiltre à travers les frontières, gagne la Pologne malgré son isolement, pénètre les bibliothèques, saisit les esprits précisément mûrs pour le recevoir : le « Cours de philosophie positive » d'Auguste Comte. D'Angleterre, c'est la philosophie évolutionniste de Spencer qui arrive et s'insinue, véhiculant une notion bouleversante : la survie du plus apte.

Tout ce que Varsovie compte d'intellectuels discute, s'exalte, rejette « les vaines chimères » pour chercher l'adéquation des nouvelles disciplines scientifiques à la société polonaise et à la nature nouvelle du combat qu'il faut mener pour la libérer.

Ce n'est plus par les armes que l'on sèmera la subversion : c'est en formant des cerveaux.

Le groupe de l'Université volante a entrepris d'éduquer les masses. Tous ceux qui disposent d'un savoir doivent le transmettre à d'autres qui, à leur tour, éduqueront.

On se réunit le soir chez l'un ou chez l'autre. Des professeurs de l'Université viennent, au péril de leur liberté, donner des cours d'histoire, d'anatomie, de sociologie à des étudiants pour que ceux-ci transmettent le flambeau. Il ne s'agit plus d'apprendre à confectionner des bombes et à les jeter mais de mettre le feu dans les esprits : là est le secret du progrès social.

D'abord méfiante, Marie s'emballe, entraînant Bronia.

A 17 ans, elle a évacué toute religiosité. Ce qu'il y a en elle de rationalité en même temps que de foi dans le progrès trouve dans le positivisme une armature, et dans son interprétation polonaise une voie d'action.

Sur une photo où elle se tient à côté de Bronia, elle trace cette dédicace à une compagne : « A une positiviste idéale, deux idéalistes positives. » Une rencontre différente l'eût-elle plutôt intégrée au groupe des étudiants socialistes qui ont, eux, découvert Marx et voient dans le positivisme une attitude d'adaptation, d'asservissement à la bourgeoisie ? Rétrospectivement, l'attitude qui fut constamment celle de Marie permet de penser que cette révoltée n'était pas une révolutionnaire.

A la fin de sa vie, évoquant ce temps où, au nez et à la barbe de la police tsariste, elle allait porter le flambeau de la connaissance parmi les employées d'un atelier de confection et réunissait une bibliothèque pour les ouvrières, elle écrira : « Les moyens d'action étaient pauvres et les résultats obtenus ne pouvaient être considérables : pourtant, je persiste à croire que les idées qui nous guidaient alors sont les seules qui puissent conduire à un véritable progrès social. Nous ne pouvons pas espérer construire un monde meilleur sans améliorer les individus. »

Sans doute aurait-on déçu professeurs et élèves instructeurs de l'Université volante en leur disant que leurs activités secrètes n'inquiétaient pas outre mesure les autorités russes. En revanche, un traitement impitoyable fut réservé aux étudiants socialistes. Deux cents d'entre eux furent arrêtés. Quelques-uns fusillés. Leur chef mourut en prison, de faim, dit-on.

C'est une période brève mais intense de la vie de la jeune fille qui accumule un capital intellectuel hétérogène dans lequel, selon son cahier intime, Sully Prud'homme voisine avec Louis Blanc, Dostoïewsky avec Musset, Renan avec Paul Bert.

Le jour de septembre 1885 où elle se présente dans une agence de placement, en quête d'un travail régulier, elle n'a pas encore 18 ans et n'a rien abdiqué de ses ambitions.

Il est courant de s'attendrir sur l'image de Marie Curie, étoile de la science, se « plaçant chez les autres ». Ou d'y voir la manifestation d'un esprit d'indépendance exceptionnel chez une jeune fille de son siècle.

En fait, le jeune homme précepteur, la demoiselle sans dot prenant soin de l'éducation des enfants des autres dans quelque maison fortunée, sont des personnages communs dans la société du moment, et pas seulement en Pologne. La littérature française en est pleine.

Marie n'avait d'ailleurs pas le choix. Le remarquable n'est donc pas là, mais dans l'usage qu'elle va faire de la totalité de son salaire.

En donnant, pendant deux ans, des leçons particulières, Bronia a mis de côté de quoi payer son billet jusqu'à Paris et les frais d'une année de faculté. « De Sorbonne », dit Marie qui ne conçoit pas que l'on puisse étudier ailleurs. « Alors qu'il traversait la cour de la Sorbonne, Claude Bernard... »

Bronia peut donc rejoindre l'Olympe. Et les années suivantes ? C'est interminable, la médecine.

Alors, partir ? Ou attendre encore ?

Il semble que l'on ait discuté dans la famille et que Marie l'ait emporté. Que Bronia s'en aille ; Marie, logée et nourrie dans son emploi, lui enverra ce qu'elle gagne.

« Et quand tu seras médecin, a-t-elle dit, c'est toi qui paieras pour mes études. »

Bronia a-t-elle hésité devant le sacrifice que va s'imposer sa petite sœur ?

Cinq années à piétiner... Et pourquoi ne partirait-elle pas la première ?

« Tu as 20 ans, j'en ai 17... Soyons efficaces », a dit Marie.

Et Bronia est partie.

2

Voyager seule, habiter seule à Paris, à Londres ou à Berlin, ce qui eût été impensable pour des jeunes filles françaises de leur âge et de leur condition, à la fin du siècle, n'est nullement original dans le cas des demoiselles Sklodowska.

C'est à la même époque que Sonia Delaunay venant, elle, de Moscou, arrive à 20 ans à Paris pour apprendre la peinture et s'installe à Montparnasse.

S'il convient d'en faire mention, c'est parce que cette liberté naturelle d'allure donnera en quelque sorte à Marie de l'avance en son temps.

Dans l'une de ses plus mauvaises périodes, elle écrit à son frère :

> « Tu te tireras sûrement d'affaire : j'y crois fermement. Avec les « bonnes femmes » il y a toujours plus d'ennuis — mais, même moi, je garde l'espoir de ne pas disparaître complètement dans le néant. »

Certes, les « bonnes femmes » ont quelques problèmes. Mais un certain nombre lui seront épargnés : ceux qu'elles se créent.

Elle n'a pas eu à conquérir, sur elle-même ou

contre qui que ce soit, une indépendance qui, à ses yeux, allait de soi. Elle n'a pas eu à se désencombrer de maniérismes d'effarouchée-effrontée.

L'agence où elle s'est présentée en septembre a rapidement casé Marie dans une famille d'avocats de Varsovie.

La lettre qu'elle envoie, en décembre, à l'une de ses correspondantes favorites, sa cousine Henriette, est superbe. Tout y est : l'esprit d'observation, la forme, la hauteur.

> « Je ne souhaiterais pas à mon pire ennemi de vivre dans un pareil enfer ! écrit-elle. A la fin, mes relations avec Mme B. étaient devenues tellement glaciales que je n'ai plus pu les supporter et que je le lui ai dit. Comme elle était exactement aussi enthousiaste de moi que moi d'elle, nous nous sommes comprises à merveille.
>
> « C'est une de ces maisons riches où, lorsqu'il y a du monde, on parle français — un français de ramoneurs —, où l'on ne paye pas les factures pendant six mois, où pourtant l'on jette l'argent par les fenêtres tout en économisant chichement sur le pétrole des lampes. On a cinq domestiques, on pose au libéralisme et, en réalité, règne le plus sombre abêtissement. Enfin, sur le ton le plus sucré, la médisance sévit — une médisance qui ne laisse à personne un fil de sec.
>
> « J'y ai gagné de connaître un peu mieux l'espèce humaine. J'ai appris que les personnages décrits dans les romans existent en effet et qu'il ne faut pas entrer en contact avec les gens que la fortune a démoralisés... »

Une autre place s'offre qu'elle saisit : ses appointements seront plus élevés. Mais cette fois c'est l'exil, à trois heures de train et quatre heures de traîneau de Varsovie.

S'il lui est dur de partir, d'aller ainsi s'enterrer, loin des siens et de ses amis, Marie n'en montre rien. Et le 1er janvier 1886, « Mademoiselle Marya » prend son service chez les Zorawski.

Monsieur, Madame, une fille de 18 ans, une autre de 10 ans, deux tout jeunes enfants. La famille compte encore trois garçons, qui sont à Varsovie où ils poursuivent leurs études, une nuée de domestiques, quarante chevaux, soixante vaches.

Quand on essaye, à travers les lettres de Marie, d'imaginer au cœur de la campagne cette grande maison basse, avec ses vérandas, ses pergolas, ses grands poêles de faïence vernissée, le terrain de croquet, les toits rouges des granges, des écuries et des étables, le va-et-vient permanent d'invités, les bavardages et les silences autour du samovar, Tchekhov n'est pas loin.

Mais M. Zorawski ne risque pas de vendre sa cerisaie. D'ailleurs, il est dans la betterave et y prospère. Sous les fenêtres de Marie ce sont deux cents hectares de glaise à betteraves qui s'étendent, et une usine dont la cheminée fume : la sucrerie où les betteraves semées et récoltées par les paysans du domaine de Sluski sont transformées.

M. Zorawski, ingénieur agronome, contrôle l'exploitation d'une partie des terres des princes Czartoryski. Il est largement actionnaire de l'usine.

C'est un homme compétent et aimable, « à l'ancienne mode, mais plein de bon sens, sympathique et raisonnable », écrit Marie.

Sa femme, ancienne institutrice, est « parvenue »

un peu vite, mais « lorsqu'on sait s'y prendre avec elle, elle est gentille. Je crois qu'elle m'aime assez ».

La fille aînée est délicieuse,

> « ... une perle rare, note Marie, alors que la jeunesse de la région est très peu intéressante : les jeunes filles sont des oies qui n'ouvrent pas la bouche à moins qu'elles ne soient provocantes au plus haut degré. Elles dansent toutes à la perfection. Ce ne sont d'ailleurs pas de mauvaises créatures, certaines sont même intelligentes, mais leur éducation n'a pas développé leur esprit et les fêtes d'ici, insensées et incessantes, ont achevé de l'éparpiller. Quant aux jeunes gens, il y en a peu de gentils et de tant soit peu intelligents... Pour les unes comme les autres, des mots tels que « positivisme », « Swietochowski », « question ouvrière » sont de véritables bêtes noires — en supposant qu'ils les aient jamais entendus, ce qui est l'exception. La famille Zorawski est, relativement, très cultivée... »

Bref, Marie — qui fait un peu, là, son bas-bleu — est bien tombée.

Les Zorawski aussi.

> « Si tu voyais, écrit-elle à Henriette, comme ma conduite est exemplaire ! Je vais à l'église chaque dimanche et jour de fête, sans jamais invoquer un mal de tête ou une grippe pour rester à la maison. Je ne parle presque jamais de l'éducation supérieure des femmes. D'une façon générale, j'observe dans mes propos la retenue que m'impose ma condition. »

« Mademoiselle Marya », comme on l'appelle dans la maison, est traitée en retour avec considération et même, avec affection.

M. Zorawski consent à fermer les yeux lorsque sa fille aînée, Bronka, lui soumet le projet audacieux conçu par Marie. Il s'agit tout simplement d'appliquer au bénéfice des petits paysans de Sluski, illettrés, misérables et crottés, les théories de l'Université volante.

L'idéaliste positiviste ne s'est pas assoupie.

Avec la complicité active de Bronka et l'autorisation tacite de M. Zorawski, elle réunit tous les jours pendant deux heures une dizaine d'enfants auxquels les deux jeunes filles enseignent à lire, à écrire, et racontent l'histoire de leur pays.

Les enfants se glissent furtivement par l'escalier qui, de la cour, mène directement dans la chambre de Marie.

Et si quelqu'un surprenait cette coupable activité subversive? Au moindre pas dans l'escalier, le tableau noir se replie et ne montre plus qu'une innocente surface couverte de caractères russes. Mais il n'y aura jamais d'alerte grave. Et parfois, se pressant eux aussi dans la chambre, des parents éblouis regardent leur petit garçon, leur petite fille accéder fièrement au paradis de la connaissance...

Elle est depuis un an chez les Zorawski, lorsque, pour les vacances de Noël, les garçons reviennent de Varsovie. Et il arrive ce qui devait arriver. Casimir, l'aîné, s'éprend de cette jeune fille qui ne ressemble à aucune autre.

De ses propres sentiments, Marie n'a fait confidence à personne. Peut-être même n'a-t-elle pas su les démêler et admettre que le trouble où la plonge Casimir n'est pas précisément d'ordre intellectuel. Ce trouble est assez vif, en tout cas, pour qu'après les longues vacances d'été ponctuées de promenades, de soirées dansantes, de chevauchées et d'interminables conversations, elle soit prête à l'épouser. Et il arrive ce qui devait arriver : M. et Mme Zorawski s'y opposent. On n'épouse pas une gouvernante. Surtout quand cinq jeunes personnes bien dotées sont candidates à cet honneur.

C'est un Casimir effondré, tant il était sûr de l'accord de ses parents, qui repart pour Varsovie, poursuivre ses études d'ingénieur agronome. Il n'a pas renoncé, et il le prouvera. Mais Marie, elle, doit avaler l'outrage. Comment quitter la maison Zorawski, où elle est si bien payée, alors que l'avenir de Bronia, qui se débat seule à Paris avec ses examens, dépend de ce précieux salaire ?

Elle montre d'ailleurs, après le départ de Casimir, un visage si serein, une réserve si rigoureuse que les Zorawski, trop contents de conserver leur excellente gouvernante, observent le même silence.

Le fil des jours reprend comme si rien n'était venu en perturber l'ordonnance.

Ce que Marie endure, on le perçoit à travers quelques-unes de ses lettres.

Elle écrit à son frère, à propos d'un mariage manqué par Hela :

> « J'imagine comme l'amour-propre d'Hela a dû souffrir... Vraiment, on prend bonne opinion des gens ! S'ils ne veulent pas épouser les jeunes filles pauvres, qu'ils aillent au diable ! Personne ne le leur demande. Mais pourquoi ajouter des offenses, pourquoi troubler la paix d'un être innocent ?
>
> « Mes plans pour l'avenir ? Je n'en ai pas, ou plutôt ils sont si ordinaires et si simples que ce n'est pas la peine d'en parler. Me débrouiller

tant que je le pourrai et, quand je ne le pourrai plus, dire adieu à ce bas monde : le dommage sera petit, les regrets que je laisserai seront courts, aussi courts que pour tant d'autres.

« Tels sont actuellement mes seuls projets. Certaines gens prétendent que, malgré tout, il faut que je goûte à cette sorte de fièvre qu'on appelle l'amour. Ceci n'entre absolument pas dans mes plans. Si jadis j'ai pu en avoir d'autres, ils se sont envolés en fumée, je les ai enterrés, enfermés, cachetés et oubliés car tu n'ignores pas que les murs sont toujours plus forts que les têtes qui essayent de les démolir... »

Et au même, l'année suivante :

« Pour retrouver l'indépendance, un domicile, je donnerais la moitié de ma vie. »

Mais pendant encore trois longues années, n'ayant parfois même pas de quoi payer les timbres qu'exige son abondante correspondance, elle va rester ensevelie à Sluski.

En mars 80, elle écrit à son frère :

« Cher petit Jozio, je vais coller sur cette lettre le dernier timbre que je possède, et comme je n'ai littéralement pas un sou — mais pas un ! — je ne vous écrirai sans doute plus avant les fêtes, à moins que par hasard un timbre ne tombe entre mes mains.

« Le vrai but de ma lettre était de te souhaiter ta fête, mais crois-moi, si je suis en retard, c'est seulement à cause du manque d'argent et de timbres qui m'a persécutée affreusement — et quant à en demander, c'est une chose que je n'ai pas encore apprise.

« ... Mon Jozio chéri, si tu savais comme je soupire, comme je voudrais aller pour quelques jours à Varsovie ! Je ne parle même pas de mes vêtements qui n'en peuvent plus. Ah ! m'extraire pour quelques jours de cette atmosphère glacée, glaçante, des critiques, de la surveillance perpétuelle de mes propres paroles, de l'expression de mon visage, de mes gestes : j'ai besoin de cela comme d'un bain frais par un jour torride. J'ai d'ailleurs beaucoup de raisons pour souhaiter ce changement.

« ... Il y a longtemps que Bronia ne m'a pas écrit. Sans doute n'a-t-elle pas de timbre non plus... Si toi, tu peux en sacrifier un, écris-moi, je t'en prie. Ecris-moi bien et longuement tout ce qui se passe à la maison, car dans les lettres de père et de Hela il y a toujours des doléances et je me demande si vraiment tout va aussi mal, et je me tourmente, et à ces soucis s'ajoutent des quantités d'ennuis que j'ai ici, et dont je pourrais te parler — mais je ne le veux pas. Si je n'avais pas à penser à Bronia, je donnerais ma démission à l'instant même et je chercherais une autre place, bien que celle-ci soit si bien payée... »

Les Zorawski la traitent désormais sans égards excessifs.

Elle tient bon, cependant. Qu'elle ne déteste pas le sacrifice, l'oblation, c'est évident. A condition que la cause soit haute. A sa hauteur.

Elle a visiblement transféré sur le profane la transcendance que le sacré ne lui apporte plus.

Plus tard, la science tiendra dans sa vie la fonction

du sacré. A 22 ans, la cause qui justifie l'existence qu'elle s'inflige, c'est celle de Bronia, de Jozef, qui n'a pas de quoi s'installer à Varsovie, et alors,

> « ... exercer dans une petite ville t'empêchera de développer ta culture et de faire de la recherche. Tu t'enseveliras dans un trou et tu n'auras pas de carrière. Et si cela t'arrivait, mon chéri, j'en souffrirais énormément car maintenant j'ai perdu l'espoir de devenir jamais quelqu'un, toute mon ambition s'est reportée sur Bronia et sur toi. Il faut que vous deux, au moins, vous dirigiez votre vie selon vos dons. Il faut que ces dons, qui sans aucun doute existent dans notre famille, ne disparaissent pas et qu'ils percent à travers l'un de nous. Plus j'ai de regrets pour moi, plus j'ai d'espoir pour vous... »

Quand, au bout de quatre années passées chez les Zorawski dont les enfants maintenant sont élevés, elle voit arriver le bout de son contrat, elle cherche, de Sluski, une autre place et la trouve chez de riches industriels de Varsovie.

La pénitence est achevée.

3

Sortir de ce « trou de province », c'est déjà respirer. Mais pour le reste, elle en a bien rabattu, Marie, de ses ambitions... Habiter avec son père, trouver une place de professeur dans un pensionnat, c'est désormais tout ce à quoi elle aspire. Du moins elle le dit, l'écrit et, peut-être, le croit.

Pourtant M. Sklodowski, retraité de l'enseignement, a trouvé un emploi désagréable mais bien rémunéré : il est directeur d'une maison de correction aux environs de Varsovie. C'est lui, maintenant, qui envoie une mensualité à Bronia. Marie peut donc commencer à constituer son propre pécule, et sa nouvelle situation est douce.

Elle est engagée pour un an, toujours comme gouvernante d'enfants, par l'une de ces jeunes femmes ravissantes, élégantes, fortunées, qui s'habillent à Paris, s'entourent d'artistes célébrant leur grâce, et reçoivent le Tout-Varsovie.

Marie l'enchante, elle la trouve délicieuse, originale, la produit dans son salon. Intermède plutôt plaisant où Marie peut vérifier, s'il en était besoin, que le luxe lui est indifférent. Elle n'en a ni le goût, ni le sens, ni le besoin.

Arrive au milieu de l'année universitaire, en

mars 90, une lettre de Bronia annonçant ses fiançailles avec un camarade de faculté prénommé lui aussi Casimir ; elle écrit :

> « Tu pourras l'an prochain venir à Paris et habiter chez nous où tu trouveras le gîte et la nourriture. Il faut absolument que tu aies quelques centaines de roubles pour les inscriptions à la Sorbonne.
>
> « ... Je te garantis qu'en deux ans tu seras licenciée. Penses-y, amasse de l'argent, dépose-le en lieu sûr, *ne le prête pas*. Peut-être vaut-il mieux le convertir tout de suite en francs, car le change est bon ces temps-ci et plus tard il peut tomber... »

Elle pense à tout, Bronia.

La réponse de Marie est curieuse. Mélancolique, embarbouillée, résignée à ce qu'elle appelle « mon propre avenir manqué ».

Elle écrit :

> « J'ai été bête, je suis bête et je demeurerai bête pendant tous les jours de ma vie, ou plutôt, pour traduire en style courant : je n'ai jamais eu, je n'ai pas et je n'aurais jamais de chance. J'avais rêvé de Paris comme de la rédemption, mais depuis longtemps l'espoir d'y aller m'avait quittée. Et maintenant que cette possibilité s'offre à moi, je ne sais plus que faire... »

Suivent de longues considérations familiales, des affaires de prêt à obtenir pour l'installation de Jozef, de promesse faite à Hela...

> « ... Mon cœur est si noir, si triste, que je sens combien j'ai tort de te parler de tout cela et

d'empoisonner ton bonheur. Seule de nous tous, tu as eu ce qu'on appelle de la chance. Pardonne-moi, mais vois-tu, tant de choses me font mal qu'il m'est difficile de terminer cette lettre en gaieté... »

On sait que Marie est sujette aux dépressions. Mais quelles sont donc ces choses qui lui font si mal ?

Rien ne permet de dire précisément le rôle qu'a joué Casimir Zorawski pendant ces longs mois où elle tergiverse, assurant qu'elle ne veut pas quitter son père, que ceci, que cela...

Le sûr est qu'elle le revoit. Que M. Slodowski écrit à Bronia : « Comme ce serait original que chacune de vous ait son Casimir ! » Qu'il s'inquiète, quand il la voit s'assombrir, craignant que « les mêmes chagrins venant des mêmes personnes qui lui en ont déjà causé attendent Marya ».

Quatre années n'ont pas tiédi les sentiments du jeune homme, probablement exaltés au contraire par l'obstacle... Et il n'a rien perdu de son charme...

Ce qu'il ignore, quand il évoque leur avenir commun, c'est qu'il lui est venu un rival. Et quel rival ! Un laboratoire.

Un cousin de Marie, Jozef Boguski, a fondé à Varsovie ce qu'il appelle « le musée de l'industrie et de l'agriculture ». Façade sous laquelle se dissimule l'un de ces lieux d'enseignement clandestins qui ont fleuri dans la ville. Là, les professeurs de l'Université volante initient les jeunes Polonais aux disciplines scientifiques.

Boguski a été, à Saint-Pétersbourg, l'assistant du célèbre chimiste Mendeleïev. Un autre de ses maîtres a été l'élève du chimiste allemand Robert von

Bunsen, l'inventeur de l'analyse spectrale. Des noms magiques.

Surtout, le prétendu musée abrite un petit laboratoire où les étudiants sont initiés aux manipulations élémentaires.

> « Figure-toi, écrivait Marie à son frère du temps de son exil à Sluski, que j'apprends la chimie dans des livres ! »

Ce qu'aucun livre ne peut communiquer, l'expérience concrète que l'on tente de reproduire, qui rate ou qui réussit, c'est là que Marie en fait la découverte.

> « J'avais peu de temps pour travailler dans ce laboratoire, écrira-t-elle plus tard. Je ne pouvais généralement y aller que le soir après dîner ou le dimanche, et j'y étais laissée à moi-même... Les résultats étaient parfois inattendus... Dans l'ensemble, tout en apprenant à mes dépens que le progrès en ces matières n'est ni rapide ni aisé, je développai, au cours de ces premiers essais, mon goût de la recherche expérimentale. »

L'invitation de Bronia est vieille de dix-huit mois lorsque, à la fin de l'été 1891, Casimir rejoint Marie dans ce chalet de montagne où ils vont passer deux jours. Il semble qu'il ait tenté une nouvelle fois de fléchir ses parents, que Marie l'ait exigé, que, ce faisant, elle ait su au fond d'elle-même quelle serait leur réponse et qu'elle y trouverait la force de rompre. Vertu de l'humiliation. Et sombre satisfaction, sans aucun doute, d'annoncer : « Je pars... »

« Fière et hautaine », dira plus tard M. Sklodowski pour qualifier la conduite de sa fille envers Casimir.

Elle est secouée, cependant, comme on le voit dans la lettre qu'elle écrit aussitôt à Bronia sur le mode dramatique qu'elle adopte aisément :

> « Maintenant, Bronia, je te demande une réponse définitive. Décide si vraiment tu peux me prendre chez toi car, moi, je peux venir. Si donc sans te priver beaucoup tu peux me donner à manger, écris-le-moi. Ce serait un grand bonheur, car moralement cela me remettrait d'aplomb après les cruelles épreuves que j'ai traversées cet été et qui influeront sur toute ma vie... »

Le faible et charmant Casimir Zorawski méritait donc plus qu'une mention.

L'autre Casimir, celui de Bronia, est plus intéressant.

Il a 35 ans, du tempérament, de l'esprit et une fiche au ministère de l'Intérieur qui empêchera toujours ce fils d'une famille polonaise bien nantie d'obtenir sa naturalisation française.

Motif : étudiant à Saint-Pétersbourg, il a été soupçonné de complicité dans l'attentat qui a coûté la vie au tsar Alexandre II.

En fuite, il s'est réfugié d'abord à Genève où il a publié une feuille révolutionnaire, puis à Paris où, après avoir fait Sciences Po, il a entrepris des études de médecine. De surcroît, il est beau.

Bref, Casimir Dlubski a tout pour plaire à une demoiselle Sklodowska, et dans le milieu de l'émigration polonaise à Paris, il est particulièrement populaire.

Seul ennui : il est interdit de séjour en Pologne russe.

Son doctorat, puis celui de Bronia acquis, ils exercent donc tous les deux à Paris. Leurs premiers clients sont les bouchers du quartier de la Villette, où ils ont élu domicile. Bronia accouche leurs épouses.

A peine reçue la lettre supplique de Marie (« Vous pourriez me caser n'importe où, je ne vous encombrerai pas, je promets que je ne ferai aucun ennui, aucun désordre... Je t'implore de me répondre, mais très franchement ! ») Bronia a répondu : « Viens ! » Ce dont, bien évidemment, Marie n'a jamais douté. Mais il lui faut sa dose de culpabilité. Le plaisir qu'elle va se donner en partant à l'assaut de la Sorbonne, il est bon qu'il soit entaché du sentiment d'être importune au foyer de Bronia, où un enfant va naître.

Les Sklodowski voyagent entre Varsovie et Paris avec une déconcertante facilité. N'était le prix du billet de chemin de fer, ils ne cesseraient d'aller et venir, en dépit des trente et quelques heures de trajet qui séparent les deux villes.

C'est un trait fréquent dans la « bonne société » du temps. Elle est cosmopolite, et les frontières sont, en Europe, beaucoup plus ouvertes qu'aujourd'hui.

Mais le départ de Marie prend l'allure d'un déménagement. Sur les conseils avisés de Bronia, elle a expédié son matelas, en petite vitesse, des draps, des couvertures, des serviettes. Et, dans une grosse malle de bois, tout ce dont elle peut avoir besoin pendant deux ans, trois ans peut-être. Pas question d'acheter quoi que ce soit à Paris. Pas même le thé, dont les deux sœurs font une abondante consommation.

Tous les roubles que Marie a économisés et ceux que son père pourra lui envoyer, doivent être judicieusement utilisés. Et c'est sur un pliant qu'elle accomplit la traversée de l'Allemagne, parce qu'il existe là des wagons de quatrième classe, non équipés de sièges.

Tout cela, d'autres jeunes gens l'ont fait et le font encore, à la manière d'aujourd'hui : blue-jean, sac de couchage et charter.

Quant aux dépenses scrupuleusement pesées et notées, à la parcimonie permanente accompagnée d'épargne, c'est la règle de l'époque où l'on ne dépense largement que pour le « paraître », souci qui n'a jamais excessivement torturé les Sklodowski. Mais fût-ce pour se contenter d'être, il faut un minimum. C'est un peu plus que ce dont, parfois, disposera Marie.

Au moins le franc est-il superbement stable dans cette France de l'automne 1891 où une jeune Polonaise de 24 ans va planter ses dents.

4

Le jour où le transcontinental à vapeur la dépose gare du Nord, tout encombrée de paquets, un jeune député, Maurice Barrès, commente à la « Une » du *Figaro* le dernier débat qui anime la Chambre des Députés : les lycéens doivent-ils traduire du latin et du grec, ou de l'anglais et de l'allemand ?

« Les orateurs ont haussé le débat et l'ont rendu véritablement patriotique. Ils ont affirmé que les civilisations gréco-latine et française ont seules les vertus éducatrices qui font complètement défaut à l'anglaise, à l'allemande, à la scandinave... »

France, phare du monde...

Dans les colonnes voisines, les lecteurs apprennent que « le duc de la Tremoille et le duc de Noailles sont partis hier matin pour Londres », tandis que « la duchesse de Montpensier souffre d'une grave fluxion de poitrine ».

Que « plus de cent faisans, trois cents lièvres et cinquante chevreuils sont au tableau de la chasse présidentielle organisée la veille en l'honneur des grands-ducs de Russie dans les tirés de Rambouillet ».

Et en page 2, que « la grève générale sera prononcée demain dans les charbonnages du Pas de Calais ».

L'agitation dans les mines est chronique.

Verdi dirige, à l'Opéra-Comique, les répétitions de *Falstaff*. Zola, au faîte de sa gloire, publie *L'Argent*, XVIIIe tome des Rougon-Macquart. Debussy écrit l'*Après-Midi d'un faune*. Gauguin fait le portrait de Mallarmé avant de partir pour Tahiti. Rodin reçoit commande d'une statue de Balzac. Solitaire dans sa Provence, Cézanne mène en secret l'aventure de la perception. Sur les Grands Boulevards, que commencent à éclairer les premiers réverbères électriques, les affiches du Moulin-Rouge sont de Toulouse-Lautrec.

Il y a deux ans que la tour, édifiée par un ingénieur génial, Gustave Eiffel, superbe exploit technique, a percé le ciel de Paris : « Un désastre dont la commerciale Amérique elle-même ne voudrait pas... »

La France, mère des arts, n'aime pas ses ingénieurs et moins encore son industrie.

La confiance dans le progrès technique est le fait d'un petit nombre. Personne n'imagine sa puissance de transformation de la condition sociale.

La Troisième République, bourgeoise et libérale, présidée par Sadi Carnot depuis le scandale qui a obligé Grévy, nanti d'un gendre véreux, à quitter l'Elysée, a vingt ans.

Les ondes de choc propagées par la défaite de 1870 et la Commune la traversent encore. Dans les quartiers populaires de Paris, le boulangisme est toujours vivant bien que le joli général, réfugié à Bruxelles où il s'est enfui, vienne de se suicider sur la tombe de sa maîtresse.

Gouvernée au centre, la République est contestée par la droite des châteaux, monarchiste, vilipendée par les nationalistes et les socialistes, qui se conjuguent pour combattre sa politique.

A la Chambre des Députés, boulangistes et socialistes se rejoignent pour réclamer la participation des ouvriers aux bénéfices de l'entreprise, « alliance étroite du capital et du travail », la protection des travailleurs français contre les ouvriers étrangers. Il y a beaucoup de chômage. Mondain ou populaire, l'antisémitisme est vif. Les protestants ont mauvaise presse.

Au-delà de ce qui les sépare — notamment l'expansion coloniale triomphante — la droite nationale et les socialistes partagent la peur des effets du « machinisme », la haine des « grands seigneurs de la finance » engagés, eux, dans l'aventure industrielle et en tirant profit. Maurice Barrès les appelle « les gras ». La fortune n'est respectable que lorsqu'elle a été héritée.

Les Français sont nombreux qui pourraient dire, comme le principal d'un collège religieux, à propos des trains qui traversent sa ville le dimanche : « Cela est aussi désagréable à Dieu qu'à moi-même. »

Le 1er mai 1891 a été tragique.

Cinq ans plus tôt, aux Etats-Unis, 300 000 ouvriers ont quitté leur travail pour obtenir la journée de huit heures. Depuis, la Seconde Internationale a adopté le principe d'une grève d'un jour, le 1er mai, pour soutenir la même revendication. En 1891, les manifestations prennent de l'ampleur. A Bordeaux, Roanne, Lyon, Saint-Quentin, Charleville, la grève est brisée par la force.

A Fourmies, ville du Nord où toute la population travaille dans les filatures, une partie des ouvriers dont les salaires ont été réduits parce qu'il y a eu un marasme dans l'industrie textile a décidé de manifester pour obtenir un meilleur salaire, la journée de huit heures, et un syndicat. Le patronat, alerté, a demandé au préfet du Nord le secours de l'armée. Le 30 avril, deux compagnies d'infanterie ont été dépêchées. Le 1er mai, après que la police montée eut échoué à disperser les manifestants, l'armée intervient, ouvre le feu, fait neuf morts. Cinq ont moins de vingt ans. Un enfant de deux ans est blessé.

C'est l'organisateur de la grève, un ouvrier, qui est condamné. A six ans de prison, par la Cour d'Assises de Douai. Fourmies restera l'épisode le plus sanglant dans l'histoire du 1er mai en France.

Il a secoué le Parlement. Mais la France de la misère ouvrière, celle que seul fouille Zola, est absente de la littérature, du théâtre, de la peinture, absente de la conscience de la société parisienne. La province, c'est loin. Et hors les filatures, les mines et la sidérurgie, il n'y a pas d'entreprise industrielle qui compte plus de cinq ouvriers.

La capitale qui vient d'être remodelée par Haussmann est belle. Le commerce de luxe prospère. Des immeubles cossus ont poussé le long des artères fraîchement percées sans que soit repoussée vers la banlieue la population des artisans, des employés, des « petites gens » qui font Paris, sa réputation de capitale du goût, de la création, de l'esprit, et parfois de la fronde.

Le quartier Latin, bariolé, vivant, joyeux territoire de la jeunesse étudiante qui a ses mœurs, ses modes, ses cafés, ses foucades, est le cœur de l'Europe intellectuelle. Douze mille garçons, et une infime poignée de filles, fréquentent l'Université.

Le Boulevard, « le seul à qui la majuscule ne soit pas contestée », écrit *Le Petit Parisien,* est ourlé de cafés que peuple, selon ce grand journal populaire, « l'élite française... Le va-et-vient de splendeurs et des gloires, des foules et des individus se localise au Boulevard, forum de Paris et du globe... De là part la mode souveraine faisant la loi à tout l'univers... »

L'auteur de l'article gémit d'y voir surgir une brasserie « comme il n'y en a que dans les pays fauves des hommes fauves, des filles fauves et de la bière fauve ».

Ce petit morceau de patriotisme est du ton le plus répandu.

Une publicité, une réclame comme on dit, insérée dans la presse pour l'Elixir de Virginie, se présente sous le titre « Science et patriotisme », et commence ainsi : « L'étranger peut prendre prétexte de nos difficultés intérieures pour nous jeter la pierre et soutenir que nous sommes un peuple dégénéré. Ce n'en est pas moins dans notre pays que brillent les savants les plus illustres et que se font jour les plus grandes découvertes. Il en est une relativement récente, etc. etc. » Qu'est-ce que l'Elixir de Virginie ? Un remède contre « les hémorroïdes, les phlébites, toutes les maladies de l'âge critique chez les dames et autres cruelles affections ».

La science française dont Marie Sklodowska vient à Paris sucer le lait a heureusement d'autres titres et un grand homme, Pasteur, qui atteint la fin de sa vie.

Ses travaux abondants ont été à la fois spectaculaires et lucratifs. C'est le vaccin contre la rage qui a assuré sa gloire populaire mais il a bien d'autres découvertes à son actif, et plusieurs ont été appliquées à l'industrie. Entre autres, à celle de la bière qui lui doit son développement face à la brasserie allemande. Le pays en a tiré d'énormes bénéfices. Seule, en ce temps-là, l'Allemagne recherche et exploite systématiquement les applications de la science à l'industrie.

Pasteur a fait faire des progrès considérables à la

médecine, à la chimie, et aussi aux méthodes de travail.

Sur d'autres points, la science française, brillante et fertile au début du siècle, a pris du retard. Le secteur scientifique est celui où l'enseignement français est le plus faible, le plus négligé.

Il existe en France une seule chaire de physique théorique. Aucun laboratoire comparable à celui de Cavendish, créé en 1870 par les Anglais pour former les étudiants de Cambridge aux disciplines scientifiques et essayer de faire pièce à la suprématie allemande.

Seule l'Ecole française de mathématiques, avec Henri Poincaré à sa tête, soutient victorieusement la rivalité dans le domaine de la physique mathématique.

Mieux informée, Marie aurait-elle choisi d'aller apprendre la physique en Grande-Bretagne ou en Allemagne ?

C'est peu probable. Outre qu'à son niveau de connaissances c'est sans importance, en bonne Polonaise, elle est entièrement tournée vers la France. C'est à Paris qu'elle arrive. Plus précisément rue d'Allemagne (aujourd'hui avenue Jean-Jaurès), quartier populaire excentrique et calme où les Dlubski ont choisi d'habiter, et où Bronia a reconstitué un intérieur à la varsovienne.

Le 3 novembre 1891, elle « traverse la cour de la Sorbonne » où elle s'est inscrite en francisant son prénom, pour préparer une licence de sciences. Elle aura 24 ans le 7.

Quinze ans plus tard très exactement, le 5 novembre 1906, Marie Curie sera la première femme admise à enseigner dans cette même Sorbonne.

Entre-temps, les bâtiments ont été ravalés et

agrandis. Le buste d'Auguste Comte, père du positivisme, fait toujours face à l'entrée.

Ces quinze années sont à tous égards extraordinaires. Dans l'histoire de la science qui est entrée, en Europe, en effervescence. Dans l'histoire de la France, qui va être fracturée par l'affaire Dreyfus. Dans l'histoire de Marie.

Mais, en ce qui la concerne, les quinze années suivantes ne seront pas mal non plus.

5

Sa première étape parisienne est une sorte d'entrée au couvent, après un bref intermède.

Bronia et Casimir travaillent dur mais savent s'amuser. Ils ne roulent pas sur l'or, mais ils ont l'hospitalité slave, et tiennent maison ouverte pour les jeunes gens de la petite colonie polonaise de Paris.

Autour du samovar et du piano, on discute à l'infini, on refait le monde et la Pologne en mangeant les gâteaux confectionnés par Bronia entre deux consultations. Les jours fastes, on court au théâtre, au concert.

On fait la claque dans une salle aux trois quarts vide pour un ami, un pianiste roux qui essaye de se faire connaître. Il se nomme Ignace Paderewski.

On organise des réveillons, on monte des spectacles d'amateurs, des tableaux vivants...

La jeune femme drapée dans une tunique grenat, ses cheveux blonds dénoués tombant sur ses épaules, qui incarne « La Pologne brisant ses liens » au cours d'une fête patriotique, tandis que Paderewski joue Chopin en coulisse, c'est Marie, fière d'avoir été choisie.

Et bientôt sermonnée par son père auquel elle a raconté la soirée.

> « Tu sais certainement, lui écrit-il, qu'il y a à Paris des gens qui contrôlent avec le plus grand soin votre conduite... Ceci peut être la source de grands ennuis (...).
>
> « Ceux qui veulent gagner plus tard leur pain à Varsovie sans se trouver exposés à divers dangers ont intérêt à se tenir très tranquilles et dans une retraite où ils demeurent ignorés... »

Il est peu probable que la prudence soit tout soudain venue à Marie. Mais, après quatre mois, elle a découvert ses lacunes en physique et en mathématiques par rapport à ses condisciples... Si bien qu'elle sache le français, elle a quelque peine à suivre les professeurs qui parlent vite. Elle ignore le vocabulaire scientifique. Elle ne comblera pas ses handicaps si elle ne se concentre pas entièrement sur ses études.

En mars, elle s'installe dans un petit hôtel meublé de la rue Flatters, d'où elle peut se rendre à pied à la Sorbonne. Double économie de temps et d'argent. De la rue d'Allemagne, il lui fallait prendre successivement deux omnibus à chevaux. Mais elle doit payer sa chambre. Elle écrit à son frère :

> « Naturellement, sans l'aide de Dlusbki, je n'aurais jamais pu m'arranger ainsi. Je travaille mille fois plus qu'au début de mon séjour rue d'Allemagne. Mon petit beau-frère avait l'habitude de me déranger sans fin. Il ne pouvait absolument pas supporter qu'étant à la maison, je m'occupe d'autre chose que de bavarder

agréablement avec lui. Il me fallait lui faire la guerre à ce sujet... »

Bavarder agréablement ne sera jamais sa spécialité. L'affectueux « petit beau-frère », qui a douze ans de plus qu'elle et auquel M. Sklodowski l'a confiée, a déjà noté, pour s'en amuser, qu'elle ne lui témoigne « aucun respect et aucune obéissance ». Il se moque gentiment de sa propension à dramatiser.

C'est sa spécialité. Après tout, Bronia a fait dans des conditions analogues des études qui n'étaient pas simples. Mais elle n'est pas devenue prix Nobel de médecine et personne ne s'est préoccupé, rétrospectivement, de sa biographie.

Les années que Marie va passer rue Flatters, puis dans une mansarde du boulevard du Port-Royal, enfin rue des Feuillantines, sont entrées en revanche dans la légende.

Il y a un demi-siècle, aucun écolier n'ignorait que « Madame Curie » avait eu un soir si froid dans sa petite chambre sans feu qu'elle avait empilé sur son lit tout ce que contenait sa malle plus une chaise, tandis que l'eau gelait dans sa cuvette.

En fait, elle avait un poêle à charbon mais sans doute avait-elle négligé ce jour-là d'aller remplir son seau chez le bougnat. Ou répugné à lui demander crédit.

Les conditions de vie qu'elle s'est imposées, en habitant seule, ont été sans aucun doute sévères, mais son austérité confine parfois au masochisme.

Il y a toujours un repas pour elle chez Bronia et, si faibles que soient ses ressources auxquelles son père contribue du mieux qu'il peut, il n'était pas inéluctable qu'à se nourrir exclusivement de radis et de thé elle en arrive parfois à s'évanouir.

Alerté par un témoin, Casimir dut un jour venir la

récupérer et l'emmener de force rue d'Allemagne où une cure de biftecks la remit d'aplomb.

La taille étranglée dans son corset, toujours coiffée de l'un de ses deux chapeaux, comme l'exige la décence, usant dignement des chaussures qui expirent et sa robe polonaise soigneusement entretenue, elle va, des amphithéâtres de la Sorbonne aux laboratoires de la rue Saint-Jacques, des laboratoires à la bibliothèque Sainte-Geneviève, de la bibliothèque chez elle.

Ses relations avec les jeunes gens de la colonie polonaise s'espacent jusqu'à disparaître.

Quant à ceux de ses camarades d'études qui la trouvent jolie, cette petite blonde aux yeux gris cendre que son alimentation réduite a opportunément débarrassée de quelques rondeurs, et qui le lui diraient bien, son allergie à toute familiarité les tient à distance. L'appeler par son prénom constitue une offense, elle y répugnera toute sa vie. La tutoyer, personne n'y songerait.

Elle ne s'est vaguement liée qu'avec une jeune Polonaise, Mlle Dydynska, qui s'avise un jour de menacer de son parapluie un étudiant trop empressé.

Mais Marie n'a pas besoin d'être gardée. Elle s'en charge.

Lorsque l'année universitaire s'achève, elle n'a pas encore acquis les bases indispensables qui lui manquaient en arrivant de Varsovie. Elle passe l'été à Paris pour prendre des cours de mathématiques, et perfectionner son français.

A la rentrée, elle a chassé tous les « polonismes » de son vocabulaire. Seuls les « r » légèrement roulés témoigneront jusqu'à son dernier jour de ses origines slaves, ajoutant un charme certain à sa voix qui n'en manque pas. Et, comme tout le monde, elle calculera toujours dans sa langue maternelle.

Elle a fait, dans les matières qu'elle étudie, des progrès dont on trouve trace dans les cahiers où elle prenait ses cours.

Ce sont des cahiers d'écolier, soigneusement annotés, les termes scientifiques nouveaux mis en évidence, remplis d'une écriture penchée, claire, nette et régulière.

Vingt ans plus tard, un graphologue décèlera dans cette écriture dont il ignorait la provenance les traits suivants :

> « Esprit réfléchi, prudent ; facultés d'enthousiasme, persévérance dans l'effort. L'activité du cerveau s'exerce régulièrement avec méthode. Décisions mûries par le raisonnement et qui se manifestent d'une manière presque toujours définitive. Vive sensibilité que l'expansion trahit peu. Habitude de se replier sur soi-même dans une vie intérieure inaccessible aux familiarités. Moins de spontanéité que de mesure ; apparences sobres correctes ; peu ou pas du tout de coquetterie. Détachement des intérêts pratiques mais une grande ambition de dégager sa personnalité, de l'affirmer, de la mettre en lumière.
>
> « Goût du recueillement, de la solitude. Conscience scrupuleuse et un peu mystique. Caractère loyal et sûr, dont la nervosité est sans cesse domptée par l'ardente volonté de vaincre toute faiblesse. »

Ce n'est pas seulement « l'ambition de dégager sa personnalité », et de la mettre en lumière qui la soutiennent et l'éloignent de tout ce qui pourrait la divertir. C'est aussi la passion. Elle a rencontré la science. A travers les cours de Lippman, Paul Appell, Painlevé, elle commence à la pénétrer en même temps qu'elle en maîtrise le langage.

Bien sûr, lorsque arrive le moment des examens, elle écrit à son père qu'elle craint de n'être pas prête, qu'il lui faudra encore quelques mois. Elle entre dans l'amphithéâtre où se déroulent les épreuves, malade d'angoisse. Echouer — c'est-à-dire être perçue par les autres comme incapable de démontrer ses capacités — est ce à quoi elle n'acceptera jamais de se résigner, et la peur de l'échec la met en transes.

Non seulement elle est reçue, mais lorsque les résultats sont annoncés devant tous les candidats par ordre de mérite, son nom est prononcé le premier. Marie Sklodowska est licenciée ès sciences physiques de l'Université de Paris. Et c'est admirable.

« L'un des meilleurs souvenirs de ma vie », écrira-t-elle trente ans plus tard, en évoquant ces deux années d'efforts intenses, d'isolement, de privations. On la croit sans peine.

Exploit accompli, congé donné à sa propriétaire, son lit, sa table, sa chaise et son réchaud en pension chez Bronia, la voilà dans le train de Varsovie. Elle rentre à la maison. Pour y rester ? Pas encore. Rien de tel que d'apprendre pour découvrir que l'on ne sait rien.

Dans les laboratoires, elle a compris que pour aller plus loin dans l'ordre de la physique et de la chimie, il lui faut pousser sa formation en mathématiques.

Eternel obstacle pour préparer une nouvelle licence : l'argent. Elle est « à fond de cale ». C'est Mlle Dydynska qui lui ouvre, pendant les vacances, les portes du Paradis.

La première de ses admiratrices s'est si bien démenée qu'elle a réussi à lui faire attribuer la « bourse Alexandrowitch », que le gouvernement accorde aux étudiants particulièrement brillants désireux de poursuivre leurs études à l'étranger.

Les sbires redoutés par M. Sklodowski n'ont pas dû faire état des activités polono-patriotiques de Marie à Paris. Elles se sont d'ailleurs ralenties elles aussi jusqu'à extinction.

Six cents roubles, c'est la fortune ! Elle subsistait jusque-là avec l'équivalent de quarante roubles par mois. Environ mille francs d'aujourd'hui.

Cas unique : sur son premier gain, elle prélèvera plus tard de quoi rembourser à la Fondation le montant de sa bourse. Les rapports de Marie avec l'argent ne sont pas, on le voit, des plus simples.

Personne ne connaît mieux qu'elle la nécessité et la valeur de l'argent. Elle inscrira toute sa vie sur un carnet de comptes la moindre de ses dépenses. Elle tirera pendant de longues années le diable par la queue, le mal d'argent, parfois, l'obsédera. Elle ne transigera jamais avec l'Impur. « Désintéressé » sera toujours dans sa bouche l'éloge suprême.

Forte de sa bourse, elle emménage en septembre 93 dans une nouvelle chambre dotée, ô merveille ! d'un parquet — la précédente était carrelée — et d'une fenêtre « qui ferme bien », pour un loyer annuel de 180 F, récupère son lit, sa table, sa chaise, son réchaud et sa lampe à pétrole. Se remet avec volupté au travail, un peu moins tendue que pendant les deux années précédentes. Cours d'analyse de Paul Painlevé, cours de mécanique rationnelle de Paul Appell...

En juillet, elle est licenciée de mathématiques. Deuxième sur la liste des élus. Ce que son impertinent beau-frère appelle en la taquinant « l'époque héroïque de ta vie » est terminé.

Elle peut désormais réintégrer sa Pologne bien-aimée et se consacrer à la libération de son peuple par la lumière de la connaissance.

S'est-elle seulement aperçue, à la veille de son examen, que le président de la République a été assassiné ? Le dimanche 24 juin, en voyage officiel à Lyon, Sadi Carnot a été poignardé, dans sa voiture, par un Italien, anarchiste militant, Vesario San Ieronimo.

Chaque semaine ou presque, il y a des attentats, dont les journaux se font l'écho sous une rubrique quasiment régulière : « Les anarchistes ». Si bien qu'en décembre, une bombe lancée des tribunes de la Chambre des Députés en pleine séance a entraîné la mise en place des fameuses « lois scélérates » [1]. En février, une bombe jetée gare Saint-Lazare a blessé vingt personnes. Il y a eu un mort. Huit jours plus tard, une autre bombe fait une autre victime, rue Saint-Jacques.

En avril, le fameux restaurant Foyot a été détruit par une explosion.

La nouvelle de l'assassinat du Président de la République, retenue quelques heures, n'est parvenue à Paris que le lendemain. Publiée par les journaux le surlendemain. Elle a dû tout de même faire parler à la Sorbonne.

Mais Marie n'a sûrement pas dansé sur son banc, comme elle l'a fait à 12 ans lorsque Alexandre II a

1. Désormais le gouvernement peut saisir et interdire des journaux pour « provocation indirecte », supprimer les associations et interdire les réunions. On apprendra plus tard que la bombe a été lancée par un provocateur manipulé par le ministre de l'Intérieur

été tué par les amis de Casimir. Elle ne croit plus à l'efficacité de la violence, et le Président Sadi Carnot était un homme décent, fils de physicien et petit-fils de mathématicien de surcroît !

Positiviste, sans doute. Il a refusé la grâce de Ravachol, condamné à mort après avoir jeté une bombe boulevard Saint-Germain, malgré l'appel à la clémence de Jaurès et des chefs socialistes. Mais Marie l'eût-elle grâcié ?

Peut-être n'en a-t-elle même pas parlé, ne fût-ce qu'un instant, avec le physicien qu'elle fréquente depuis quelques semaines et qui, comme d'autres offrent des chocolats, lui a apporté, lorsqu'il est venu bavarder avec elle dans sa chambre, un tiré à part d'un article intitulé « Sur la symétrie dans les phénomènes physiques, symétrie d'un champ électrique et d'un champ magnétique ».

La brochure est dédicacée « A Mlle Sklodovska avec le respect et l'amitié de l'auteur P. Curie. »

Ensemble, ils parlent énormément, mais de physique ou d'eux-mêmes.

Et, chacun le sait, pour supporter que quelqu'un vous raconte son enfance il faut en être amoureux.

6

Pierre Curie est entré en scène dans l'existence de Marie au moment précis où il convenait qu'il apparût.

L'année 1894 est entamée. Marie est assurée d'obtenir sa licence en juillet. Elle commence à regarder au-delà, elle est plus disponible, et le printemps est beau.

Ce qui la préoccupe, dans l'immédiat, c'est l'étude sur les propriétés magnétiques de certains aciers dont elle a reçu commande de la Société d'Encouragement pour l'Industrie Nationale. Elle y travaille dans le laboratoire de l'un de ses professeurs, le physicien Gabriel Lippmann, mais les échantillons de métaux dont elle a besoin sont trop encombrants pour ce laboratoire surchargé.

Un physicien polonais émigré en Suisse, où il enseigne, se trouve de passage à Paris en voyage de noces. Il a fait signe à Marie. Elle lui a parlé de son étude, du problème pratique qu'elle rencontre. Quelqu'un, dit-il, pourra peut-être lui trouver un local et en tout cas lui donner un conseil. Un homme de grande valeur qui travaille à l'Ecole de physique et de chimie industrielles.

Il se nomme Pierre Curie. Que Marie vienne

prendre un verre de thé le lendemain et il la lui présentera.

On doit à Marie elle-même un récit de cette rencontre :

> « Quand j'entrai, Pierre Curie se tenait dans l'embrasure d'une porte-fenêtre donnant sur un balcon. Il me parut très jeune bien qu'il fût alors âgé de trente-cinq ans. J'ai été frappée par l'expression de son regard clair et par une légère apparence d'abandon dans sa haute stature. Sa parole un peu lente et réfléchie, sa simplicité, son sourire à la fois grave et jeune inspiraient confiance. Une conversation s'engagea entre nous, bientôt amicale ; elle avait pour objet des questions de sciences sur lesquelles j'étais heureuse de demander son avis, puis des questions d'intérêt social ou humanitaire auxquelles nous nous intéressions tous deux. Il y avait entre sa conception des choses et la mienne, malgré la différence de nos pays d'origine, une parenté surprenante, attribuable, sans doute, en partie, à une certaine analogie dans l'atmosphère morale au milieu de laquelle chacun de nous avait grandi dans sa famille. »

Marie Curie avait plus de 50 ans lorsqu'elle écrivit ces lignes et elle n'a jamais été femme à s'exprimer, publiquement du moins, comme la Religieuse portugaise. Mais sous la convention du style et l'éternelle contrainte apparaît bien un peu de ce qui fut, semble-t-il, un coup de foudre réciproque.

On a raconté qu'au bout de cette longue conversation, Pierre Curie et Marie s'en furent dîner ensemble dans un petit restaurant d'étudiants, et qu'il était si tard lorsqu'il la raccompagna chez elle qu'il rata le dernier train pour Sceaux où il habitait et dut rentrer à pied.

Vrai ou faux, ce n'est pas invraisemblable. Pierre Curie était déjà captif de cette singulière petite personne blonde. Et depuis toujours fort distrait. Marie s'est toujours conduite avec simplicité. Dîner ensemble, pourquoi pas si elle en a eu envie ?

Marie n'a pas atteint 26 ans, bientôt 27, elle n'a pas vécu trois ans à Paris sans avoir croisé chez les Dlubski, à la Faculté, au laboratoire, des représentants de l'espèce masculine sensibles à sa séduction.

Pendant son séjour chez Bronia, un étudiant polonais enamouré a cru bon d'avaler du laudanum pour se rendre intéressant à ses yeux. Réaction de Marie : « Ce jeune homme n'a pas le sens des priorités. »

En tout cas, ils n'ont pas le même.

En 1894, elle a bien vieilli. Ses joues se sont creusées, sa taille s'est amenuisée, sa fraîcheur un peu rustique malmenée par son mode de vie a cédé la place à un teint transparent ; ses yeux gris cendre au regard intense paraissent plus grands sous la barre des sourcils qui soulignent un beau front bombé. Elle n'a pas encore cette fragilité qui, plus tard, touchera si fort ceux qui l'approcheront, mais quelque chose, chez cette jeune fille inflexible, provoque curieusement le désir de la protéger.

C'est un M. Lamotte, dont on ignore ce qu'il était au juste, qui lui fait cette année-là une cour cérémonieuse et persévérante. Il n'a laissé sa faible trace dans l'histoire de Marie Curie que parce qu'elle a conservé ses lettres. Elle ne devait donc pas le tenir en mépris, même s'il ne semble pas avoir éveillé chez elle des sentiments bien vigoureux.

Mais ce personnage obstiné, qui vit dans l'espoir de « la gagner par sa patiente amitié », va se heurter à un rival en face duquel il ne fait pas le poids. A supposer qu'il ait pu le faire, ce que nous ne saurons jamais.

Marie ne fonctionne pas comme les femmes de son temps y sont contraintes, s'y complaisent ou s'y résignent.

L'affirmation de soi qu'elles sont réduites à ne chercher que dans le mariage, la maternité, et, pour les dévergondées, l'adultère, Marie la cherche dans ce qu'elle fait.

Cela n'empêche pas qu'elle ait aussi besoin d'être aimée, tout comme un homme, d'avoir des enfants, tout comme un homme. Mais en même temps, elle a, tout comme un homme, besoin d'affirmer ses capacités. Et ce besoin est d'autant plus impérieux qu'il lui faut les affirmer comme femme, dans une société qui nie les femmes hors des fonctions qui leur sont réservées. « Ménagère ou courtisane », comme l'a énoncé le père du syndicalisme français, Proud'hon.

Dans ce climat du temps où les jeunes filles ne doivent pas savoir qu'elles ont un corps, qu'il peut éprouver d'autres joies que de porter un enfant dont elles ignorent d'ailleurs comment il se trouvera là, on peut tenir pour certain que Marie n'a pas dû accorder beaucoup de privautés à ses soupirants.

Elle est peut-être mieux informée — du moins sur le plan technique, si l'on peut dire — que les filles de sa génération. Elle est, d'autre part, assez libre, ou libérée, pour aller dîner — ou, autre version, — pour donner son adresse à Pierre Curie le jour où elle le rencontre et trouver normal de le recevoir dans sa chambre, conduite inimaginable de la part d'une jeune Française de son milieu social, même à 26 ans.

Elle est enfin trop dominée par l'esprit pour s'imaginer durablement liée, fût-ce d'amitié, avec un homme intellectuellement médiocre. Même le

Casimir Zorawski de ses vingt ans n'était pas, à cet égard, quelconque.

Pierre Curie, lui, est exceptionnel. A tous égards.

Ce moment de l'amour naissant où il semble que se retrouvent les deux fragments d'un seul être, où l'on s'émerveille de se découvrir « faits l'un pour l'autre », où s'ajuste, comme dans un accord harmonique, ce que chacun révèle à l'autre de lui-même, Marie le vit, semble-t-il, en goûtant surtout le plaisir de se laisser aimer.

Pierre lui renvoie d'elle-même l'image la mieux faite pour lui plaire : celle d'une femme attirante par la vigueur de son intelligence autant que par sa grâce aux yeux d'un homme de science dont le savoir est infiniment supérieur au sien.

Quand, au début d'août 94, elle rentre en Pologne pour y passer les vacances avec son père, elle ne s'est aucunement engagée. Même pas à revenir...

Ce qu'elle connaît alors de Pierre Curie, on peut à peu près le reconstituer à travers ce que nous savons et les lettres qu'il lui écrira au cours de l'été.

Elle a raconté sa famille ; il a raconté la sienne. Son père est médecin, fils de médecin, d'origine alsacienne. Le docteur Curie exerce à Sceaux, c'est-à-dire dans une petite ville à la lisière campagnarde de Paris. A 35 ans, Pierre habite encore avec ses parents.

Elle a raconté l'aventure de ses études. Il a raconté qu'il n'avait jamais été à l'école. Son père a su épargner cette épreuve à un enfant trop rêveur, trop distrait, trop sensible, à l'intelligence « lente », dit-il, inadapté et inadaptable aux méthodes scolaires. Il a appris à lire et à écrire avec sa mère. Son père lui a enseigné à observer la nature et l'a laissé butiner dans la vaste bibliothèque familiale avant de le confier, à 14 ans, à un professeur. Alors il a fait une découverte : la beauté des mathématiques. Il nage dans l'abstraction comme un poisson dans l'eau. A 16 ans il était bachelier, à 18 licencié.

Sans doute n'a-t-il pas dit qu'il possède un don particulier que Marie décrira plus tard ainsi : « Un esprit géométrique caractérisé et une grande facilité de vision dans l'espace. »

Ils ont été marcher ensemble, le dimanche, à la campagne.

C'est le véritable univers de Pierre Curie, celui de son enfance, celui de sa jeunesse. Cent fois il a disparu, le matin, le soir, il n'a aucune notion du temps, pour aller marcher le long de la Bièvre, s'enfoncer dans les bois de la Minière... « j'en revenais à l'aube, a-t-il écrit, avec vingt idées... »

Il a cueilli une pervenche, ramassé une grenouille pour faire observer à Marie ce qui obsède son esprit : la symétrie dans les formes de la nature.

Elle a parlé de Bronia. Il a parlé de Jacques, son frère aîné, lycéen inconstant lui aussi, de caractère totalement différent, extroverti, actif, compagnon bien-aimé de jeux, de vagabondages, de travail jusqu'au jour où Jacques s'est marié, et a quitté Sceaux pour devenir maître de conférences à la Faculté des Sciences de Montpellier.

Elle a parlé de la progression de son étude sur les aciers.

Il a parlé de ses travaux sur la piézo-électricité.

Ce phénomène — la production de charges électriques à la suite de la compression ou la dilatation des cristaux dépourvus de symétrie — il l'a découvert avec Jacques. Les deux frères ont ensuite démontré le phénomène inverse prévu par Lippmann ; une charge électrique appliquée à de tels cristaux les déforme [1].

Aussitôt publiés, ces travaux ont provoqué l'intérêt puissant de celui qui règne alors sur la physique britannique, lord Kelvin.

Pour réaliser leurs expériences, au laboratoire de minéralogie où Jacques était préparateur de Friedel, les frères Curie ont conçu et construit deux instruments : un électromètre à quartz piézo-électrique permettant de mesurer les courants électriques de faible intensité, une balance magnétique permettant d'équilibrer des forces de l'ordre de 1/100 milligramme.

Il faut, pour utiliser ces instruments, une habileté expérimentale extrême. Elle s'acquiert, mais les mains de Pierre ont toujours eu « le don ».

Elle l'a interrogé sur les recherches qu'il poursuit maintenant.

Et parce qu'elle est la seule femme capable de comprendre alors de quoi il parle, il a expliqué qu'il cherche s'il existe des transitions, du point de vue des propriétés magnétiques, entre les trois états de la matière : les corps diamagnétiques, les corps faiblement magnétiques, les corps ferro-magnétiques, et s'il est possible de faire passer progressivement un même corps par ces trois états.

Ce sera l'objet de sa thèse de doctorat. Mais il avance lentement. Il ne dispose ni d'installation, ni de matériel de laboratoire pour ses recherches personnelles, et travaille dans un couloir depuis qu'il est devenu, à 25 ans, chef de travaux à l'Ecole de physique et de chimie industrielles de Paris où il est, de surcroît, surchargé de tâches. Il y a dix ans qu'il occupe cette fonction obscure.

1. Le microphone à ultra-sons, la montre à quartz ont dérivé de ces travaux.

Peut-être s'est-elle discrètement étonnée qu'il n'ait pas songé à présenter le concours d'entrée dans une « grande école », Polytechnique ou Normale Sup.

Il lui a dit, en tout cas, que la compétition lui est insupportable. Etrangère à ses moyens, à sa démarche, à sa philosophie. L'en a-t-elle admiré davantage, elle qui est née conquérante ? Comme d'un trait supplémentaire de ce « désintéressement » dont elle a fait sa valeur majeure ?

En fait, toute sa vie Pierre Curie se protégera de l'Autre, des autres. Il fuit la lutte et, lorsqu'on l'y pousse, procède avec une telle répugnance qu'il y ramasse des coups plus que des succès.

Après sa mort, le mathématicien Henri Poincaré dira de lui : « Pierre Curie s'est élevé aux plus grands honneurs avec une mentalité de chien battu. »

Si Marie a jamais souscrit à ce jugement, elle n'en a rien laissé paraître. Tout permet de penser, d'ailleurs, qu'elle ne se serait pas durablement accommodée de vivre avec un animal de combat. C'eût été, dans le couple, un de trop.

Le docteur Curie, protestant mais libre penseur convaincu, n'a jamais donné à ses deux garçons la moindre éducation religieuse ce qui, en son temps, dépasse l'indifférence pour confiner à l'affirmation d'une différence. On ignore ce que son épouse, fille d'un petit industriel d'origine savoyarde, en pensait, mais le fait est que Pierre s'est aligné sur son père.

L'une des premières fois où il a grimpé les six étages qui conduisent à la mansarde de Marie, il lui a apporté le *Lourdes* que Zola venait de publier, heureux de vérifier qu'elle partage son attitude à l'égard de la religion.

Ce n'est pas le mysticisme auquel Marie et Pierre

sont étrangers. C'est l'objet de leur mystique — la science — qui est combattu par la religion. Comme si le chercheur devait automatiquement nier l'existence d'un réel auquel la physique ne saurait accéder.

Chercher, regarder par le trou de la serrure, en découvrir la clé, ouvrir une porte derrière laquelle se trouve une autre porte fermée, puis une autre et une autre et une autre, chercher est une pulsion. Ce n'est pas une philosophie.

Pierre Curie appartient à une génération qui a rejeté l'Eglise, instrument de domination sociale. Pour le reste, il a autant, plus que d'autres, le sentiment du tragique de la vie.

L'amie de son enfance, tendre compagne de tous ses jours, est morte alors qu'il avait 20 ans. La communion, la douceur d'être deux, c'est avec son frère qu'il l'a vécue. « Pensant de même, il ne nous était plus nécessaire de parler pour nous comprendre », dira-t-il à Marie, évoquant leur relation. Depuis leur séparation, qui lui a été cruelle, Pierre Curie est solitaire.

Il note dans son « journal » une phrase éclairante sur la nature de ses relations avec les femmes : « Les femmes de génie sont rares. Aussi, lorsque poussés par quelque amour mystique, nous voulons entrer dans quelque voie antinaturelle, lorsque nous donnons toutes nos pensées à quelque œuvre qui nous éloigne de l'humanité qui nous touche, nous avons à lutter avec les femmes.

« La mère veut avant tout l'amour de son enfant, dût-il en rester imbécile. La maîtresse veut aussi posséder son amant et trouverait tout naturel que l'on sacrifiât le plus beau génie du monde pour une heure d'amour. La lutte, presque toujours, est inégale, car les femmes ont pour elles la bonne cause :

c'est au nom de la vie et de la nature qu'elles essayent de nous ramener. »

Essaya-t-il souvent de soutenir cette lutte, avec qui, contre qui, on l'ignore et peu importe. On comprend que, cheminant à la fois dans le sublime et dans la physique théorique, il s'y soit encore trouvé seul à 35 ans. Et que Marie Sklodowska lui soit très vite apparue comme l'Unique, capable de l'y accompagner.

***

Marie sera sensiblement plus longue à être convaincue qu'elle doit aliéner son indépendance, fût-ce à ce physicien aux yeux limpides.

Mûries dans l'angoisse et le scrupule, ses décisions sont toujours tenues une fois prises. Encore faut-il les prendre.

Forte de ses diplômes, elle doit, en ce bel été 1894, choisir maintenant entre la Pologne à laquelle l'attachent toutes les fibres qui lient au pays natal, où l'appelle son engagement patriotique, et son autre — on pourrait dire sa véritable — patrie : la science.

Pierre Curie le lui a dit : « La science, c'est votre destin. » La science, c'est-à-dire la recherche poursuivie sans buts pratiques.

Le monde scientifique français tient alors très généralement en mépris ceux que l'on appelle « les inventeurs ».

Le télégraphe électrique et le téléphone, le phonographe et la lampe à incandescence, la machine à écrire et le microphone, qui naissent aux Etats-Unis : commodes. Le roulement à billes qu'invente un Français, Surtray, la dynamo qu'invente un

Allemand, Siemens : ingénieux. Clément Ader et son avion : audacieux. Louis Lumière et le cinématographe : amusant.

Dans un discours qui a fait quelque bruit, Marcelin Berthelot, le grand chimiste du temps, qui doit sa popularité à la synthèse de l'alcool et qui dirige un laboratoire travaillant pour l'industrie, a tracé le tableau de l'an 2000 :

> « Dans ce temps-là, il n'y aura plus dans le monde ni agriculture, ni pâtres, ni laboureurs : le problème de l'existence par la culture du sol aura été supprimé par la chimie. Il n'y aura plus de mines de charbon de terre et industries souterraines, ni par conséquent de grèves de mineurs. Le problème des combustibles aura été supprimé par le concours de la chimie et de la physique.
>
> « Il n'y aura plus ni douanes, ni protectionnisme, ni guerres, ni frontières arrosées de sang humain. La navigation aérienne, avec ses moteurs empruntés aux énergies chimiques, aura relégué ces institutions surannées dans le passé. Nous serons alors bien près de réaliser les rêves du socialisme... pourvu que l'on réussisse à découvrir une chimie spirituelle qui change la nature morale de l'homme aussi profondément que notre chimie transforme la nature matérielle ! »

Il annonce que la chimie produira une nourriture en tablettes dont l'abondance ne dépendra plus de la pluie ou de la sécheresse, des bonnes et des mauvaises récoltes Et ajoute :

« Le problème fondamental consiste à découvrir des sources d'énergie inépuisables et se renouvelant presque sans travail... »

S'il ne prévoit pas que l'huile de Sénéca fournira, sous le nom de pétrole, cette source au XXe siècle, il annonce très précisément pour le XXIe siècle l'utilisation de l'énergie solaire.

Mais Berthelot est exceptionnel. Il est l'un des très rares hommes de sa génération qui aient établi une relation intellectuelle entre le progrès scientifique et la transformation des sociétés. La plupart des scientifiques de son âge n'ont, à l'égard de ce qu'on appelle aujourd'hui technologie, aucune considération. Affaire d'ingénieurs. La recherche ne doit avoir à leurs yeux qu'un objet : repousser les frontières du savoir. A la limite, c'est une esthétique. En tout cas, une attitude aristocratique qui se prolongera au cours du XXe siècle et qui règne également en Grande-Bretagne.

« Les jeunes chercheurs de Cambridge se flattaient de ce que le genre de science auquel ils se consacraient ne pouvait en aucun cas avoir la moindre utilité pratique, raconte C. M. Snow. Plus on était en mesure d'affirmer qu'on ne servait à rien, et plus on se sentait supérieur. »

Il faudra la Première Guerre mondiale, l'emploi des gaz toxiques, la mobilisation des scientifiques au service de la guerre, pour que cette attitude se modifie. Jusque-là seule la recherche médicale aura des lettres de noblesse dans l'ordre du souci de son application.

Mais dans ce domaine aussi, Pasteur a posé la règle d'or : « Encourager le désintéressement scientifique parce qu'il est l'une des sources vives du progrès dans la théorie, d'où émane tout progrès dans l'application. »

Le désintéressement, c'est ce à quoi Marie adhère totalement. Il est clair que l'action désintéressée sera toujours indispensable à l'équilibre de son économie intérieure.

Dès lors qu'elle a réussi sa première conquête — des connaissances égales à celles des hommes —, entreprise dans le but désintéressé de les transmettre, elle peut sans se renier chercher à utiliser plutôt ses capacités en les mettant au service d'un but également stimulant : la recherche théorique, la recherche pure élargissant un savoir pur.

Mais même si le patriotisme exalté de Marie lui a servi à habiller inconsciemment son ambition, il reste ardent. Comme celui de Bronia, qui n'attend pour rentrer que l'amnistie permettant à son turbulent mari de rejoindre son pays.

Bref, Marie est repartie fin juillet pour la Pologne, laissant un M. Lamotte consterné et un Pierre Curie décidé à la retrouver.

Comme beaucoup d'introvertis, Pierre écrit avec plus de liberté qu'il ne parle quand il veut exprimer ses sentiments.

Et il y a, dans l'échange épistolaire, une communication d'une tout autre nature encore que dans la communication verbale.

Parlant du « lien d'affection qui commençait à s'établir » entre eux — Marie ne trace jamais le mot « amour » — elle raconte dans le livre guindé qu'elle lui a consacré : « Pierre Curie m'écrivit durant l'été 1894 des lettres que je crois admirables dans leur ensemble. »

Ces lettres sobres sont, à tous égards, des documents sur lui, sur elle que l'on devine à travers ce qu'il lui écrit, et accessoirement sur ce dont le téléphone privera les historiens de notre temps. Il s'y fût ruiné, Pierre Curie, si les communications internationales avaient déjà été établies !

C'est elle qui écrit la première, et aussitôt il répond :

10 août 1894

« Rien ne pouvait me faire plus de plaisir que d'avoir de vos nouvelles. La perspective de rester deux mois sans entendre parler de vous m'était extrêmement désagréable : c'est vous dire que votre petit mot a été le bienvenu.

J'espère que vous faites provision de bon air et que vous nous reviendrez au mois d'octobre. Pour moi, je crois que je ne voyagerai pas, je reste à la campagne, et je suis toute la journée devant ma fenêtre ouverte, ou dans le jardin.

Nous nous sommes promis (n'est-il pas vrai ?) d'avoir l'un pour l'autre au moins une grande amitié. Pourvu que vous ne changiez pas d'avis ! Car il n'y a pas de promesses qui tiennent, ce sont des choses qui ne se commandent pas. Ce serait cependant une belle chose à laquelle je n'ose croire, que de passer la vie l'un près de l'autre, hypnotisés dans nos rêves : *votre rêve* patriotique, *notre rêve* humanitaire et *notre rêve* scientifique.

De tous ces rêves-là, le dernier seul est, je crois, légitime. Je veux dire par là que nous sommes impuissants à changer l'état social et, s'il n'en était pas ainsi, nous ne saurions que faire, et en agissant dans un sens quelconque nous ne serions jamais sûrs de ne pas faire plus de mal que de bien, en retardant quelque évolution inévitable. Au point de vue scientifique, au contraire, nous pouvons prétendre faire quelque chose : le terrain est ici plus solide et toute découverte, si petite qu'elle soit, reste acquise.

Voyez comme tout s'enchaîne... Il est convenu que nous scrons de grands amis, mais si dans un an vous quittez la France ce sera vraiment une amitié trop platonique que celle de deux êtres qui ne se verront plus. Ne vaudrait-il pas mieux que vous restiez avec moi ? Je sais que cette question vous fâche et je ne veux plus vous en parler — puis je me sens tellement indigne de vous, à tous les points de vue...

J'avais pensé vous demander la permission de vous rencontrer *par hasard* à Fribourg. Mais vous y resterez, n'est-il pas vrai, un jour seulement, et ce jour-là vous appartiendrez nécessairement à nos amis Kowalski.

Croyez-moi votre tout dévoué.

P. Curie

Je serais bien heureux si vous vouliez bien m'écrire et me donner l'assurance que vous comptez revenir en octobre. En m'écrivant directement à Sceaux, les lettres m'arrivent plus vite : Pierre Curie, 13 rue des Sablons, à Sceaux (Seine). »

Quatre jours après :

« ... Maintenant qu'il n'est plus temps, je regrette de ne pas être parti... Etes-vous fataliste ? Vous rappelez-vous le jour de la Mi-Carême ? Je vous ai perdue brusquement dans la foule. Il me semble que nos relations amicales seront ainsi brusquement interrompues sans que nous le désirions ni l'un ni l'autre. Je ne suis pas fataliste, mais ce sera probablement une conséquence de nos caractères. Je ne saurai pas agir au moment opportun.

Ce sera du reste fort bien pour vous, car je ne sais pourquoi je me suis mis en tête de vous retenir en France, de vous exiler de votre pays et des vôtres sans avoir rien de bon à vous offrir en échange de ce sacrifice.

Je vous trouve un peu prétentieuse quand vous dites que vous êtes parfaitement libre. Nous sommes, tous, tout au moins esclaves de nos affections, esclaves des préjugés de ceux que nous aimons, nous devons aussi gagner notre vie et, par cela, devenir un rouage de machine, etc.

Le plus pénible, ce sont les concessions qu'il faut faire aux préjugés de la Société qui nous entoure : on en fait plus ou moins, selon qu'on se sent plus faible ou plus fort. Si l'on n'en fait pas assez on est écrasé. Si l'on en fait trop, l'on est vil et l'on prend le dégoût de soi-même. Me voilà loin des principes que j'avais il y a dix ans : je croyais à cette époque qu'il fallait être excessif en tout et ne faire aucune concession au milieu qui nous entoure. Je ne mettais que des chemises bleues comme les ouvriers, etc.

Enfin, vous voyez, je suis devenu très vieux... »

Dans une autre lettre datée de septembre, il lui parle longuement de son frère Jacques avec lequel il vient de passer quelques jours en Auvergne. Qu'a-t-elle répondu ? Il est inquiet, et lui conseille « vivement de revenir à Paris au mois d'octobre. Cela me ferait beaucoup de peine si vous ne reveniez pas ».

Il semble que, ressaisie par la Pologne et ses amis de l'Université volante, Marie ait évoqué avec quelque flamme l'ampleur de l'injustice sociale, l'égoïsme qu'il y aurait à s'en accommoder, le devoir impérieux d'agir pour contribuer à la réduire. Car Pierre répond :

« ... Que penseriez-vous de quelqu'un qui songerait à se jeter la tête la première contre un mur de pierres de taille, avec la prétention de le renverser ? Cela pourrait être une idée résultant de très beaux sentiments mais, de fait, cette idée serait ridicule et stupide. Je crois que certaines questions demandent une solution générale, mais ne comportent plus aujourd'hui de solution locale, et que lorsqu'on s'engage dans une voie qui n'a pas d'issue, on peut faire beaucoup de mal. Je crois encore que la justice n'est pas de ce monde et que le système le plus fort ou plutôt le plus économique sera celui qui prévaudra. Un homme est exténué par le travail et vit quand même misérable : c'est là une chose révoltante, mais ce n'est pas pour cela qu'elle cessera. Elle disparaîtra probablement parce que l'homme est une sorte de machine et qu'il y a avantage, au point de vue économique, à faire fonctionner une machine quelconque dans son régime normal, sans la forcer.

Vous avez une façon étonnante de comprendre l'égoïsme : quand j'avais vingt ans, il m'est arrivé un grand malheur, j'ai perdu une amie d'enfance que j'aimais beaucoup, dans des circonstances terribles — je manque de courage pour vous raconter cela... J'ai passé ensuite des jours et des nuits avec une idée fixe, j'éprouvais comme une jouissance à me torturer moi-même. Puis je m'étais voué de bonne foi à une existence de prêtre, je m'étais promis de ne plus m'intéresser qu'aux choses et de ne plus penser ni à moi ni aux hommes. Je me suis souvent demandé depuis si ce renoncement à l'existence n'était pas simplement un artifice dont j'usais vis-à-vis de moi-même pour acquérir le droit d'oublier.

La correspondance est-elle libre dans votre pays ? J'en doute fort et je crois qu'il vaut mieux, à l'avenir, ne plus faire dans nos lettres de dissertations qui, bien que purement philosophiques, pourraient être mal interprétées et vous causer des ennuis.

Vous pouvez m'écrire, si vous le voulez bien, 13 rue des Sablons.

Votre ami dévoué. »

Sa précédente lettre est resté sans réponse. S'en étonnant, il ajoute en post-scriptum qu'elle ne contenait « rien de particulier ».

« Je vous demandais si vous vouliez louer avec moi un appartement rue Mouffetard avec fenêtres donnant sur des jardins ; cet appartement peut se diviser en deux parties indépendantes. »

Rien de particulier ?

Ces quelques lignes indiquent en tout cas qu'il a compris le prix que Marie attache et attachera toujours à son indépendance, et le peu de cas qu'elle fait des conventions.

Le 17 septembre, il est rassuré.

> « Enfin, vous allez revenir à Paris et cela me fait grand plaisir. Je désire vivement que nous devenions pour le moins des amis inséparables. N'êtes-vous pas de cet avis ? »

Et il glisse :

> « Si vous étiez Française, vous arriveriez facilement à être professeur dans un lycée ou dans une école normale de jeunes filles. Cette profession vous plairait-elle ? »

Et si elle épousait un Français, elle serait Française, n'est-il pas vrai ?

Pierre signe cette fois : « Votre ami bien dévoué », et ajoute en post-scriptum :

> « J'ai montré votre photographie à mon frère. Ai-je eu tort ? Il vous trouve très bien. Il a ajouté : « Elle a l'air très décidée et *même têtue.* »

Têtue, ô combien !

Si Pierre a cru à ce projet d'appartement partagé, elle se garde d'y donner suite. Elle est rentrée en sachant qu'elle disposerait d'une chambre dans l'appartement que Bronia a loué, rue de Châteaudun, pour y donner ses consultations. Sans loyer, et toujours frugale, elle peut se repaître de travail au laboratoire de la Sorbonne où elle s'attaque à la physique expérimentale. Et les affaires de Pierre n'avancent pas.

Alors le « doux entêté », comme l'appelle son père, lui propose de la suivre en Pologne, si c'est là ce qui la retient de l'épouser. Lance une offensive en direction de Bronia pour qu'elle intercède auprès de sa sœur. Obtient de Marie qu'elle fasse la connaissance de ses parents.

« L'étrangère pauvre », comme elle se désigne elle-même, à laquelle les parents de Casimir Zorawski ont laissé une fameuse cicatrice, n'est pas disposée à renouveler l'épreuve. Certes, Pierre a 36 ans maintenant, et il est libre ; mais profondément attaché à ses parents dont il lui a dit : « Ils sont exquis. »

Ils sont, en tout cas, immédiatement affectueux envers cette jeune femme exotique dont leur fils est si visiblement épris.

C'est une certaine France, celle des Curie, la France où Marie s'insérera avec aisance. Un jour elle en découvrira une autre.

Le docteur Curie porte encore la trace de la balle qu'il a reçue dans la mâchoire en se mêlant aux émeutiers de 1848. Pendant la Commune, il a établi une ambulance pour y soigner les blessés qu'il allait chercher sur les barricades avec ses deux jeunes garçons. Il aurait aimé se consacrer à la recherche, mais il faut vivre... Il exerce depuis quelques années à Sceaux, y habite, avec sa femme, une maison douillette située en pleine verdure, où ils vivent simplement dans le décor d'acajou et de velours des intérieurs bourgeois. Les livres y abondent, les roses viennent du jardin où, le dimanche, on joue aux boules entre voisins ou aux échecs. La cuisine est savoureuse. La conversation vive.

Républicain bouillant, le docteur s'indigne, s'emporte, fulmine, essaye d'intéresser Pierre aux débats qui agitent le cœur du monde politique : le Parlement.

Il n'est alors question que de la violente altercation qui a opposé à la Chambre un député socialiste,

Jaurès, à un ministre du gouvernement, Louis Barthou, altercation suivie d'un duel.

Un capitaine d'artillerie accusé d'espionnage au service de l'Allemagne a été condamné à la prison et à l'exil à vie. Il a échappé à la peine capitale parce que la Constitution de 1848 a supprimé la peine de mort en matière politique. Son procès s'est, curieusement, déroulé à huis-clos. A la Chambre, Jaurès s'est indigné : justice de caste, justice de classe. C'est l'article 76 du code de justice militaire qu'il fallait appliquer pour que le félon soit exécuté. Mais le gouvernement protège les traîtres !

La presse est pleine des injures qui ont volé et du duel au pistolet entre le ministre et le député qui s'en est suivi.

Pour sauver le capitaine — à propos, il s'appelle Dreyfus — « l'énorme pression juive a été loin d'être inefficace », déclare ensuite Jaurès aux journalistes.

Tout ceci n'est pas pour intéresser Pierre. Lorsque, trois ans plus tard, la cour martiale acquittera le vrai coupable, le commandant Esterhazy, et qu'un ancien normalien converti au socialisme, Charles Péguy, collectera des signatures de protestation, Pierre Curie donnera, bien sûr, la sienne. Avant que Jaurès ne soit devenu dreyfusard.

Mais les joutes politiques qu'adore son père le font fuir dans ses rêves : « Je ne sais pas me mettre en colère », dit-il.

La rencontre entre la jeune intellectuelle polonaise et le vieux républicain français, dont les conséquences seront déterminantes pour la carrière de Marie, est réussie. C'est l'enchantement réciproque.

Marie et le docteur sont dans le petit amphithéâtre de la Sorbonne, le jour où Pierre soutient sa thèse de doctorat sur le magnétisme [1].

En l'écoutant discuter avec les trois professeurs, Bouty, Lippmann et Hautefeuille qui procèdent à l'examen oral du futur docteur ès sciences, la jeune femme est profondément impressionnée. « La petite salle abrita ce jour-là la haute pensée humaine, écrira-t-elle, et de ce sentiment j'étais toute pénétrée. »

La haute pensée humaine est mal rétribuée. A 36 ans, Pierre Curie gagne 3 600 F par an à l'Ecole de physique.

Selon les chiffres rendus publics à l'époque, les revenus annuels des ménages parisiens s'établissent et se répartissent alors dans les termes suivants :

— Pauvres	(77 %) :	1 070 F
— Aisés	(16,2 %) :	5 340 F
— Riches	(5,3 %) :	15 500 F
— Multimillionnaires	(0,1 %) :	385 000 F

Avec un traitement de 3 600 F par an, ce n'est donc pas l'aisance que Pierre propose à Marie [2].

Les petits revenus qu'il perçoit sur les droits d'exploitation des instruments de recherche qu'il a inventés — une balance, achetée par une société de produits chimiques, un objectif acheté par une société d'optique — ne lui procurent même pas de quoi payer le matériel dont il aurait besoin.

Alors, il accepte, en janvier 1895, un poste de conseiller auprès de cette société d'optique moyennant une rétribution mensuelle de 100 F.

1. Pierre Curie a découvert, entre autres choses, que le coefficient d'aimantation varie en raison inverse de la température. C'est la « loi Curie ». Ses travaux sur le magnétisme ont ouvert une voie royale de la science française, celle qui aboutit au prix Nobel attribué en 1970 à Louis Néel pour ses recherches sur l'anti-ferromagnétisme.

2. En francs d'aujourd'hui, environ dix fois plus.

Mais ce n'est certes pas la perspective de vivre médiocrement qui prolonge, jusqu'à la fin de l'année universitaire, l'incertitude où Marie le laisse sur ses intentions.

Ce n'est pas davantage l'infortuné Lamotte qui ne s'est pas résigné à désespérer et dont elle ne sera définitivement débarrassée que le jour où elle lui donnera ce que, dans sa dernière lettre, il appellera « le coup de grâce » : l'annonce de son prochain mariage.

La seule compétition que Pierre ait jamais acceptée et qu'il vient de gagner, c'est contre la Pologne.

> « Quand tu recevras cette lettre, écrit Marie à une amie de Varsovie, ta Marya aura changé de nom. Je vais épouser l'homme dont je t'avais parlé l'année dernière à Varsovie. Il m'est très douloureux de rester pour toujours à Paris, mais que faire ? Le sort a fait que nous sommes profondément attachés l'un à l'autre et que nous ne pouvons supporter l'idée de nous séparer... »

Et c'est ainsi qu'en juillet 1895, Marie prend, en cachette, des leçons d'un genre nouveau avec Bronia : comment fait-on un poulet rôti ? Des frites ? Comment nourrit-on un mari ? Combine chez la petite couturière à façon, dénichée par Bronia, la robe de mariée que Mme Dbluska, la mère de Casimir, lui offre. « Sobre et très pratique pour que je puisse la mettre ensuite pour aller au laboratoire », a-t-elle demandé.

M. Sklodowski et Hela accourent de Varsovie pour la cérémonie, si l'on peut appeler ainsi une brève station à la mairie de Sceaux où Pierre Curie et

Marie Sklodowska sont déclarés unis par le mariage. Un mariage sans alliances ni bénédiction...

La mère de Pierre a bien dû commander un gigot pour célébrer les noces de son garçon et recevoir dignement la famille polonaise, mais nous n'en savons rien.

On sait, en revanche, qu'un cousin a eu le bon esprit d'envoyer un chèque en guise de cadeau. Que ce chèque a pris la forme de deux bicyclettes. Et que « la petite reine », invention toute neuve devenue la coqueluche des Français, sera le véhicule du voyage de noces de M. et Mme Pierre Curie. Elle pédale en chapeau, qu'une longue épingle ancre dans son chignon blond.

II

Le génie

7

La bicyclette, c'est la liberté. Pas d'horaires obligés, d'itinéraires tracés d'avance, c'est l'aventure, la découverte vagabonde, tout ce qu'aime Pierre.

Jamais deux cyclistes n'arpenteront en quelques années plus de petits chemins sentant la noisette, de landes de bruyère, de vallées et de collines que ces deux cyclistes-là.

En septembre 95, c'est la forêt qu'ils explorent du côté de Chantilly. Bronia et Casimir ont loué dans la région une grande maison où sont réunis pour le temps des vacances M. Sklodowski, Hela, Mme Dbluska, Pierre, Marie et Lou, la petite fille de Bronia. C'est Varsovie à Chantilly.

Pierre s'y trouve à merveille et, pour l'amour de sa femme, se met à apprendre le polonais. Marie se laisse vivre. Bronia gouverne.

Le docteur Curie vient parfois déjeuner avec sa femme. Il initie ses nouveaux amis aux subtilités de la politique française dont le colonialisme actif et l'alliance avec la Russie sont alors les principes fondamentaux.

Le colonialisme... Si cela doit apporter l'instruction et les soins médicaux aux indigènes... L'alliance avec la Russie laisse les Sklodowski plus perplexes.

Dix ans plus tard, au moment de l'insurrection de 1905, Marie enverra de l'argent, par l'entremise de son beau-frère, aux révolutionnaires russes.

En août 1914, à la veille de la bataille de la Marne, elle fera partie des membres de la colonie polonaise convoqués à l'ambassade de Russie, rue de Grenelle, pour les détourner de la légion du maréchal Pildulski : cette légion polonaise, associée aux troupes allemandes dans l'espoir de libérer la Pologne, menaçait les flancs de la Russie dont l'état-major français attendait avec impatience l'offensive.

Mais, en septembre 1895, on ne songe pas à la guerre, dans la maison de Chantilly.

Une bonne nouvelle : Pierre va enfin accéder au statut de professeur. C'est indirectement à lord Kelvin qu'il le doit. Le vieux maître britannique a entrevu, le premier, les applications possibles de la piézo-électricité. Il est venu de Londres en discuter avec le jeune physicien français, lui a rendu hommage dans une revue scientifique, en fait si grand cas qu'un professeur au Collège de France, Mascart, impressionné, est intervenu auprès du directeur de l'Ecole pour qu'un poste d'enseignant soit enfin donné à Pierre Curie.

La vérité oblige à dire que c'est toujours par l'étranger que passera la reconnaissance officielle de la valeur et de Pierre et de Marie Curie, à tous les stades de leur carrière.

Avec un traitement de 6 000 F par an, les voilà plus à l'aise.

Marie applique son plan. Préparer le concours d'agrégation pour enseigner l'année suivante dans un lycée, chercher en même temps commande d'un travail rémunéré de recherche, installer le petit appartement qu'ils ont loué près de l'Ecole, rue de la Glacière, s'organiser pour n'y perdre inutilement ni temps ni énergie. Pas de meubles à cirer, de cadres ni de bibelots à épousseter, de napperons à laver. Toujours le sens des priorités.

Il ne sera pas varsovien, cet intérieur dont elle a réduit le décor au strict nécessaire. Ni parisien.

Pierre s'en moque. Du moment qu'il voit des arbres de sa fenêtre, qu'il y a des fleurs sur la table de bois blanc où ils travaillent l'un en face de l'autre, une bibliothèque pour ses livres et un lit...

> « ... J'arrange peu à peu mon appartement, écrit Marie à son frère en novembre 95, mais je compte lui garder un style qui ne me donne aucun souci et qui ne réclame pas d'entretien car j'ai très peu de service. Une femme vient une heure par jour faire la vaisselle et les gros travaux. Je fais moi-même la cuisine et le ménage... »

Et le marché le matin avant d'aller travailler. Banal.

Les rapports de Marie avec la cuisine sont à son image. Pierre sait à peine ce qu'il mange. Mais dès lors qu'elle fait quelque chose, il convient qu'elle le fasse bien. Elle s'enorgueillira toujours de savoir mieux que personne allumer un feu de bois ou entretenir un poêle. Elle a acheté un livre de recettes, *La Cuisine bourgeoise,* qui porte en marge ses annotations.

L'histoire ne dit pas si elle avait aussi le don sans lequel il n'y a pas de bonnes cuisinières. Elle y mit, en tout cas, son point d'honneur, de l'obstination, et son esprit d'économie, lequel s'accorde à l'esprit du temps où le crédit est inconnu, où, s'il arrive que l'on en soit réduit à emprunter, on devient le débiteur d'un parent, d'un ami qu'il a fallu solliciter, où l'on épargne le plus possible, quand on a peu, par crainte de la maladie, et, quand on a beaucoup, parce qu'il est mieux porté, dans les grandes familles bourgeoises, de vivre du revenu de son revenu que d'écorner son patrimoine.

Si original qu'ait été Pierre Curie en ne cessant de manifester autant de respect pour le travail de sa femme que pour le sien, il est probable qu'il n'a jamais su tenir un balai.

Peut-être lui est-il arrivé d'aller acheter le pain quand elle l'a oublié ou de faire le lit... Mais non. Il n'a pas été au régiment, dispensé, comme tous les jeunes gens qui se sont engagés à enseigner, de service militaire. Et Marie n'oublie jamais rien. Mais le soir, en rentrant, ils passent ensemble chez le crémier, le boulanger, l'épicier.

A part les Dbluski et les parents de Pierre, chez qui ils vont régulièrement, ils ne voient personne et ils sont heureux.

Le soir, sous la lampe de pétrole, Pierre prépare ses cours, et Marie l'aide à les élaborer. Il a partagé d'abord ses leçons entre la cristallographie et l'électricité, puis, « reconnaissant de plus en plus l'utilité d'un cours théorique sérieux d'électricité pour de futurs ingénieurs, il se consacra entièrement à ce sujet et réussit à établir un enseignement (en 120 leçons environ), le plus complet et le plus moderne alors à Paris », racontera Marie.

Sa clarté, sa précision, sa curiosité communicative ont laissé un vif souvenir à tous ceux qui furent ses élèves.

La journée, ils la passent à l'Ecole. Le directeur, Schützenberger, dit Papa Schütz, qui ne garde pas grief à Pierre d'avoir refusé qu'il le propose pour les palmes académiques (« Je suis bien décidé à n'accepter jamais aucune décoration d'aucune sorte... »

a-t-il précisé), le directeur, donc, a autorisé Marie à travailler dans le laboratoire de l'Ecole à condition qu'elle assume les frais des travaux qu'elle veut réaliser.

Son premier galop, elle l'entreprend sur un terrain où Pierre fait déjà autorité, le magnétisme, et où il peut baliser la route de Marie de sa longue expérience théorique et pratique.

Les échantillons de métal dont elle a besoin, elle sait pouvoir les obtenir gratuitement auprès de sociétés de métallurgie. Un éminent professeur de l'Ecole des mines, Henri Le Châtelier, est disposé à l'aider dans ses analyses.

La jeune femme est donc solidement encadrée. Son mémoire sur les variations des propriétés magnétiques de certains aciers trempés n'apportera pas novation dans le domaine scientifique. Mais par l'ampleur, la pénétration, la sûreté de son travail, elle fera une démonstration : une femme peut posséder la puissance de concentration nécessaire à des manipulations minutieuses et prétendre chasser sur le territoire masculin par excellence, la recherche scientifique.

Si elle n'en a jamais douté, et Pierre non plus, au moins en ce qui la concerne, ce sera néanmoins une « première ». Parmi les très rares physiciennes qui travaillent alors dans les laboratoires, il n'en est pas encore de ce niveau.

En même temps qu'elle conduit cette étude, Marie prépare le concours d'agrégation ; elle est reçue, naturellement, première par vocation.

Voilà de nouveau les Curie sur leurs bicyclettes, en route pour l'Auvergne. Et au début de l'année 97, la voilà enceinte, sans regret mais mal en point.

« Je vais avoir un enfant et cette espérance se

manifeste cruellement », écrit-elle à une amie de Varsovie.

Etourdissements, fatigue incoercible... « Je m'affaiblis beaucoup, je me sens inapte au travail et en mauvais état moral. »

Elle se traîne jusqu'en juillet, « tout le temps souffrante », affectée par l'état de sa belle-mère, atteinte d'un cancer du sein, laisse Bronia et les hommes décider pour elle : son père viendra de Varsovie pour l'emmener en vacances, dans un hôtel de Bretagne, pendant que Pierre en finira avec ses cours, à Paris.

C'est leur première séparation depuis deux ans. On lui doit une correspondance, rare entre eux, car ils se quitteront peu.

Ces lettres qui commencent par « Ma chère petite enfant que j'aime beaucoup »... « Ma petite fille si chère, si gentille que j'aime si fort... », « Ma petite enfant chérie »... « Mon cher mari... », permettent de saisir quelque chose de la tonalité de leur relation à ce moment de leur vie où elle n'est encore que la jeune épouse douée d'un homme de 39 ans dont la réputation est établie dans le seul ordre qu'elle admire, et pour qui elle est à la fois objet d'amour et complice intellectuelle.

> « Ma petite fille si chère, si gentille, que j'aime si fort, écrit Pierre, j'ai reçu ta lettre aujourd'hui et je suis très heureux. Ici, rien de nouveau si ce n'est que tu me manques beaucoup : mon âme s'est enfuie avec toi. »

Il lui écrit parfois en polonais, cette langue qu'il a décidément apprise comme si aucune part de Marie ne devait désormais lui être étrangère. Lui envoie des brassières par colis postal, assortis des détails techniques fournis par une Madame P. qui les a tricotées :

« La petite grandeur convient pour les brassières en tricot élastique, mais il faut faire un peu plus ample en toile de coton. Il faut que tu aies des brassières des deux grandeurs. »

Ecrit encore :

« ... Je pense à ma chérie qui emplit ma vie, et je voudrais avoir des facultés nouvelles. Il me semble qu'en concentrant mon esprit exclusivement sur toi, comme je viens de le faire, je devrais arriver à te voir, à suivre ce que tu fais, et aussi à te faire sentir que je suis tout à toi en ce moment — mais je n'arrive pas à avoir une image. »

Ce scientifique croit étrangement aux phénomènes parapsychiques, aux tables qui tournent, à des mystères dont il chercherait, s'il en avait le temps, l'explication.

Marie, elle, est apparemment en pleine régression en cette fin de grossesse :

« Mon cher mari, lui écrit-elle en polonais, il fait beau, le soleil brille, il fait chaud. Je suis très triste sans toi, viens vite, je t'attends du matin au soir et je ne te vois pas venir. Je vais bien, je travaille autant que je peux mais le livre de Poincaré est plus difficile que je ne le pensais. Il faut que j'en parle avec toi et que nous revoyions ensemble ce qui m'a donné tant de mal... »

On se sent indiscret à lire et à reproduire ces lettres, toutes chaudes encore d'intime tendresse. Mais Pierre et Marie ne sont plus que poussière dans le cimetière de Sceaux où leurs cercueils reposent l'un sur l'autre parce qu'elle a pris le soin qu'il en fût ainsi. Et il est bon de voir que la force atomique dont ils furent irradiés n'a pas été la seule à les tenir unis.

Les lettres qu'écrit si abondamment Marie à qui elle aime, dans un français sans faute mais sans la liberté de son style polonais, lui joueront d'ailleurs un tour si grave, si dramatique, si tonitruant, qu'il sera impossible, le moment venu, d'en passer ici le contenu sous silence.

Début août, Pierre lui a écrit : « Maman est si triste quand je parle de m'en aller que je n'ai toujours pas eu le courage de fixer le jour »...

Mais le voilà, il arrive. Bientôt Marie se sent mieux et, enceinte de huit mois, enfourche froidement une bicyclette pour aller avec Pierre de Port-Blanc à Brest. Le résultat est ce que de moins savants qu'eux auraient pu prévoir : il faut la ramener en train à Paris.

Où est donc Bronia ? Quelque part en vacances, trop loin pour arriver à temps. C'est le docteur Curie qui accouche Marie d'une fille qu'elle appelle Irène. Quelques jours après, la mère de Pierre meurt.

Dans son cahier de comptes, Marie note à la date de son accouchement, le 12 septembre 1897, à la rubrique « Frais extraordinaires » : Champagne : 3 F. Télégrammes : 1,10 F. A la rubrique « maladie » : « Pharmacie et garde malade : 71,50 F ».

« Total des dépenses de septembre : 430,40 F. » Total deux fois souligné. Pierre gagne 500 F par mois.

A-t-elle voulu cet enfant ou bien faut-il interpréter

cette grossesse constamment pénible et ses exploits cyclistes comme une façon de refus ?

Les ennuis mécaniques, cela existe aussi. On sait en tout cas qu'elle a désiré ardemment, six ans plus tard, son second enfant. Aujourd'hui, elle aurait sans doute planifié la naissance du premier. Mais il — ou plutôt elle est là. Marie allaite « sa petite reine », la soigne, la promène, se lève la nuit lorsqu'elle pleure, s'inquiète de la voir perdre du poids, écrit à son père qu'elle craint d'être obligée de prendre une nourrice « malgré le chagrin que ça me fera et malgré la dépense : pour rien au monde je ne voudrais nuire au développement de mon enfant ».

L'idée d'interrompre durablement son activité parce qu'elle a un enfant n'effleure cpendant ni son esprit ni celui de Pierre. Ni celui de leur entourage, les Dbluski, le docteur Curie, les scientifiques avec lesquels leur travail les met en contact.

Les obstacles que Marie doit réduire sont d'ordre matériel. Il lui faut bientôt une nourrice avec du bon lait pour le bébé et une aide plus substantielle pour les charges domestiques que la présence d'un enfant alourdit : la voilà dans les frais et les complications ménagères.

Elle ne parvient pas à recouvrer ses forces, au contraire. Elle maigrit, elle pâlit, elle a pauvre mine, Bronia s'inquiète, le docteur exige une consultation du médecin de famille qui craint, comme Casimir, une lésion tuberculeuse au poumon gauche et préconise un séjour en sanatorium... L'ombre de Mme Sklodowski pèse sur ce diagnostic... Et les ravages de la tuberculose : on lui doit alors un décès sur sept en Europe.

Marie écoute poliment et refuse de s'intéresser plus longtemps à la question. Son remède à tous les maux, c'est le travail. D'ailleurs, est-elle réellement atteinte au poumon ou bien là où parfois elle flanche ?... Les accouchements n'ont jamais arrangé, au moins pendant un temps, les femmes sujettes à dépression. Mais la radiographie n'existe pas encore qui pourrait confirmer ou infirmer une lésion dangereuse.

Plus exactement, elle est à peine née et non encore opérationnelle.

Ç'avait été un beau tumulte, une sensation, lorsque, au début de l'année précédente, en janvier 1896, un physicien allemand présentant le fruit d'une observation avait photographié, au cours d'une conférence, la main d'un anatomiste consentant, puis montré à la salle l'épreuve de la photo : l'ossature de la main s'y inscrivait clairement. Wilhelm Röntgen venait de faire la première démonstration d'un phénomène provoqué par un facteur inconnu — d'où le nom qu'il avait donné aux mystérieux rayons découverts par hasard, au cours d'une expérience : les rayons X.

En fait, rien ne se découvre par hasard.

Le hasard a dû faire tomber un nombre considérable de pommes sur un nombre considérable de crânes avant que Newton ne découvre la force de gravitation et ne songe à lier tous les objets de l'univers matériel en un seul mécanisme.

Sans doute n'était-il pas le premier, de surcroît, à s'être demandé pourquoi les objets tombent par terre, et pas la lune.

Le hasard rend témoin d'un phénomène. Tous les phénomènes ont une cause. Les enfants le savent bien qui demandent « pourquoi ? » et les petits bateaux qui vont sur l'eau, Maman, ont-ils des jambes...

Le hasard, c'est ce qui rend témoin d'un phénomène inconnu qu'un concours de circonstances a provoqué. Mais c'est le tissu de connaissances, de curiosité, d'intuition et — pour les grandes découvertes — d'audace intellectuelle qui transforment le phénomène en objet d'observation, l'observation en effet dont on cherche la cause.

Du moins lorsqu'on possède l'esprit scientifique. Une illustration anecdotique de cette forme d'esprit a été donnée par Marie Curie un jour qu'elle voyageait en transatlantique, vers les Etats-Unis, au début des années 20.

On l'attendait à la salle à manger. Elle n'arrivait pas. Une jeune fille vint la chercher et la trouva plantée devant le placard de sa cabine. Ce placard était éclairé et, selon ses bonnes habitudes, Marie ne voulait pas quitter la cabine sans avoir éteint cette lumière. Mais pas la moindre trace d'interrupteur. Elle s'était mise en retard en cherchant en vain d'où venait la lumière pour réussir à la supprimer. « La lumière s'éteint quand le placard se ferme », dit la jeune fille.

Explication séduisante mais à vérifier expérimentalement avant de l'accepter. Comment faire ? La jeune fille désespérait de la persuader tandis que Marie examinait le placard sous toutes ses faces et eut enfin une idée :

« Entrez dans le placard, dit-elle, je le fermerai et vous pourrez constater que la lumière disparaît. »

Madame Curie entra dans le placard, en ressortit satisfaite et s'en fut dîner. Un phénomène inconnu, la curiosité éveillée, la recherche de sa cause, la vérification expérimentale de la cause, tout y était.

Röntgen, lui, avait aperçu une lueur dans une chambre où il avait fait l'obscurité pour s'assurer que le carton noir dont il avait entouré un tube cathodique était parfaitement opaque. Il l'était. D'où venait donc cette lueur ? D'une petite plaque enduite d'un composé chimique à base de baryum, comme il le constata en craquant une allumette. Il débrancha le tube : plus de lueur. Le rebrancha : lueur. Or, aucune lumière ne filtrait du tube.

Il ne restait plus qu'à vérifier ce que perçait le rayon inconnu, à découvrir qu'il transperçait les matières les plus inattendues et en tout cas la chair, à chercher quelles étaient exactement ses propriétés, à en trouver la cause. Ce à quoi une nuée de savants européens commencèrent à s'employer, en même temps que le public était à la fois enthousiasmé et bouleversé par ce phénomène spectaculaire, troublant comme un viol et qui, fait rare dans le domaine scientifique, était facile à percevoir. Sinon à comprendre.

Si l'on avait su ce qu'annonçait le rayon de Röntgen et qu'un jour pas si lointain, tout l'édifice de la physique et, au-delà, de la philosophie en serait ébranlé...

Mais aurait-on imaginé l'inimaginable, on n'a jamais vu que celui-ci freine longtemps la course à la recherche.

Toute l'Europe scientifique s'y engagea. C'est le moment où le physicien britannique Thompson écrit à un ami : « Le monde semble être en proie à un double délire : la bicyclette et les rayons X. En ce qui concerne ceux-ci, j'avoue que je me suis déjà sérieusement pris au jeu. »

Un jeune Néo-Zélandais qui fera plus tard des étincelles, Ernest Rutherford, se lance sur la piste.

Dans tous les laboratoires, on creuse, on suppute, on observe, on déchiffre, on publie des articles, des livres, on apporte sa pierre à la théorie du phénomène, on voudrait être le premier à l'élaborer.

L'ordre des choses voulait que Marie, en quête d'un sujet de thèse, suive le mouvement. L'origine et la nature des rayons X se trouvaient encore loin d'être élucidées. Mais elle n'entra pas dans cet ordre des choses parce que les dieux avaient tracé pour elle une autre voie. Les dieux : nom commode pour désigner ce que les chercheurs n'ont pas encore trouvé. On ne peut tout de même pas les appeler les X. D'ailleurs le nom est déjà pris.

8

Les événements qui vont se dérouler maintenant pendant quatre années, tels qu'on les racontait il y a cinquante ans, on pourrait les résumer ainsi : « Pierre et Marie Curie, travaillant ensemble dans un laboratoire misérable, furent heureux cependant parce qu'ils s'aimaient, et ils trouvèrent le radium. Grâce à cette découverte de Pierre Curie aidé par sa femme, on peut guérir le cancer. »

L'histoire scientifique a retenu autre chose de cette histoire-là. Et, sur un autre plan, l'auteur de ce livre aussi.

Un jour de février 1896, un physicien français, Henri Becquerel, spécialiste de la fluorescence, décide de se livrer à une expérience.

La fluorescence, c'est l'émission de rayons lumineux par certains corps après leur exposition à la lumière.

Becquerel veut voir si ce phénomène n'est pas accompagné de la production des nouveaux rayons découverts par Röntgen. En effet, pendant son fonctionnement, les parois du tube de rayons X deviennent fluorescentes. Il enveloppe des plaques photographiques dans un tissu noir, les recouvre d'une feuille d'aluminium, pose sur cette feuille des cristaux de sulfate d'uranyl et de potassium préalablement exposés au soleil.

Après développement, il constate que les plaques sont voilées ; il y a donc émission d'une radiation pénétrante.

Le jeudi 26 février, Becquerel prépare une nouvelle expérience. Mais le soleil s'étant absenté, il enferme plaques emmaillotées, feuille d'aluminium et cristaux dans un tiroir.

Vendredi et samedi, le ciel reste couvert. On ignore la raison pour laquelle le dimanche Becquerel ouvre son tiroir, y prend les plaques photographiques et les développe.

A l'endroit où se trouvaient les cristaux, elles sont impressionnées, troublées.

Le lendemain lundi, à la séance hebdomadaire de l'Académie, Becquerel communique à ses pairs sa découverte : les sels d'uranium émettent des rayons qui, comme les rayons X, pénètrent la matière.

Ils l'écoutent poliment et on passe à l'ordre du jour[1].

Lequel, de Marie ou de Pierre, attira l'attention de l'autre sur l'observation à propos de laquelle Becquerel publia ensuite quelques articles ? Peu importe.

Aucune femme au monde n'avait encore prétendu devenir docteur ès sciences. Marie savait que pour établir des rapports d'égalité avec les hommes, il était indispensable qu'elle eût les mêmes titres qu'eux, qu'ils ne lui feraient pas de cadeau.

Une thèse de doctorat, soutenue par une femme,

1. Selon Pierre Auger alors que la découverte de Röntgen était « fatale » au moment où elle s'est produite, en raison du nombre de physiciens qui jouaient alors avec des tubes de Crookes, celle de Becquerel ne l'était nullement et il aurait pu s'écouler un demi-siècle avant qu'elle ne se produise.

exigeait un apport original et substantiel au sujet de ses recherches.

Elle jugea que le phénomène découvert par Becquerel lui offrirait un champ possiblement fécond, à peine exploré, et Pierre ratifia son choix.

Ce phénomène, ce n'était « QUE » la radioactivité, nom qu'elle allait bientôt lui donner.

Aujourd'hui, quand on consulte les carnets de laboratoire de Marie Curie, il faut d'abord signer un bulletin dégageant la responsabilité de la Bibliothèque nationale « pour les éventuels dangers de radioactivité ».

Les dangers que présente la lecture de ces carnets sont minces. Mais ils sont radioactifs, sinon pour toujours, du moins pour des milliers d'années [1].

Marie a trente ans lorsqu'elle commence à s'exposer à la radioactivité, sans savoir que le rayon détecté par Becquerel est la manifestation de forces alors insoupçonnées concentrées au cœur même de l'atome et qui sont à l'origine de ce que l'on nomme aujourd'hui énergie atomique.

Côté pratique, les choses sont en ordre. Là aussi les dieux y ont mis le doigt. Les Curie ont emménagé dans une petite maison du boulevard Kellermann, entourée d'un jardin. L'intérieur a le « style Marie », plus quelque buffet et autres fauteuils transportés de Sceaux quand le docteur, qui a cessé d'exercer depuis la mort de sa femme, vient vivre avec eux. Désormais, Marie n'est pas seulement libre de ses horaires ; elle a l'esprit libre. Absente, elle ne tremble plus pour Irène : le docteur veille et plus encore : il éveille sa petite-fille à la vie. Une servante qu'on appelle alors la bonne (à tout faire) assure le plus

1. La radioactivité du radium ne décroît que de moitié en treize siècles.

lourd des travaux domestiques qu'aucune machine ne sait encore effectuer. Marie s'occupe le matin de sa fille, la nourrit, l'habille, mais elle n'est plus obligée de rentrer à midi pour la faire déjeuner, elle peut sortir le soir après l'avoir baignée, couchée, endormie.

Le vieil homme bon, intelligent, pétillant, qui continue à s'informer de tout, l'a sauvée de l'enfer des femmes : se sacrifier ou sacrifier.

Pour travailler, Marie a besoin d'un laboratoire. Papa Schütz, autre homme bon et intelligent, lui déniche, au rez-de-chaussée de l'Ecole, une réserve qui sert aussi de salle des machines.

L'épouse de M. le Professeur Curie, une jeune femme comme il faut, presque frêle maintenant, à la santé délicate, risque évidemment de souffrir de l'humidité des lieux mais elle dit que non, si l'humidité crée problème, c'est à cause des expériences qu'elle envisage, mais soit, merci M. le Directeur.

Elle le dit brièvement, elle parle peu, et toujours pour formuler précisément l'essentiel.

Il lui faut aussi du matériel et elle a établi son plan de recherche à partir de celui qu'elle peut se procurer gratuitement : l'électromètre à quartz piézoélectrique inventé par Pierre, qu'il a gardé au laboratoire de l'Ecole.

Il lui faut encore un échantillon d'uranium et elle commence, grâce à l'électromètre, à mesurer les quantités d'électricité formées dans l'air par les rayons de l'uranium. Charges électriques que Becquerel a démontrées.

Les mains de Marie sont, elles aussi, d'une grande habileté et depuis trois ans, elle a acquis une certaine pratique expérimentale.

Avec la méticulosité inscrite dans un plan intellectuel ordonné qui deviendra le fond de sa méthode, elle mesure. Puis quête auprès de tel professeur, de tel ingénieur qu'elle croise à l'Ecole, des échantillons de métaux, des bouts de minerais pour voir si d'autres substances que l'uranium rendent l'air conducteur d'électricité.

Très vite, elle constate que c'est le cas en ce qui concerne le thorium. Elle en conclut que celui-ci dégage un rayonnement analogue à celui repéré par Becquerel.

Il faut lui donner un nom à cette intrigante propriété. Elle la baptise radioactivité. Reprend son électromètre pour mesurer l'intensité du courant provoqué par des composés d'uranium, des composés de thorium. Observe qu'en poudre ou en morceaux, secs ou humides, contenant ou non des éléments étrangers, l'activité des composés ne dépend que de leur teneur en uranium.

Marie vient de confirmer indiscutablement ce que Becquerel a entrevu : la radioactivité est inséparable des atomes de certains éléments privilégiés comme l'uranium et le thorium, elle est la conséquence d'un phénomène intervenant à l'intérieur même de l'atome.

C'est à partir de cette découverte que pourront être élucidés, au cours du xxe siècle, les mystères de la structure de l'atome et, si l'on peut dire, et cœtera.

Les conséquences de son observation, faite quelques semaines après le début des travaux qu'elle a entrepris, Marie ne les soupçonne pas immédiatement. Elle mesure d'autres minerais dont la pechblende et la chalcolite. Un physicien de l'Ecole, Eugène Demarçay, lui en a fourni des échantillons. Ceux-ci sont radioactifs mais leur activité paraît anormale à Marie : elle est beaucoup plus forte que ne le laissait prévoir leur teneur en uranium ou en thorium.

Marie recommence alors une série d'expériences pour s'assurer qu'elle n'a pas fait d'erreur. Cherche l'explication du dernier et surprenant phénomène observé.

Et pose une hypothèse hardie : les minéraux à teneur d'uranium qu'elle a examinés doivent contenir une autre substance, beaucoup plus radioactive que l'uranium ou le thorium, et cette substance doit être un élément nouveau (nouveau, c'est-à-dire ne figurant pas dans le tableau des éléments chimiques établi par Mendeleïev où il a laissé des cases vides pour les chercheurs à venir, chaque élément encore inconnu devant correspondre à un métal encore inconnu).

A la fin de chaque journée de travail, Marie a naturellement tenu Pierre au courant du déroulement de ses recherches, mais il n'y participe pas.

Au début de l'année 98, la chaire de chimie-physique à la Sorbonne est devenue vacante, il a posé sa candidature, elle a été repoussée. « Que voulez-vous faire, lui écrit le professeur Friedel qui l'a soutenu, contre un normalien et contre les partis pris des mathématiciens ? »

Pendant le temps que lui laissent ses obligations à l'Ecole de physique, il travaille — toujours dans un couloir — sur les cristaux qui absorbent son imagination.

Indifférent, comme on sait, aux joies et aux douleurs de la compétition et d'une stricte rigueur intellectuelle, Pierre déconseille à Marie de publier une note sur les résultats de ses observations. Il n'en voit pas l'urgence. Il ne faut jamais se précipiter, pour quoi faire ? Pour la satisfaction futile d'être reconnu le premier ou, en l'occurrence, la première ?

Marie aime son mari pour cela aussi. Parce qu'en toutes circonstances, son attitude est celle « d'un homme d'élite qui a atteint le plus haut degré de civilisation ». Mais il s'agit d'elle, de *son* travail, de *son* hypothèse.

Elle décide de rédiger une brève communication à l'Académie des sciences, qui sera donc imprimée, selon la règle en usage, dans les dix jours suivant sa présentation et mise en circulation dans les milieux scientifiques.

Il faut que cette communication soit présentée par un membre de l'Académie. C'est son ancien professeur, Gabriel Lippmann, qui le fait au nom de Mme Sklodowska-Curie, le 12 avril 1898.

Elle a eu raison de se hâter. Hélas, un autre s'est hâté plus encore. Un Allemand a observé et publié deux mois plus tôt à Berlin que le thorium émettait, comme l'uranium, des rayons.

Mais la note de Marie contient quelque chose de plus. Une phrase où, faisant état d'une radioactivité de la pechblende et de la chalcolite supérieure à celle de l'uranium, elle ajoute, avec la seule prudence qu'exige le code scientifique avant qu'une hypothèse ait été vérifiée :
« Ce fait est très remarquable et porte à croire que ces minéraux peuvent contenir un élément beaucoup plus actif que l'uranium. »

Habitués à lire au-delà de la prudence, les physiciens restèrent cependant indifférents. Peut-être serait-il trop systématique d'écrire qu'ils auraient été plus curieux d'y aller voir si la communication avait été présentée au nom d'un homme.

Le fait est qu'ensuite, Marie eut la faculté de prendre tout son temps. Infiniment plus de temps qu'elle n'avait jamais imaginé devoir en consacrer pour vérifier l'hypothèse audacieuse qu'elle avait formulée, jeune femme de 30 ans qui, six ans plus tôt, n'en savait pas assez pour entamer sa seconde année de licence.

9

Comment vit-elle en cette année 98 ? Dans le petit carnet noir du laboratoire, le premier, on lit à la date du 26 février :

— Cassé et arrangé l'appareil.
— (un chiffre puis :) J'attends un peu...
— (un autre chiffre puis :) On attend un peu.
— Je secoue l'excès de poudre.
— Rien.

A la même époque, en haut d'une page : « Température dans le cylindre : 6°25 ! ! ! ! ! ! »

Les six points d'exclamation indiquent que c'est aussi la température de la pièce où elle travaille. Six degrés.

La même année, sur son livre de recettes :

> « J'ai pris huit livres de fruits et le même poids de sucre cristallisé. Après une ébullition de dix minutes, j'ai passé le mélange à travers un tamis assez fin. J'ai obtenu quatorze pots de très bonne gelée non transparente qui a pris parfaitement. »

Elle a fait des confitures pour l'hiver.

La même année, dans un cahier gris : 15 août :

> « Irène a percé sa septième dent, en bas à gauche... Depuis trois jours, on la baigne dans la rivière...
>
> « Elle se tient debout une demi-minute toute seule. Elle crie mais aujourd'hui (quatrième bain) elle s'est arrêtée de crier et elle a joué en tapant dans l'eau. »

Ils sont en Auvergne, en vacances.

Dans un cahier vert, portant une étiquette : « M. Curie, Uranium, 1898. »

> « Charcolite artificielle
> Couche de Im fortement mouillée, 1, 0...
> Etc., etc. »

Sept dents, quatre bains, huit livres, une demi-minute, un demi-millimètre, quatorze pots, huit livres,...

Et sur son livre de comptes :

> « Une paire de grandes chaussettes pour Pierre pour faire de la bicyclette, 5,50 F.
> Deux pneus de bicyclette, 31 F.
> Blanchissage, 4,50 F. »

Elle note tout mais n'écrit jamais : il fait froid, Irène a de la fièvre, je suis fatiguée...

Le froid se mesure. La fièvre aussi. Les états d'âme ne s'expriment pas en chiffres. La fatigue non plus. Et voudrait-elle en prendre note, elle écrirait : « J'ai monté vingt-deux marches et j'ai dû m'arrêter. »

Elle ne décrit pas, elle observe et enregistre scientifiquement.

Sa sensibilité, dont elle a toujours redouté les excès, on ne la verra éclater sous sa plume que beaucoup plus tard, mais alors exacerbée par la douleur.

Un nouvel élément, quoi de plus excitant pour l'esprit ? Au point que Pierre interrompt ses propres travaux pour aider sa femme. Provisoirement, pense-t-il.

Le 14 avril 1898, ils sont ensemble pour peser un échantillon de pechblende.

La composition de ce minerai est connue par des analyses chimiques. Ils s'attendent à y trouver un pour cent de radioéléments nouveaux, de substances nouvelles.

Jusque-là, il est arrivé que les Curie aillent parfois un soir au théâtre, au concert, qu'ils dînent avec Bronia et Casimir. Les deux sœurs cousaient ensemble le dimanche les robes de leurs petites filles que Marie fera toujours elle-même.

Mais l'amnistie décrétée en Pologne russe va enfin permettre aux Dlubski de rentrer.

Déchirement. Et solitude.

Marie écrit à sa sœur :

> « ... Tu ne peux pas imaginer le vide que tu as laissé. Avec vous deux, j'ai perdu tout ce à quoi je tenais à Paris, à part mon mari et mon enfant. Il me semble maintenant que Paris n'existe plus en dehors de notre logement, de l'école où nous travaillons.
>
> « Demande à Mme Dbluska mère si la plante verte que vous avez laissée doit être arrosée et

combien de fois par jour. A-t-elle besoin de beaucoup de chaleur et de soleil ?

« Irène devient une grande gamine. Elle est très difficile à nourrir et, à part le tapioca au lait, elle ne veut presque rien manger régulièrement, même pas les œufs. Ecris-moi ce qui convient comme menus aux personnes de cet âge... »

Au laboratoire, le carnet noir se couvre de notes et de chiffres. On y voit, parfois, l'écriture rapide de Pierre qui dérange le caractère ordonné de la page. Il griffonne, souligne de quelques mots, en biais, une observation. Et c'est beau, ces deux écritures mêlées.

Leur méthode de travail consiste à séparer les divers composants de la pechblende puis à mesurer la radioactivité de chacun de ces composants. Manipulations longues, minutieuses, dont chaque étape est consignée sur le carnet noir. On peut y suivre presque jour par jour opérations et observations.

Alors on les imagine, silencieux, concentrés, les longues mains habiles de Pierre, les petites mains légères de Marie, les heures passant sans qu'ils songent même à lever la tête, à absorber une vague nourriture, s'arrêtant sur un résultat, se consultant, recommençant, déçus ou joyeux, frémissants lorsque le 13 juin, mesurant la radioactivité d'un précipité, Marie le trouve « 150 fois plus actif que l'uranium » et le note, de son crayon bien taillé, sur le carnet noir.

Et le même jour, lorsque chauffant à 300° du sulfure de plomb dans un tube qui finit par se casser, Pierre constate qu'une poudre noire se dépose sur le tube. Ils mesurent ensemble la radioactivité de cette poudre et trouvent qu'elle est 330 fois supérieure à celle de l'uranium.

Le dimanche, tout de même, ils s'arrêtent.

Peut-être dorment-ils un peu plus longtemps ? Non. Irène les réveille. Elle est difficile. Les enfants savent tout. Les soins de Marie sont parfaits, attentifs. Elle est bonne mère comme on dit. La voix de Pierre est douce, il adore cette petite fille.

Mais au laboratoire, c'est un autre enfant qu'ils ont en gestation, et qui les requièrent, unis, conjugués, seuls au monde. L'enfant de la maison le sait, évidemment.

De séparation en séparation, de purification en purification, ils obtiennent une substance de plus en plus active.

Et le 18 juillet 1898, enfin, ils sont assez sûrs d'eux pour annoncer la découverte d'un nouvel élément, un nouveau métal.

Comment vont-ils l'appeler ? Dans la communication qu'ils publient, signée de leurs deux noms, on lit :

« Si l'existence de ce nouveau métal se confirme, nous proposons de l'appeler polonium, du nom du pays d'origine de l'un de nous. »

Marie s'est trop pressée de baptiser cet enfant-là, puisque, à peine ont-ils eu la certitude de son existence, de nouvelles expériences, dont ils discutent pendant les vacances, les conduisent à conclure que la pechblende doit contenir un autre élément nouveau.

La Pologne n'a décidément jamais de chance.

L'élément qui porte son nom a une activité trop grande, une vie trop courte pour que son extraction soit possible à l'échelle industrielle. Son frère, le radium, éclipsera donc sa gloire.

Mais ce polonium a une particularité qui lui donnera une manière de revanche, trente-quatre ans plus tard. Il émet un seul rayon, le rayon alpha à haute énergie, alors que le radium en émet plusieurs.

En 1932, c'est en se servant d'une source de polonium que James Chadwick découvrira l'une des trois particules élémentaires de l'atome qu'il cherchait depuis dix ans : le neutron. Il en eut l'inspiration à la lecture des résultats d'une expérience réalisée avec une source de polonium par Irène Curie et son mari Frédéric Joliot, au laboratoire de Marie.

Pourquoi donc sont-ils si fatigués, les Curie, lorsqu'ils arrivent, avec Irène qui perce sa septième dent, à Auroux où ils ont loué une maison pour l'été ? Ils peinent pour nager dans la rivière et ils peinent sur leur bicyclette. Et Marie a le bout des doigts gercés, douloureux. Elle ne sait pas, et Pierre non plus, qu'ils commencent à souffrir de l'irradiation des substances radioactives qu'ils manipulent.

C'est en décembre suivant, sur une feuille du carnet noir non précisément datée et portant l'écriture de Pierre, qu'apparaît pour la première fois le mot « radium ».

Tracée au milieu de la page, précédée d'un point d'interrogation, son observation est ainsi formulée :

donc sulfate de radium
plus soluble dans H_2SO_4
que sulfate de baryum.

Ceux qui ont le droit d'entrer dans leur laboratoire ne sont pas nombreux. Parmi eux se trouve Eugène Demarçay qui suit, avec passion, la démarche des Curie. Il n'a qu'un œil, l'autre a été emporté par une explosion au cours d'une expérience. Mais cet œil est sûr.

Il emporte dans son laboratoire où il dispose d'un spectroscope un échantillon de la substance que Pierre et Marie ont obtenue. Et il parvient à photographier une raie spectrale, de plus en plus intense chaque fois que la substance fournie par les Curie est un peu plus pure [1].

Le 26 décembre 1898, l'Académie des sciences entend communication d'une note toujours présentée par Lippmann, où il est dit : « Les diverses raisons que nous venons d'énumérer nous portent à croire que la nouvelle substance radioactive renferme un élément nouveau auquel nous proposons de donner le nom de radium. »

Cette note est signée de trois noms : Pierre Curie, Marie Curie et G. Bémont.

De la participation de Georges Bémont à la découverte du radium, on ne sait rien de plus sinon que, chef de travaux de l'Ecole, il était le chimiste de l'équipe, il avait une barbe rousse et un surnom, Bichro. On trouve plusieurs fois trace de son écriture dans le carnet noir, pendant le mois de mai 1898. C'était sans nul doute un homme modeste.

Reste à prouver l'existence du nouvel élément. « Je voudrais qu'il ait une belle couleur », dit Pierre.

Les sels de radium purs sont incolores, tout simplement. Mais leurs propres rayonnements colorent les tubes de verre qui les contiennent d'une teinte bleu-mauve. En quantité suffisante, leurs rayonnements provoquent une lueur visible dans le noir.

Quand cette lueur commença à irradier dans l'obscurité du laboratoire, Pierre fut heureux.

1. Chaque élément émet une série de raies caractéristiques. C'est « une signature ».

10

« Cela tenait de l'écurie et du cellier à pommes de terre, et si je n'avais pas vu la table de travail avec son matériel de chimie, j'aurais cru à un canular. »

Ainsi un chimiste allemand, intéressé par les travaux des Curie, décrit-il le lieu dans lequel le radium sera isolé, son poids atomique fixé, quarante-huit mois après le jour où Marie a émis l'hypothèse de son existence.

Selon Jean Perrin, « Pierre Curie, plus physicien peut-être, s'intéressait surtout aux propriétés mêmes du rayonnement. Il croyait moins à la nécessité de faire l'effort nécessaire pour isoler la nouvelle substance et en obtenir « un flacon », comme disent les chimistes. Cet effort a été certainement dû à la volonté opiniâtre et persistante de Mme Curie. Et il n'est pas exagéré de dire aujourd'hui que là est la pierre angulaire sur laquelle repose l'édifice entier de la radioactivité. »

Que Jean Perrin se soit senti obligé de mettre les points sur les i dit combien l'image de « la collaboratrice du grand homme » fut difficile à dissiper. D'ailleurs, l'est-elle complètement aujourd'hui ?

Rien, pourtant, qui dénature davantage la vérité, non seulement à propos de la part objective de Marie dans leurs travaux communs, mais à propos de leur relation.

Même au début de leur mariage, alors qu'elle manquait encore de pratique expérimentale, le fameux « je vous prends en main » de Sartre à la jeune Simone de Beauvoir n'a jamais été prononcé par Pierre, ni vécu par elle.

Et cette combinaison si rare, celle d'un homme et d'une femme entre lesquels il n'y eut aucun rapport de domination, doit autant à l'un qu'à l'autre. Au « haut degré de civilisation » de Pierre comme à la calme certitude de Marie quant à sa valeur propre. La conscience de ce chef-d'œuvre-là devrait être inséparable de la conscience que l'on a de leur réussite scientifique. Et s'il est affligeant de lire aujourd'hui dans les dictionnaires français, « CURIE (Pierre) physicien français (1859-1906). Avec sa femme Marie née Sklodowska, il se consacra à la radioactivité... », Marie ne faisant l'objet d'aucune autre mention, ce n'est pas au nom d'une revendication féministe, qui serait d'ailleurs fondée. C'est parce qu'ils en auraient été, l'un et l'autre, outragés.

Il semble que leur couple ait connu, entre 1899 et 1902, le point parfait d'équilibre. Les « crises nerveuses », comme on disait alors, qui ont parfois secoué Marie dans ses 20 ans, ont disparu. A 32 ans, elle est avec son mari douce, tendre, heureuse. Elle écrit à Bronia, en 1899 :

> « J'ai le mari le meilleur que l'on puisse rêver. Je ne pouvais même pas imaginer que j'en trouverais un pareil. C'est un véritable don du ciel et plus nous vivons ensemble, plus nous nous aimons. »

Chez elle, sa maison est tenue mais elle ne s'est jamais laissé posséder par la frénésie de la science domestique qui s'est emparée des bourgeoises françaises de son temps... On a découvert l'hygiène... L'idéal de la « maîtresse de maison » experte s'est substitué à celui de l'amoureuse experte. Cet emploi-là est réservé à une catégorie de personnes du sexe qui va de la cocotte à la petite femme de bordel. Aux autres, l'art de ranger les placards et d'obtenir que brillent parquets, cristaux et argenterie.

Marie, elle, fait des confitures et les vêtements de sa fille par esprit d'économie. Non par zèle.

Au laboratoire, où passent parfois un collègue ou un élève de Pierre, elle est toujours avec eux réservée, silencieuse. Mais l'un d'eux observe qu'elle a le silence cassant comme on a la parole cassante. Et que, parlant peu, c'est elle cependant qui mène le jeu dans les discussions théoriques que Pierre lance devant son tableau noir.

Quand il s'agit de mathématiques, il la juge plus forte que lui et le dit bien haut. Elle admire, elle, chez son compagnon, « la sûreté et la rigueur de ses raisonnements... La souplesse surprenante avec laquelle il peut changer d'objet de recherche... »

Chacun d'eux a une très haute idée de la valeur de l'autre.

Mais ce que leurs travaux vont maintenant coûter de persévérance, de démarches, de déceptions, d'efforts purement physiques fournis avec des organismes que délabre la radioactivité, ce que le radium va exiger des Curie, il fallait l'entêtement d'une femme pour l'accomplir.

Le radium se trouve, comme l'uranium, dans la pechblende, mais en quantité infinitésimale. Obtenir quelques milligrammes de radium assez pur pour pouvoir établir son poids atomique exige que des tonnes de pechblende soient traitées. Et c'est un minerai coûteux.

Pour extraire l'uranium de la pechblende, il y a alors des usines. Pour en extraire le radium, il y a une femme dans un hangar.

L'usine la plus importante se trouve en Bohême. Sur intervention du gouvernement autrichien, alerté par l'Académie des sciences de Vienne, la direction de l'usine accepte de vendre à bas prix aux Curie les résidus de pechblende stockés dans une forêt de pins. Arrivent des sacs de poussière brune mêlée d'aiguilles de pin qui vont s'entasser dans la cour de l'Ecole. Où les traiter ?

En face de la petite pièce où Marie a travaillé jusque-là, de l'autre côté de la cour, se trouve un hangar désaffecté qui a servi autrefois de salle de dissection aux étudiants de l'Ecole de médecine. La pluie traverse le toit vitré lorsque le soleil ne transforme pas le hangar en serre. Le sol est en bitume. C'est là que les Curie vont installer quelques vieilles tables équipées de fours et de brûleurs à gaz, trop heureux que le nouveau directeur de l'Ecole avec lequel Pierre s'entend mal, les y autorise.

Ce que Marie va y faire, le souvenir en est resté gravé dans la mémoire de tous ceux qui l'ont vue.

Elle puise dans un sac, prend la pechblende par vingtaines de kilos, la verse dans une bassine de fonte, le plus qu'elle peut soulever. Puis elle met la bassine sur le feu, dissout, filtre, précipite, recueille, dissout encore, obtient une solution, la transvase, la mesure. Et recommence.

> « Je passais parfois la journée entière à remuer une masse en ébullition avec une tige de

fer presque aussi grande que moi, écrit-elle. Le soir, j'étais brisée de fatigue... C'était un travail exténuant que de transporter les récipients, de transvaser les liquides et de remuer, pendant des heures, la matière en ébullition dans une bassine en fonte. »

L'opération de purification exige l'utilisation de sulfure d'hydrogène. C'est un gaz toxique, et il n'y a pas de hotte d'évacuation dans le hangar.

Alors, lorsque le temps le permet, Marie transporte ses bassines dans la cour. Sinon, il faut laisser toutes les fenêtres du hangar ouvertes.

Qu'un grain de poussière. une particule de charbon tombent dans l'un des bols où les solutions purifiées cristallisent, et ce sont des jours de travail perdus.

Pierre Curie, qui enseigne et dirige toujours les travaux des élèves de l'Ecole, ne peut disposer d'aucune aide à titre personnel. Son garçon de laboratoire, Petit, se débrouille pour venir chaque fois qu'il le peut rendre quelques services. Mais Marie balaye, nettoie, range... Ordre, discipline, silence — elle ne supporte pas le bruit —, bonheur aussi. Bonheur absolu.

Un chimiste, Georges Jaffé, qui fut parmi les privilégiés à franchir parfois l'enceinte du hangar-laboratoire, rapporte qu'il eut le sentiment d'assister à la célébration d'un culte dans un lieu sacré.

Marie dit la même chose, un peu autrement :

« Dans notre hangar si pauvre régnait une grande tranquillité ; parfois, en surveillant quelque opération, nous nous y promenions de long en large, causant de travail présent et futur ; quand nous avions froid, une tasse de thé chaud prise auprès du poêle nous réconfortait. Nous vivions dans une préoccupation unique, comme dans un rêve. »

Et elle ajoute :

« Il nous arrivait de revenir le soir après dîner pour jeter un coup d'œil sur notre domaine. Nos précieux produits pour lesquels nous n'avions pas d'abri étaient disposés sur les tables et sur des planches ; de tous côtés on apercevait leurs silhouettes faiblement lumineuses, et ces lueurs qui semblaient suspendues dans l'obscurité nous étaient une cause toujours nouvelle d'émotion et de ravissement. »

Les précieux produits sont aussi une cause d'inexplicable lassitude. Pierre commence à souffrir de douleurs dans les jambes que le médecin de famille attribue à des rhumatismes, entretenus par l'humidité du hangar.

Il le met au régime, lui interdit la viande et le vin rouge. Marie devient diaphane. Tuberculose ? Les analyses auxquelles elle se soumet, sur l'insistance de son beau-père, sont négatives. L'un et l'autre sombrent, par période, dans une sorte de léthargie.

Dans le même temps, Marie écrit à son frère :

« Nous devons faire attention et le traitement de mon mari ne nous suffit pas tout à fait pour vivre, mais jusqu'ici nous avons eu chaque année quelques ressources supplémentaires inattendues, ce qui fait qu'il n'y a pas de déficit... »

Il s'agit vraisemblablement des petits revenus que Pierre touche irrégulièrement de l'exploitation de ses inventions par diverses sociétés.

Dans la même lettre, Marie s'inquiète des économies qu'ils devraient pourtant pouvoir faire « pour assurer l'avenir de notre enfant », et ajoute : « Je veux seulement passer ma thèse avant de chercher un emploi. »

En attendant, Pierre prend, en mars 1900, un poste de répétiteur auxiliaire à l'Ecole polytechnique pour ajouter 200 francs par mois à son traitement. Et lorsque l'été arrive, il est à bout de forces.

Au laboratoire, les choses ne vont pas mieux.

Une température qui atteint à Paris 37°9 rend le hangar intenable sous son toit vitré. Marie, impavide, n'a pas bronché et le 23 juillet, elle a cru toucher au but.

« Radium pur dans sa capsule », écrit-elle sur le carnet noir.

Le 27, elle note le poids d'un atome de radium : 174.

Sur la page suivante figurent une série de calculs. Puis : « C'est impossible. »

C'est impossible en effet. Il ne lui reste plus qu'à recommencer toutes les opérations qu'elle a menées pendant près de deux ans, sur huit tonnes de pechblende.

Elle est sûre de sa méthode. Mais ses moyens sont dérisoires.

***

Si la France n'ignore pas complètement Pierre Curie, si l'Académie des sciences a décerné par deux fois, à deux ans de distance, l'un de ses prix à Marie, c'est néanmoins de l'étranger, comme toujours, que va leur venir la reconnaissance active de leur valeur.

Au Congrès de physique de 1900, l'intérêt des physiciens français et étrangers s'est concentré sur les nouvelles matières radioactives dont les Curie ont longuement parlé.

Ils en ont fourni quelques échantillons à tous ceux qui explorent le sujet. Et d'abord à Henri Becquerel, qui a repris intérêt à ses rayons.

Et voilà que le doyen de l'Université de Genève arrive à Paris porteur d'une proposition plus que séduisante : une chaire de physique, un traitement annuel de 10 000 F, une indemnité de résidence et la direction d'un laboratoire « dont le crédit sera augmenté après entente avec le professeur Curie et auquel seront adjoints deux assistants. Après examen des ressources du laboratoire, la collection d'instruments de physique sera complétée. »

Marie jouira d'une situation officielle dans le même laboratoire.

Pierre accepte et l'annonce à un ami. Il fait avec Marie un rapide voyage à Genève où ils sont chaleureusement accueillis. Le sort en est jeté mais, quelques semaines plus tard, le doyen de l'Université de Genève reçoit une lettre de démission assortie de toutes les excuses qui s'imposent.

Que s'est-il passé ?

Selon Marie, « Pierre Curie fut très tenté d'accepter (la proposition suisse) et c'est l'intérêt immédiat de nos recherches sur le radium qui lui fit prendre finalement la décision opposée ».

En fait, il a bien accepté. Mais tout ce que l'on sait d'eux et des événements de l'été permet de penser que cette fois encore, c'est elle qui a mené le jeu. Après, peut-être, un bref moment de découragement

Comment et par qui Henri Poincaré apprit-il que les Curie allaient quitter la France ?... Le fait est qu'il fut alerté, remua ses collègues et obtint qu'un poste d'enseignant de P.C.N. (Physique, Chimie, Sciences Naturelles) qui se trouvait vacant à la Sorbonne fût confié à Pierre s'il présentait sa candidature. Ce qui fut fait, avec une célérité remarquable.

En même temps, le vice-recteur de l'Ecole normale supérieure de jeunes filles informe Marie que, sur sa proposition, elle est chargée pendant l'année 1900-1901 des conférences de physique en 1re et 2e année.

En matière de budget familial, les voilà tranquilles.

Mais les conditions de leurs recherches ne se sont pas améliorées, au contraire. Désormais, alors que dans tous les laboratoires étrangers l'émulation est intense autour du champ d'investigation qu'ils ont ouvert, Marie doit préparer les cours qu'elle donne deux fois par semaine à Sèvres où il lui faut se rendre en tramway. Pierre a la charge de deux enseignements en des lieux différents, et des travaux.

Lorsque, l'année suivante, exténué, il présentera sa candidature à une chaire de minéralogie de la Sorbonne devenue vacante, il sera, une fois encore, évincé au profit d'un candidat mieux titré.

Dispose-t-il au moins, depuis qu'il est chargé du P.C.N., d'un vrai laboratoire ? Deux petites pièces misérables, rue Cuvier, inutilisables pour les manipulations de Marie. Et pendant qu'il écrit, court, se démène, multiplie les démarches, c'est avec les sources de matière radioactive si péniblement recueillies et purifiées par Marie que travaillent, à l'étranger, dans des laboratoires convenablement équipés, ceux que les Curie ont généreusement approvisionnés. Ainsi le veulent leur morale et l'esprit scientifique de l'époque.

Mais la morale n'exige pas que l'on se laisse « griller ».

Robert Reid cite cette lettre écrite par Rutherford à sa mère, le 5 janvier 1902, du Canada où il travaille : « Je suis très occupé en ce moment à rédiger des notes en vue de leur publication et à faire de nouvelles expériences. Je ne peux pas m'arrêter, il y a toujours des gens qui cherchent à me gagner de vitesse. Mes adversaires les plus redoutables en ce domaine sont Becquerel et les Curie à Paris qui ont réalisé un travail très important sur les corps radioactifs pendant ces dernières années. »

Un travail très important en effet, malgré tous les obstacles qui le ralentissent. Pierre Curie a observé que les échantillons de radium de plus en plus pur qu'obtient Marie produisent spontanément de la chaleur. Et quelle chaleur ! Il évalue cette énergie à 100 calories par heure pour 1 gramme de radium !

Or, une loi énoncée depuis deux mille ans et dont les scientifiques de la fin du XIXe siècle osent à peine commencer à douter régit, croit-on, l'univers : l'énergie ne peut être ni créée ni détruite, la matière est inerte, les atomes, ces particules ultimes de l'univers physique, sont indivisibles. D'où leur nom.

Pierre et Marie Curie vont avancer l'hypothèse selon laquelle les atomes radioactifs ont des propriétés que les autres n'ont pas. Que la source de cette mystérieuse énergie pourrait être là. Mais ils posent cette hypothèse parmi d'autres explications possibles. C'est Ernest Rutherford qui saura la retenir, et découvrir avec Frederick Soddy que les atomes radioactifs se désintègrent spontanément. Phénomène inouï ! Celui que Marie appellera « le cataclysme de la transformation atomique ».

Rutherford était un scientifique de haute volée. Pierre Curie aussi. S'il avait eu la pleine disponibilité de son imagination foisonnante et de son temps, aurait-il devancé Rutherford ?

Il semble qu'il ait plutôt penché alors vers l'hypothèse selon laquelle la source de l'énergie émise par les atomes radioactifs se trouvait dans une radiation du soleil. Dans une lettre à Berthelot, il écrit à cette époque qu'il rêve de trouver les réactions chimiques capables de capter et d'utiliser l'énergie solaire.

Si l'on en croit Rutherford, « M. et Mme Curie n'ont toujours eu qu'une idée très générale du phénomène qu'est la radioactivité. »

Pierre ne se soucie pas, en tout cas, de ses rivaux potentiels.

Quant à Marie, elle n'a pas de concurrent dans la poursuite obsédante de la preuve qu'elle entend fournir « le genre de preuve qu'exige la science chimique, le fait que le radium est un élément authentique ». Et ni son surcroît de travail, ni ses doigts rongés, ni cette fatigue dont le docteur Curie cherche en vain la cause, ne pourront affaiblir sa détermination.

Les voici donc de nouveau dans leur hangar, à l'automne 1900, après des vacances en Pologne. Tous les Sklodowski se sont réunis à Zakopane où Bronia et Casimir construisent un sanatorium.

Les choses ont un peu changé autour des Curie.

Une aura s'est créée qui attire et impressionne à la fois. L'écho de leurs travaux, le rayonnement de Pierre, l'intensité de Marie, cette force d'autant plus émouvante que la jeune femme blonde paraît de plus en plus fluette sous son sarrau noir, le couple qu'ils forment, l'esprit quasi religieux de leur engagement scientifique, leur ascèse, tout cela a attiré dans leur sillage de jeunes chercheurs.

Ils ont noué quelques relations de travail qui se sont muées en relations d'amitié. Un physicien, Georges Sagnac, qui signera une communication avec Pierre, Georges Urbain, sculpteur à ses heures, Aimé Cotton le physicien deviennent des familiers du boulevard Kellermann où, le dimanche d'anciens élèves de Pierre, parmi lesquels Paul Langevin, viennent passer l'après-midi.

Un chimiste ébouriffé, André Debierne, va entrer dans la vie des Curie pour n'en plus jamais sortir. Selon ceux qui l'ont connu, il a été profondément épris de Marie. Il ne cessera en tout cas de la servir, sera là toujours, partout, dans son ombre, jusqu'à son dernier soupir.

Que lui donna-t-elle en échange de cette longue ferveur et lui donna-t-elle à quelque moment de sa vie plus que sa présence ? On l'a dit. Mais il est de règle de cacher qu'on l'a dit.

Comme on voile encore la liaison qui fit d'elle l'héroïne d'un scandale, quelques années après la mort de son mari.

Ce qui était concevable du temps où l'honneur des femmes se situait où l'on sait et où, selon la forte formule lancée à la Chambre dans les années 80 par un député, la femme « devait être dans son corps comme si elle n'y était pas », relève aujourd'hui de la mystification.

Il nous la faut sainte et martyre. Tout permet de

dire que Marie Curie ne fut ni sainte ni martyre, du moins de cette manière-là. Elle fut jeune en un temps où la plupart des femmes oscillaient entre le remords et l'hystérie, où elles ne pouvaient être que coupables ou « hors de leur corps ».

A la vouloir ainsi, on lui retire non seulement sa vérité mais sa dimension de culpabilité vécue, et celle du drame dans lequel fut plongée cette femme secrète et pudique lorsque sa vie intime fut exhibée.

En ce qui concerne André Debierne ou tel autre mathématicien dont le nom surgit, quand on évoque Marie Curie, sur les lèvres de ceux qui l'ont connue, on ne sait rien de précis. S'il y a quelque chose à savoir, elle a pris soin qu'aucune preuve n'en demeure. Mais pour écrire dans ses dernières années : « Je crois qu'il est décevant de faire dépendre tout l'intérêt de la vie de sentiments aussi orageux que l'amour... », il faut avoir essuyé l'orage de l'amour.

C'est aussi l'une de ses dimensions, et non la moindre, de n'en avoir jamais fait dépendre tout l'intérêt de sa vie.

André Debierne donc, modeste, effacé, s'exprimant avec difficulté, mais excellent chimiste, commence à travailler avec Pierre sur la radioactivité et il découvre rapidement un nouveau radioélément important qu'il nomme actinium. Jean Perrin, qui dirige le laboratoire de chimie-physique à la Sorbonne, lui a fait de la place.

Marie a fini d'établir la méthode d'extraction du radium.

Lorsque la société de produits chimiques qui exploite le brevet de l'une des balances inventées par Pierre lui propose d'essayer d'appliquer cette méthode avec des moyens moins sommaires, ils acceptent, reconnaissants. C'est Debierne qui se charge de superviser le processus.

Avec son activité d'enseignante, l'univers de Marie s'est élargi. Lorsqu'elle commence ses conférences à l'Ecole normale supérieure de Sèvres, aucune femme n'a encore occupé cette fonction. L'Ecole a été fondée pour assurer le recrutement et la préparation des professeurs des lycées de jeunes filles. Les cours sont donc assurés par des maîtres de haut niveau.

Entre autres, Jean Perrin.

Il a sensiblement le même âge que Marie — trois ans de moins — et il est étincelant.

Abordant l'enseignement à ce niveau, Marie conjugue, comme toujours, la peur de mal faire, la certitude de ses capacités, et la volonté d'en administrer la preuve.

S'y ajoute son féminisme : il n'est pas question que les Sévriennes, parce qu'elles sont des filles et non des garçons, ne bénéficient pas des meilleures conditions de travail et d'acquisition des connaissances.

L'une de ses élèves a laissé ce témoignage : « Elle ne nous a pas éblouies, elle nous a rassurées, attirées et retenues par sa simplicité, sa sensibilité, son désir de nous être utile, le sens qu'elle avait à la fois de notre ignorance et de nos possibilités... Elle est la première qui ait établi avec nous des rapports humains. »

Jusque-là, les Sévriennes n'ont jamais touché un appareil. Marie double le temps de sa conférence qui dure en principe une heure et demie, pour les initier au travail expérimental.

C'est elle qui introduira dans l'enseignement des Sévriennes le calcul différentiel et intégral.

Bref, elle ne prend pas les choses à la légère, mais qu'a-t-elle jamais pris à la légère...

Cet enseignement et celui, supplémentaire, qu'assure Pierre, s'ils empiètent sur leur travail de recherche, ont eu au moins pour conséquence heureuse de les éloigner de temps en temps des sources de radioactivité. Mais ils les retrouvent dès qu'ils ont une heure.

Marie ne manie plus des tonnes de pechblende. Ce sont des chimistes formés par elle qui procèdent, sous la surveillance d'André Debierne, à la première étape d'extraction du radium, celle qui consiste à retirer d'une tonne de résidus de pechblende environ 10 à 20 kg de sulfate de baryum, puis à transformer ces sulfates en chlorures. Dans ces chlorures, le radium n'est encore présent qu'à proportion de 3 pour 100 000 environ.

Ce à quoi Marie s'acharne, c'est à séparer le radium du baryum par la méthode de cristallisation fractionnée qu'elle a conçue et mise au point.

Les sels de radium se concentrent dans les cristaux. Après chaque cristallisation, une mesure d'activité rend compte des progrès de la purification.

Le jour où Marie apporte à Eugène Demarçay un échantillon d'un décigramme environ de sels de radium purifié pour s'assurer qu'il ne contient plus qu'une quantité négligeable de substance étrangère, elle a procédé à plusieurs milliers de cristallisations et elle a perdu sept kilos en quatre ans.

Mais ce n'est pas son poids qui l'intéresse. C'est celui qu'elle va écrire, à la date du 28 mars 1902, sur le carnet noir :

Ra = 225,93. Le poids d'un atome de radium.

C'est la fin d'une aventure sans précédent connu dans l'histoire de la science. C'est aussi la fin d'un certain bonheur : ce qui est atteint est détruit.

Quelques jours plus tard, entre deux discussions sur la création de *Pelléas et Mélisande* à l'Opéra-Comique et la campagne électorale où s'affrontent les Républicains et les Cléricaux, entre quelques insultes échangées au sujet de « l'Affaire », celle de Dreyfus, et une remarque d'amateur éclairé sur l'exposition d'un peintre espagnol, « alerte, spirituel, gai et doué du point de vue de la couleur de qualités très fraîches et très brillantes », si l'on en croit ce que le critique du *Figaro* dit du jeune Picasso, on ne parle plus dans les salons parisiens que du radium. Parce que le radium guérit le cancer.

L'Académie des sciences ouvre aux Curie un crédit de 20 000 F « pour l'extraction de matières radioactives ».

Une thérapeutique, une industrie et une légende vont naître.

11

Lorsque les premiers journalistes pénétrèrent dans le hangar où avait été découvert le radium, lorsqu'ils firent connaître que le miraculeux remède avait été trouvé par une jeune femme du meilleur genre, épouse et mère, au prix de quatre années de travail dans un local infect, les imaginations flambèrent.

Marie avait, certes, beaucoup travaillé. Mais dans le même temps le Parlement français a fixé à 11 heures, coupées par une heure de repos, la durée légale de la journée de travail pour les femmes et les mineurs de moins de 18 ans. Onze heures.

Nul ne songe alors qu'il peut exister quelque unité de l'espèce féminine qui rende le travail d'une femme aussi respectable et plus rude dans « les fabriques » que dans les laboratoires. Et lorsque, comme l'a prévu la loi, les 11 heures deviennent, en 1902, 10 heures 1/2, les employeurs réduisent les salaires à proportion.

Le quart de la population féminine laborieuse (aussi nombreuse alors qu'en 1970) est employé dans les usines où leurs collègues masculins trouvent bien normal que, dans une fabrique d'agrafes métalliques par exemple, un découpeur gagne 5,70 F par jour et une découpeuse 1,50 F. (Un kilo de sucre coûte alors 1,15 F.) Il faudra attendre 1910 pour que les femmes aient le droit de conserver leur salaire au lieu d'avoir l'obligation légale de le remettre à leur mari.

L'égalité des salaires ? Une poignée d'ouvrières osent la revendiquer, mais si seules... D'ailleurs, on y veille.

Lorsque, en février 1901, les ouvriers tailleurs des grandes maisons de couture manifestent rue de la Paix parce qu'ils veulent être payés 6 F par jour, les directions de Worth, Paquin, Doucet font déjeuner les ouvrières sur place pour qu'elles ne soient pas tentées de se joindre aux manifestants.

Dans la bourgeoisie d'argent, de robe, ou de plume, le combat des femmes a pris un tour ardent, mais sur un autre plan. La relation entre l'égalité économique et l'égalité tout court est encore loin d'être perçue, mais la citadelle des citadelles est investie le jour où l'une des 77 femmes médecins se présente au concours de l'internat des hôpitaux. Et qu'elle est reçue.

Deux romancières à succès qui se sont dissimulées jusque-là sous des noms masculins pour être prises au sérieux, Daniel Lesueur et Henry Gréville, font campagne pour être élues au Comité de la Société des Gens de Lettres. Elles provoquent cette réaction du très célèbre Octave Mirbeau : « La femme n'est pas un cerveau. Elle est un sexe et c'est bien plus beau. Elle n'a qu'un rôle dans l'univers : faire l'amour, c'est-à-dire perpétuer l'espèce. La femme est inapte à tout ce qui n'est ni l'amour ni la maternité. Quelques femmes — exceptions rarissimes — ont pu donner soit dans l'art soit dans la littérature l'illusion d'une force créatrice. Mais ce sont des êtres anormaux ou de simples reflets du mâle. Et j'aime mieux ce qu'on appelle les prostituées car elles sont, celles-là, dans l'harmonie de l'Univers. »

Alors, quand on apprend « qu'un être anormal » nommé Marie Curie a découvert le remède au cancer, la sensation en est multipliée. Car la renommée des Curie, entre 1902 et 1904, a une double face.

Dans les milieux scientifiques, personne ne doutait plus que le radium fût un élément. C'est la radioactivité et le phénomène, bouleversant au sens propre du terme — bouleversant la loi de l'Univers physique — qu'elle fait entrevoir, qui captive les imaginations des chercheurs.

Mais, aujourd'hui encore, qui connaît dans le grand public le nom de Rutherford ? Ou celui de Niels Bohr ? On connaît celui de Fleming, à cause de la pénicilline.

Si le nom des Curie est mondialement connu, s'il a retenti jusque dans les chaumières, c'est parce qu'il a été immédiatement associé à la guérison du cancer. Bientôt, quelques charlatans expliqueront même que le radium guérit tout.

« La plus merveilleuse découverte du siècle »
LOTION AU RADIUM Rezall

Pour la Conservation de la Chevelure

Plus de chute de cheveux
Plus de chauves
Plus de cheveux gris

C'est l'une des publicités qu'insèrent alors les journaux.

En fait, deux chercheurs allemands ont annoncé que les substances radioactives ont des effets physiologiques. Pierre a aussitôt exposé délibérément son bras à une source de radium. Il a vu avec bonheur une lésion se former. Et il a communiqué à l'Académie le résultat de son expérience :

> « La peau est devenue rouge sur une surface de six centimètres carrés ; l'apparence est celle d'une brûlure, mais la peau n'est pas, ou est à peine, douloureuse. Au bout de quelque temps, la rougeur, sans s'étendre, se mit à augmenter d'intensité : le vingtième jour, il se forma des croûtes, puis une plaie que l'on a soignée par des pansements ; le quarante-deuxième jour, l'épiderme a commencé à se reformer sur les bords, gagnant le centre, et cinquante-deux jours après l'action des rayons, il reste encore à l'état de plaie une surface d'un centimètre carré qui prend un aspect grisâtre, indiquant une mortification plus profonde.
>
> « Ajoutons que Mme Curie, en transportant dans un petit tube scellé quelques centigrammes de matière très active, a eu des brûlures analogues, bien que le petit tube fût enfermé dans une boîte métallique mince.
>
> « En dehors de ces actions vives, nous avons eu sur les mains, pendant les recherches faites avec les produits très actifs, des actions diverses. Les mains ont une tendance générale à la desquamation : les extrémités des doigts qui ont tenu les tubes ou capsules renfermant des produits très actifs deviennent dures et parfois très douloureuses ; pour l'un de nous, l'inflammation de l'extrémité des doigts a duré une quinzaine de jours et s'est terminée par la chute de la peau, mais la sensibilité douloureuse n'a pas encore complètement disparu au bout de deux mois. »

De son côté, Henri Becquerel, qui a transporté dans la poche de son gilet un tube contenant du radium, est brûlé lui aussi. Et furieux. Il a raconté aux Curie son aventure en déclarant : « Ce radium, je l'aime mais je lui en veux ! »

Ses observations ont été publiées en même temps que celles de Pierre Curie le 3 juin 1901. Becquerel a aussi remarqué qu'une protection de plomb rend le radium inoffensif. Encore faut-il vouloir s'en protéger.

Des médecins se mobilisent. Le docteur Daulos commence à traiter ses malades de l'hôpital Saint-Louis avec des tubes d'émanation de radium prêtés par les Curie. Le radium détruit bien les cellules malades dans le cancer de la peau : quand l'épiderme détruit par son action se reforme, il est sain.

Il ne reste plus qu'à extraire le radium du minerai à l'échelle industrielle.

* *

Etre reconnus par leurs pairs, les Curie en apprécient bien sûr la satisfaction. D'ailleurs, c'est « juste », et ce qui révolte Marie devant le sort fait à Pierre par la France officielle, ce n'est pas blessure de vanité — elle n'a que de l'orgueil —, c'est l'expression d'une injustice.

Sera-t-elle au moins réparée maintenant qu'ils sont photographiés, interrogés, dérangés parfois dans leur travail, maintenant qu'il leur faut même accepter une ou deux invitations à dîner ?

Sur l'insistance de Mascart, Pierre se laisse convaincre de se présenter à l'Académie des sciences. La section de physique de l'Académie s'est prononcée unanimement en faveur de sa candidature, le résultat de l'élection paraît acquis. Mais il doit d'abord se plier au protocole en usage, faire campagne, monter des étages, flatter, plaire, énoncer des titres, exposer ses mérites. Il en est parfaitement incapable. Et le voilà non seulement battu — par 23 voix contre 20 — mais mécontent de lui, amer, découragé.

En vérité, il est sans doute beaucoup plus atteint par la radioactivité à laquelle il continue, avec Marie, à s'exposer dans leur hangar, que par ce revers. Mais précisément, l'effet de la radioactivité est aussi d'affecter le moral, l'énergie vitale.

Marie, de son côté, a subi un choc dont elle a peine à se remettre. Son père est mort à la suite d'une opération. Elle est arrivée à Varsovie trop tard pour le revoir : la mise en bière a eu lieu. Alors elle a exigé que l'on ouvre le cercueil et là, agenouillée, penchée sur le visage aimé, interminablement, elle s'est accusée... De l'avoir abandonné, d'être restée en France par égoïsme, d'avoir trahi sa promesse... Bronia a dû l'arracher à ce lugubre mea culpa.

Mais cette femme présumée forte ne supporte pas la mort, ni même l'idée de la mort, scandale absolu, pied de nez que la nature fait à la science.

Maintenant, il arrive que la nuit elle se lève et se mette à errer dans la maison endormie. Petites crises de somnambulisme qui alarment Pierre. Ou bien c'est lui que des douleurs ravagent, altérant son sommeil. Marie le veille, inquiète, impuissante. Et quand ils se lèvent le matin pour aller à l'Ecole, au laboratoire, à Sèvres, ils sont épuisés.

« Elle est dure, la vie que nous avons choisie... » laisse un jour échapper Pierre.

Après un dimanche passé boulevard Kellermann,

Georges Sagnac est si frappé par leur aspect qu'il écrit à Pierre une lettre de dix pages :

« 23 avril 1903. Jeudi matin. Je vous prie de vous souvenir que je suis votre ami, votre ami, votre jeune ami sans doute, mais enfin votre ami. C'est pourquoi vous me lirez j'espère avec patience et réflexion.

« J'ai été frappé, en voyant Mme Curie à la Société de physique, de l'altération de ses traits. Je sais bien qu'elle s'est surmenée à l'occasion de sa thèse, qu'elle s'est certainement reposée depuis et qu'elle pourra, une fois débarrassée de sa soutenance, se reposer avec plus de tranquillité. Mais c'est pour moi l'occasion de me rendre compte qu'elle n'a pas une source de résistance suffisante pour pouvoir vivre une vie aussi purement intellectuelle que celle que vous menez tous les deux et ce que je vous dis là, vous pouvez aussi le prendre pour vous. Il y a longtemps que je serais passé au-dessous du plan horizontal si j'avais méprisé mon corps comme vous méprisez chacun le vôtre. Je ne prendrai qu'un exemple pour pouvoir mieux insister. Vous ne mangez presque pas ni l'un ni l'autre. J'ai vu plus d'une fois, pendant que j'avais le plaisir de manger à votre table, Mme Curie grignoter deux ronds de saucisson et avaler là dessus une tasse de thé. Eh bien, un peu de réflexion, je vous prie. Croyez-vous qu'une constitution même robuste pourrait ne pas souffrir d'une pareille insuffisance d'alimentation ?...

« L'indifférence ou l'entêtement qu'elle pourra vous opposer ne seront pas pour vous une excuse. Je prévois aussi l'obstacle suivant :

« Elle n'a pas faim ! Et elle est assez grande pour savoir ce qu'elle a à faire ! »

« Eh bien non ! Elle se conduit actuellement comme une enfant. Je vous le dis avec toute la conviction de ma raison et de mon amitié. Et puis il lui est bien facile de voir comment elle est entraînée à faire cette énorme bêtise. Vous n'accordez pas assez de temps à vos repas. Vous les prenez à des heures quelconques et le soir vous le prenez si tard que l'estomac énervé par l'attente se refuse à la longue à fonctionner. Sans doute une recherche peut vous amener à dîner tard un soir ; c'est excusable pour une fois. Mais vous n'avez pas le droit d'en faire une habitude (...).

« N'aimez-vous pas Irène ? Il me semble que je n'aurais pas l'idée de lire un mémoire de Rutherford qui m'empêche d'avaler ce dont mon corps a besoin, au lieu de regarder une aussi agréable petite fille. Embrassez-la bien pour moi. Si elle était un peu plus grande, elle penserait comme moi et elle vous le dirait. Songez donc un peu à elle... »

Les amis des Curie se désolent et s'indignent des conditions de travail auxquelles ils semblent condamnés.

Et dans le courant de l'année, le nouveau doyen de la Faculté des sciences, Paul Appell, écrit à Pierre pour lui demander « comme un service » d'accepter d'être proposé pour la Légion d'honneur dans la promotion du 14 juillet. Il écrit également à Marie, en lui demandant « d'user de toute votre influence pour que M. Curie ne refuse pas. La chose en elle-même n'a évidemment pas d'intérêt, mais au point de vue des conséquences pratiques, laboratoires, crédits, etc., elle en a une considérable... »

Réponse de Pierre Curie au doyen Appell :

> « Veuillez, je vous prie, remercier M. le Ministre et l'informer que je n'éprouve pas du tout le besoin d'être décoré mais que j'ai le plus grand besoin d'avoir un laboratoire. »

Dans l'abondant courrier qu'ils reçoivent maintenant chaque jour, et auquel Pierre s'astreint à répondre bien qu'il commence à avoir de la peine à tenir une plume, arrive une autre lettre. De Buffalo, aux Etats-Unis. Des ingénieurs américains ont décidé de créer une exploitation de radium et demandent la documentation nécessaire.

Ce jour-là, Pierre consulte Marie avant de répondre. La technique d'extraction et de purification du radium, c'est elle qui l'a inventée. Si les Curie déposent un brevet, ils percevront désormais des droits sur toute fabrication du radium de par le monde.

Marie réfléchit. Et elle dit non. Non, nous ne prendrons pas de brevet. Les physiciens publient toujours intégralement le résultat de leurs recherches, nous devons les communiquer intégralement. Son procédé appartiendra à tous ceux qui voudront en user.

Cette décision n'est pas la plus réaliste que pouvait prendre l'ancienne positiviste. Des fortunes immenses s'édifieront sur le radium. Encore celle du premier industriel qui eut l'idée de fournir gratuitement aux Curie locaux et minerais pour que des chimistes procèdent à la première série d'extractions tandis que Marie, éperdue de reconnaissance, s'usait les doigts à obtenir ensuite des sels assez purs pour être employés en médecine, cette fortune-là est née de l'esprit d'entreprise.

Au début des années 20, le prix du gramme de radium atteignait 100 000 dollars (un million de francs de l'époque, 7 à 8 d'aujourd'hui).

Puis l'Union minière du Haut-Katanga, découvrant les gisements d'uranium du Congo (le Zaïre d'aujourd'hui) s'en assura bientôt le monopole : la richesse des gisements et le bas prix de la main-d'œuvre congolaise la mettait hors concurrence. Le prix du gramme baissa à 70 000 dollars.

La découverte d'autres gisements d'uranium au Canada dans les années trente entraîna une guerre des prix, puis un accord de cartel qui fixa, en 1938, un prix plancher de 25 000 dollars.

Ce qui donne une idée de ce que les Curie auraient pu en tirer. Mais la décision prise par Marie en 1904 était conforme à la fois à son principe fondamental — le désintéressement — et à l'esprit scientifique.

Dans les années 20, quand elle eut compris que l'argent n'est pas l'autre nom du Diable mais l'instrument nécessaire à la recherche, elle mena bataille pour faire admettre par la Société des Nations que les scientifiques doivent avoir « un droit de propriété » sur leurs découvertes.

On verra plus loin ce qu'il en advint.

Les savants, et Pierre Curie lui-même, n'avaient jamais négligé de breveter leurs inventions. Mais il s'agissait d'instruments divers, non de découvertes dans l'ordre de la science fondamentale.

Celles-ci furent toujours diffusées à travers le monde scientifique sans restriction. Pour que le secret tombe sur la fission nucléaire et la réaction en chaîne à laquelle travaillaient parallèlement Français, Américains, Allemands, il fallut vaincre bien des résistances.

Mais c'était en 1939.

Arrive encore une lettre. De Londres, celle-là. La Royal Institution serait heureuse que M. Pierre Curie vienne y prononcer le « Discours du vendredi soir ».

Ce discours relève d'une tradition inconnue en France : la volonté de mettre la science à la portée d'un public non initié. Robert Reid raconte que les séances du vendredi connurent un tel succès qu'il fallut établir un sens unique pour les voitures, dans la rue où se trouvait l'Institution, et que ce fut ainsi la première voie à sens unique de Londres. Le gratin de la physique britannique, considérée alors comme la première du monde, assistait à ces séances, les hommes en smoking, les femmes en robe du soir, tous bijoux déployés, et les plus grands scientifiques venaient y faire de la meilleure vulgarisation.

La réputation de Pierre Curie n'était plus à faire en Grande-Bretagne où lord Kelvin, en particulier, et James Dewar n'avaient pas attendu le radium pour attacher l'importance qu'ils méritaient à ses travaux sur la piézo-électricité, le magnétisme et la symétrie.

Mais le radium était maintenant la vedette de la science et c'est de lui que Pierre fut prié de venir entretenir le public de la Royal Institution.

Il était visiblement malade en montant sur la scène de l'amphithéâtre sous les applaudissements chaleureux de la salle. Ses jambes tremblaient. Ses mains le faisaient souffrir. Il n'avait pas pu boutonner lui-même le gilet de son habit, l'habit noir dans lequel il donnait ses cours et que Marie avait soigneusement délustré pour la circonstance.

Mais bien qu'il parlât en français — lentement, comme le lui avaient recommandé ses collègues britanniques —, son succès fut étourdissant. Il sut s'adresser aux non-scientifiques de l'assistance, introduire, dans sa démonstration, comme on le lui avait demandé, des éléments visuels. Le radium s'y prêtait. Il impressionna des plaques photographiques enveloppées de tissu noir, demanda que l'on fasse l'obscurité dans la salle pour que les spectateurs perçoivent le rayonnement de la lumière mauve... Il releva sa manche pour montrer les séquelles de la lésion qu'il avait provoquée.

L'histoire ne dit pas s'il s'amusa à vérifier l'authenticité des diamants qui étincelaient, eux aussi, au cou de quelques jolies dames fort décolletées. Les diamants faux ne résistent pas à l'épreuve du radium.

Mais on sait qu'il renversa par inadvertance un peu de radium contenu dans son tube : cinquante ans plus tard, il fallut faire appel à une équipe de décontamination parce qu'on en détectait encore la présence dans la salle.

Et Marie ? Marie est assise à côté de lord Kelvin, dans sa « robe habillée ». Elle en a une, toujours la même depuis dix ans, noire, discrètement échancrée. En vérité, mieux valait qu'elle n'eût pas le goût de la toilette, comme on disait alors, car elle n'a pas de goût du tout et n'en aura jamais. Le noir — qui la distingue, il n'est pas d'usage d'en porter — et le gris auxquels elle s'est abonnée par commodité, arrangent bien des choses et font un bon écrin à sa blondeur cendrée.

Et puis, dans ce cadre plus qu'ailleurs encore, elle est, comme toujours, singulière, attirante par sa différence. Et elle a repris de l'éclat : elle est enceinte, mais sans en souffrir cette fois, et cela lui va bien.

Il y a beaucoup de femmes dans la salle. La Royal Institution a souhaité qu'elles assistent, nombreuses, au Discours du vendredi soir. Des mesures ont seulement été prises « pour écarter la présence éventuelle au nombre des souscripteurs d'individus de sexe féminin non convenables ».

Mais la digne organisation n'a même pas imaginé que Marie pourrait se trouver sur la scène à côté de son mari. Il parle, et elle écoute. Elle découvrira à cette occasion qu'elle a une sœur d'infortune : l'épouse du professeur Ayrton, Hertha, avec qui elle se liera plus tard d'amitié, fort brillante scientifique dont chacun accepte volontiers la présence. A condition qu'elle se taise.

Six jours après, la situation est inversée.

Devant un jury composé de MM. les professeurs Lippmann, Bouty et Moissan, « Madame Sklodowska-Curie » soutient sa thèse de doctorat.

La cérémonie se passe dans une petite salle de la Sorbonne. Elle est, au sens propre, inouïe puisque jamais une femme n'en a été l'objet.

C'est un événement, et Marie entend bien qu'il en soit ainsi, que nul n'ignore, dans le monde des physiciens et des chimistes, qu'ils devront désormais compter une femme parmi leurs pairs, et que cette femme c'est elle.

La petite salle est bondée. A cause d'elle, à cause du sujet : « Recherches sur les substances radioactives. » Elle a invité Jean Perrin, Paul Langevin, ses élèves de Sèvres. Et puis, à côté de Pierre et du docteur Curie, il y a bien sûr Bronia, accourue de Pologne et plus émue encore que Marie.

Et elle est assez saisissante, cette jeune femme pâle, sous son casque de cheveux blonds, délicate dans sa robe noire, répondant avec le doux accent slave aux questions de trois examinateurs en habit. De surcroît, il est clair — au moins pour quelques-uns — qu'elle en sait plus qu'eux sur le sujet dont il est question.

La cérémonie s'achève dans la forme consacrée. Le président du jury déclare : « L'Université de Paris vous accorde le titre de docteur ès sciences physiques... »

Avec la mention « très honorable ».

Mais il ajoute une formule moins courante : « Au nom du jury, Madame, je tiens à vous exprimer toutes nos félicitations. »

C'est Gabriel Lippmann. Il aura le prix Nobel en 1908. Après Marie.

Un autre prix Nobel en puissance (outre Jean Perrin) a failli assister au triomphe de Marie : Ernest Rutherford. Il est de passage à Paris, il a envie de connaître les Curie, il est passé au laboratoire où on lui a dit que Mme Curie était en train de soutenir sa thèse, il est arrivé trop tard pour l'entendre mais Paul Langevin l'a invité au petit dîner organisé chez lui en l'honneur de Marie.

Ernest Rutherford, Jean Perrin, Paul Langevin, Pierre Curie... Il y eut ce soir-là, autour de Marie, dans la salle à manger du pavillon de la rue Gazan, toute proche du boulevard Kellermann, où Langevin était venu habiter avec sa famille, une fameuse constellation.

Pierre, le plus âgé, fait à 44 ans figure de maître bien qu'il n'en ait pas les titres officiels. Dans l'ordre de la création, il a jeté ses feux.

Jean Perrin a 32 ans. Il a démontré, l'un des premiers, la nature de l'électron, ce minuscule grain d'électricité qui, à la périphérie de l'atome, gravite autour du noyau à des vitesses considérables. Et il vient d'énoncer la théorie moderne de l'atome.

Il y a longtemps — une centaine d'années — que l'hypothèse atomique de la matière a été formulée.

Par un chimiste anglais, John Dalton. Mais depuis tout un courant de la pensée scientifique, le plus puissant, n'a cessé de s'opposer à l'idée, incompatible avec le positivisme, qu'il existe des structures inaccessibles à notre perception.

Jean Perrin sera aussi le premier à dire pourquoi les étoiles brillent, pourquoi le soleil éclaire et chauffe la terre, et il suggérera l'emploi de fusées pour les voyages interplanétaires. Avant 1910.

Drôle, gai, enthousiaste, dynamique, tout en vif-argent, il ressemble à un lutin avec ses boucles rousses.

Il est venu lui aussi habiter près des Curie, dans la maison qui jouxte la leur. Ils communiquent par les jardins. Henriette Perrin, son épouse, est la seule femme par qui Marie acceptera jamais d'être appelée par son prénom. Leur amitié ne connaîtra pas d'ombre.

A 31 ans, Paul Langevin est le plus jeune. Très droit, cheveux en brosse, moustaches à crocs, œil de velours, connaissant mille vers par cœur et les déclamant volontiers, aimant les choses de la vie, il est l'image du charmeur à la française, tel qu'on le peint alors. « Langevin a l'air d'un officier de cavalerie », dira de lui Anna de Noailles. C'était un compliment.

En fait, Langevin est un pur produit de la France laïque et républicaine, qui croit à la vertu de l'effort, et de la promotion sociale par l'instruction. Autant le parcours de Pierre Curie a été celui d'un marginal, d'un vagabond de l'imagination vivant hors des normes et des conventions dans la mesure où les marges étroites de son temps le permettaient, autant celui de Langevin est un classique du parcours de l'enfant pauvre et doué en son siècle.

Son père est compagnon serrurier. S'il a été au

lycée, c'est parce qu'un instituteur a dit à sa mère, après le certificat d'études : « Si vous pouvez, il faut absolument qu'il continue... » Elle ne pouvait pas et pourtant elle l'a fait. Puis c'est un professeur qui, à la sortie du lycée, a dit : « Si vous pouvez, il faut absolument que vous deveniez ingénieur... » Et il a été reçu premier au concours de l'Ecole de physique où il a payé ses études en donnant des leçons particulières. C'est là qu'il a été l'élève émerveillé de Pierre Curie. Puis c'est un autre professeur qui lui a dit : « Faites Normale. » Il ne sait pas le latin, il n'a pas les connaissances nécessaires pour présenter un tel concours, les acquiert en quatre mois, est reçu premier, et sort premier à l'agrégation. Il a reçu deux bourses, l'une pour faire un stage à l'étranger — il a choisi le plus célèbre laboratoire de physique, le Cavendish à Cambridge —, l'autre pour la préparation d'une thèse sur l'ionisation des gaz.

Mascart, qui occupe la chaire de physique expérimentale au Collège de France, l'a remarqué et pris comme remplaçant puis comme suppléant.

Parcours sans faute.

Les grands scientifiques, Pierre Curie le premier, ne sont pas toujours des « premiers »-nés. Ni même de bons élèves. « Vous altérez le respect de la classe à mon égard par votre seule présence », disait un professeur au jeune Albert Einstein avant qu'il ne soit recalé au concours d'entrée de l'Ecole polytechnique de Zurich. « Un je m'en foutiste », disait-on.

Quelquefois, ils le sont, et c'est aussi le cas d'Ernest Rutherford dont on dira, dans les années 50, qu'il fut avec Niels Bohr le physicien du XXe siècle le plus proche du point de référence en matière de génie, c'est-à-dire d'Einstein.

Le soir du dîner chez Langevin, qu'il a connu à Cambridge et qu'il adore — « un garçon du tonnerre » — il a 32 ans. C'est un fonceur, superbement doué, fils d'un homme de peine. En bon Britannique, il ne se cache pas d'aimer l'argent, et d'espérer en gagner. Il aime aussi la gloire et compte bien y atteindre.

On l'entendra un jour clamer à Cambridge : « Nous sommes à l'âge héroïque de la science ! Nous sommes à l'époque élisabéthaine. »

Et « nul doute n'était permis quant à l'identité de celui que Rutherford voyait dans le rôle de Shakespeare », raconte un témoin.

On lui doit aussi une belle répartie faite à qui lui rapportait le propos d'un médiocre : « Quel veinard, tout de même, ce Rutherford ! Toujours au sommet de la vague !

— Eh bien, après tout, c'est moi qui ai fait la vague », répliqua Rutherford.

Très vite après la première observation de Becquerel sur l'émission de rayons par l'uranium, il a découvert qu'il existe divers types de rayons, les alpha et les bêta. « Mes » rayons alpha, dit-il.

Avec un jeune chimiste, Frederick Soddy, il a fait ensuite la découverte la plus importante de l'histoire de la radioactivité depuis la séparation du radium par Marie. Et il en a eu immédiatement conscience lorsque, avec Soddy, il a trouvé que les éléments radioactifs, en émettant leurs rayons, se scindent en une série d'éléments nouveaux. Que l'atome radioactif se désintègre spontanément et qu'aucun moyen ne permet d'accélérer ou de ralentir le rythme de cette désintégration, différent pour chaque substance radioactive.

Mais le soir du dîner, il se garde de dire où il en est.

Entre la femme réservée et distante qui vient d'être sacrée reine de la radioactivité, domaine où il a décidé d'être roi, et l'homme parlant haut dont elle faisait ce soir-là connaissance, le contact aurait dû être désastreux. Ce fut, au contraire, le début d'une amitié réciproque qui ne se démentit jamais.

C'est Rutherford qui, prenant plus tard son parti contre des scientifiques que Marie exaspérait par sa hauteur, lança : « Madame Curie est une personne difficile à manier. Elle présente à la fois l'avantage et l'inconvénient d'être une femme. » Il le comprit tout de suite.

Il fut brusque, comme on l'est avec un égal, et non galant.

Elle fut elle-même, c'est-à-dire séduisante sans chercher à séduire. Et Rutherford fut toujours sensible à « sa manière absurde de s'habiller ».

La soirée fut animée, gaie, réussie. Paul Langevin ne roulait pas sur l'or, il avait déjà deux enfants. Mais il était dépensier, généreux, sans aucun goût pour l'ascèse et, pour fêter Marie, les vins furent sûrement aussi bien choisis que les fromages.

Pour les sujets de conversation et de discussion, on ne fut pas en peine.

Il faisait beau en ce mois de juin, et lorsque la nuit fut tombée dans le jardin, Pierre sortit de sa poche un petit tube contenant une solution de radium. Il avait enduit la moitié du tube de sulfure de zinc.

Alors, dans l'obscurité, le sulfure brilla de tout l'éclat du radium.

Quand Pierre faisait ce numéro avec un enthousiasme d'adolescent devant quelques personnes fascinées, il disait : « Regardez... C'est la lumière du futur. »

Mais ses doigts rouges et douloureux avaient de plus en plus de mal à tenir le tube.

C'est le temps des vacances. Marie part en éclaireur pour louer une maison en Bretagne. La voilà sur sa bicyclette. Cette fois, on ne pourra pas la ramener à Paris avant qu'elle n'accouche d'un enfant prématuré qui meurt quelques heures après sa naissance.

Personne ne comprend alors la cause de cet accident, bien que les dernières expériences réalisées par Pierre avec deux médecins aient révélé une congestion pulmonaire intense et une modification des globules blancs chez les souris et les cochons d'Inde exposés aux émanations de radium.

Cassée, Marie doit passer l'été allongée. Pierre, le docteur, Irène l'entourent. Et une étudiante de Marie, la future Eugénie Cotton, qu'elle avait invitée pour les vacances, et le fidèle Debierne. Elle fait bonne figure sur sa chaise longue. Mais à Bronia elle écrit :

> « ... Je m'étais tellement habituée à l'idée de cet enfant que je ne puis me consoler. Ecris-moi, je te prie, si tu crois que je dois accuser la fatigue générale, car je dois bien avouer que je n'ai pas épargné mes forces. J'avais confiance dans mon organisme et à présent je le regrette amèrement car je l'ai payé cher. L'enfant, une petite fille, était en bon état et vivait. Et moi qui la désirais tellement ! »

De Pologne arrive une nouvelle qui achève de la bouleverser : le second enfant de Bronia, un petit garçon, est mort en quelques jours d'une méningite tuberculeuse.

> « Je ne puis plus regarder ma fille sans trembler de terreur, écrit Marie à son frère. Et le chagrin de Bronia me déchire. »

Souffrante, obsédée par la mort qui a frappé trois fois dans l'année, tout près d'elle, en elle, Marie rentre à Paris pour attraper « une sorte de grippe », dit-elle, qui n'en finit pas.

Elle renonce à accompagner Pierre à Londres, pour recevoir la médaille Davy que leur a décernée la Royal Institution.

Et en décembre, c'est le représentant de la France à Stockholm qui reçoit au nom des Curie, des mains du roi de Suède, un diplôme : le prix Nobel de physique. Pierre et Marie le partagent avec Henri Becquerel qui assiste seul à la cérémonie.

Pierre a écrit au Secrétaire perpétuel de l'Académie, le professeur Aurivilius, pour demander que l'Académie veuille bien reporter à une date ultérieure la conférence qu'imposent aux lauréats les statuts du Nobel.

> « Nous ne pouvons nous absenter à cette époque de l'année sans amener un trouble très grand dans l'enseignement qui est confié à chacun de nous, écrit-il. Enfin Mme Curie a été malade cet été et n'est pas encore parfaitement rétablie. »

Tenue secrète jusqu'à sa proclamation officielle, la nouvelle de la distinction accordée aux Curie éclate le 10 décembre 1903 en prenant des proportions proprement inouïes. C'est la troisième fois que l'académie Nobel décerne ses prix. Röntgen a été le premier physicien couronné. Parce que le jury délibère après consultation des savants les plus renommés de la communauté scientifique internationale, ses décisions ont un retentissement déjà incomparable.

Mais l'événement a une dimension particulière :

c'est une femme, fragile et blonde, qui en est l'héroïne, c'est un produit miraculeux propre à sauver des vies humaines qu'elle a découvert, c'est un exploit conjugal réalisé dans un hangar misérable que le Nobel récompense. Ah ! que tout cela est donc romantique !

Sur cette épopée sans précédent, le monde entier va s'attendrir durablement. De la notoriété de bon aloi, Marie et Pierre Curie passent d'un coup à la gloire.

Une rude épreuve.

Vedette de la scène exceptées, dont c'est après tout le métier, les Curie vont être les premiers dans l'histoire contemporaire à porter le cilice de lumière.

III

La Gloire

12

« Le bouleversement de notre isolement volontaire fut pour nous une cause de réelles souffrances et eut tous les effets d'un désastre », écrira Marie.

Il existe un seuil au-delà duquel le dédain des honneurs frise l'affectation, et on serait tenté de penser que Marie Curie le franchit lorsqu'elle se plaint, en somme, d'avoir reçu avec Pierre le Nobel.

Mais il ne fait pas de doute que leur couple a traversé avec plus de dommages l'épreuve de la gloire dorée que celle de l'obscurité besogneuse.

Les 70 000 F qui accompagnent le Nobel, auxquels s'ajoutent le prix Daniel Osiris partagé entre Marie (60 000 F) et Edouard Branly (40 000 F), délivrent, certes les Curie de la peur de « manquer »[1]. Un prêt aux Dbluski pour leur sanatorium, un autre au frère de Pierre, quelques cadeaux, une salle de bains moderne boulevard Kellermann... Le reste est sagement converti en rentes françaises et en obligations de la ville de Varsovie.

Mais on sait qu'il en va de l'argent comme de la

1. Daniel Osiris, mort en 1911, était l'un de ces mécènes du temps. Il fit don à l'Etat du château de la Malmaison, dont il était propriétaire, et laissa 30 millions à l'Institut Pasteur

santé. On ne le découvre précieux que par défaut.

Quant au reste... On rapporte qu'Albert Einstein, invité un jour par Chaplin à aller voir avec lui *Les Lumières de la Ville,* fut soudain affolé par la foule qui cernait leur voiture et les dévisageait en criant leur nom : « Mais qu'est-ce que cela signifie ? » demanda-t-il, ahuri.

Et Chaplin répondit : « Rien du tout ».

C'est très exactement le point de vue de Pierre, outre qu'il éprouve une authentique aversion à l'égard des distinctions de tous ordres. La notion même de classement, de hiérarchie, fût-elle établie au mérite, lui paraît baroque, dérisoire.

Ce n'est pas le cas de Marie, première par décision. Sa situation de femme dans une société où il lui faut, en permanence, s'affirmer supérieure pour être reconnue égale, n'autorise d'ailleurs pas ces délicatesses. Et rien ne l'y incline spontanément. N'a-t-elle pas voulu, et âprement, devenir « quelqu'un », Marya Sklodowska ? Elle n'est donc pas insensible aux honneurs, même si elle a assez de qualité pour savoir que ce n'est pas un signe de qualité.

Mais elle admire trop chez Pierre « son détachement de toute vanité et de ces petitesses qu'on découvre chez soi-même et chez les autres, et que l'on juge avec indulgence non sans aspirer à un idéal plus parfait », pour ne pas régler son pas sur le sien.

De surcroît, elle souffre d'une panique quasi pathologique lorsqu'elle se sent prise au piège de la foule. Une panique qui peut la conduire jusqu'à la défaillance physique. Etre connue lui sied. Etre reconnue la terrorise.

Se produire, s'exhiber, devenir objet de curiosité publique, se retrouver photographié, caricaturé, dévisagé, transformé en animal exotique, rien n'est donc moins fait pour les Curie, fût-ce pour des raisons différentes. Et ils y sont plongés d'un coup, en quelques heures, assiégés au laboratoire, assiégés chez eux, épiés, abordés, sollicités, traqués.

Le hangar, dont la description a fait le tour de la presse mondiale, est assailli par les curieux en tous genres... Y compris le Président de la République, Emile Loubet, qui s'y rend en personne.

Le boulevard Kellermann, « une coquette maison où s'abrite le bonheur intime de deux grands savants », est investi par les journalistes qui interrogent la servante, Irène, le chat...

Arrachés à leur bocal, nos deux poissons rouges suffoquent et se débattent. Non, ils ne veulent pas de banquet ; non, ils ne veulent pas d'une tournée en Amérique ; non, ils ne veulent pas visiter le salon de l'Automobile, assister à la « générale » de la nouvelle pièce de Sardou, dire ce qu'ils pensent du premier prix Goncourt ; non, Marie ne veut pas que l'on baptise de son nom un cheval de course ; non, ils ne veulent pas que leurs photos encadrent le gramme de bromure de radium que le *Le Matin* expose dans son hall où défile un public fasciné...

La caricature de Pierre, étalée sur deux colonnes dans *L'Echo de Paris,* le meurtrit, la description de Marie, « maman charmante dont la sensibilité exquise voisine avec un esprit curieux de l'insondable », la hérisse, le sketch de cabaret où on les représente cherchant à quatre pattes le radium qu'ils ont perdu au cours d'une opération délicate les choque...

Dépossédée d'elle-même, Marie lance un beau cri à Jozef, à Bronia, à Hela : « Surtout, leur écrit-elle, surtout ne m'oubliez pas ! » Comme si, saisie par l'effroi d'un mutant qui se verrait pousser des écailles, elle en appelait à ses frères de sang pour qu'ils gardent en mémoire celle qu'elle était avant de devenir une autre... Un monstre, qui sait ?

Le tourbillon dans lequel les Curie sont entraînés les laisse hagards, furieux, lorsqu'on met dans leur bouche des propos extravagants sur les effets miraculeux du radium qui va, c'est sûr, guérir la cécité, la tuberculose, les névralgies, éclairer les rues, chauffer les maisons...

Exaspérés, bousculés, violés, tiraillés, submergés par les fous et les snobs, les tapeurs et les gens du monde, les inventeurs méconnus et les chasseurs d'autographes, les solliciteurs de tout poil qui viennent, ne se contentant pas d'écrire, les Curie essaient en vain de se barricader.

Les invitations pleuvent qu'ils ne peuvent pas toutes décliner. Les voilà dînant à l'Elysée.

« Voulez-vous que je vous présente au roi de Grèce ? demande une dame.

— Je n'en vois pas la nécessité, répond Marie, confuse soudain en s'apercevant que la dame est Madame Loubet et ajoutant : Enfin, si vous voulez... »

L'ambassadeur d'Autriche-Hongrie ? C'est grâce à son gouvernement qu'ils ont obtenu autrefois de la pechblende. La comtesse Greffulhe ? On ne dit pas non à la comtesse Greffulhe, qui tient le salon le plus coté de Paris en son hôtel de la rue d'Astorg. Madame de... ? Elle parle de leur offrir un laboratoire.

Car ils n'ont toujours pas de lieu convenable où travailler.

C'est toujours dans son hangar que Marie purifie le radium que les médecins demandent, de plus en plus nombreux.

Après le Nobel, le gouvernement s'est senti dans l'obligation de manifester quelque intérêt aux Curie.

La création d'une chaire de physique générale à la Sorbonne pour Pierre a été annoncée.

Mais, outre qu'entre une décision prise en Conseil des ministres et sa traduction dans les faits, il se passe tout le temps nécessaire pour que Pierre devienne malade de nervosité, lorsque la chaire se concrétise, elle n'est pas assortie d'un laboratoire. Des crédits de fonctionnement ont été ouverts pour rétribuer Pierre, Marie — en qualité de chef de travaux —, un préparateur et un garçon. Mais les crédits d'équipement n'ont pas suivi. Alors Pierre, ulcéré, a refusé la chaire. Emoi, agitation, interventions. Enfin une dotation de 150 000 F a été votée par le Parlement. Elle se traduira par l'agrandissement du local étroit de la rue Cuvier attribuée jusque-là au P.C.N. Quand cette solution médiocre est adoptée, Pierre s'aperçoit que les bâtiments absorberont une telle part de ses crédits qu'il restera à court de matériel. Et son humeur s'assombrit un peu plus.

Au cours de cette année folle son existence quotidienne et celle de Marie se sont désaccordées.

Un an tout juste après le Nobel, Marie a eu un second enfant. Le tumulte de la gloire l'a opportunément arrachée, au moins quelques heures par semaine, aux émanations de radium, elle a abandonné provisoirement ses cours à Sèvres pour ménager cette fois ses forces, mais sa grossesse s'est achevée dans une angoisse d'un genre nouveau. Elle est devenue bête, dit-elle. Son cerveau embrumé n'obéit plus. Elle a tout le temps sommeil quand elle n'a pas faim, elle a envie de caviar et elle n'a plus envie de parler ni de physique ni de mathématiques ni de radioactivité, ce qui laisse Pierre désemparé, comme débranché de sa source de vie. Qu'est-ce qu'elle a, Marie ? Elle a tout banalement qu'elle est enceinte et que toute son énergie est cette fois concentrée sur l'enfant qu'elle porte, mais elle s'affole et appelle sa sœur au secours.

Bronia est arrivée, elle a bercé Marie, l'a rassurée, protégée, soignée, secouée. Une belle petite fille, Eve, est venue au monde et quelques semaines après, Marie, épanouie, attendrie par ce bébé neuf, retrouvant son éclat, ses forces, a éprouvé comme une puissante envie de vivre, une révolte de sa part animale à laquelle la laisse a été tenue si courte depuis tant d'années.

« Il nous faut manger, boire, dormir, paresser, aimer, c'est-à-dire toucher aux choses les plus douces de cette vie, et pourtant ne pas succomber. Il faut qu'en faisant tout cela les pensées antinaturelles auxquelles on s'est voué restent dominantes et continuent leur cours impassible dans notre pauvre tête... » avait écrit Pierre, parlant de son « cerveau fragile ». Certes. Mais dans la tête de Marie, les pensées naturelles revendiquent leur place au milieu des pensées antinaturelles.

Ses enfants, sa maison l'absorbent tout le matin. Elle a repris son cours à Sèvres. Elle organise le laboratoire rue Cuvier. Mais elle a aussi des envies de vacances, de plaisirs, d'échappées...

Et elle évolue dans les eaux de la célébrité avec moins de peine que son mari n'en éprouve à supporter une gloire si stérile.

Dans la correspondance que Pierre entretient avec un ami de jeunesse, Georges Gouÿ — correspondance qui jette sur lui un éclairage un peu différent de celui sous lequel Marie le décrit — passe parfois du pathétique.

En juillet 1905 :

> « Nous menons toujours la même vie de gens très occupés pour ne rien faire d'intéressant.

Voilà plus d'un an que je n'ai fait aucun travail, et je n'ai pas un moment à moi. Evidemment, je n'ai pas trouvé encore le moyen de nous défendre contre l'émiettement de notre temps, et c'est cependant bien nécessaire. C'est une question de vie ou de mort au point de vue intellectuel... »

De fait, Pierre ne publiera plus après le Nobel.

« Mes douleurs semblent provenir d'une espèce de neurasthénie plutôt que de rhumatismes véritables. »

Pour vaincre cette neurasthénie, le médecin de la famille lui administre de la strychnine et le remet à un régime alimentaire consistant. Mais au moment de prendre, en novembre, possession de sa chaire, il écrit, toujours à Georges Gouÿ :

« Je ne vais ni très bien ni très mal. Mais je me fatigue facilement et je n'ai plus qu'une très faible capacité de travail. Ma femme, au contraire, mène une vie très active entre ses enfants, l'école de Sèvres et le laboratoire. Elle ne perd pas une minute et s'occupe beaucoup plus régulièrement que moi de la marche du laboratoire... »

Une vie très active... « Ses » enfants...

Pierre et Marie ne sont pas désunis, ils ne le seront jamais, ni divisés. Simplement, la vie est là, et il n'est pas certain que Pierre soit fait pour la vie, cet exercice trivial.

L'univers sublime de deux amants solitaires évoluant sur leurs propres cimes s'est subtilement corrompu.

On les aperçoit plus souvent au théâtre où ils vont voir la Duse, et les pièces d'Ibsen montées par Lugné Poë.

Le public parisien qui s'habille pour sortir lorgne le vieux pardessus déformé de Pierre, la cape de loden que Marie jette sur son éternelle robe grise.

On les voit au concert à Colonne, où ils vont écouter Ignace Paderewski devenu « le plus illustre pianiste du monde » depuis le temps où Marie, Bronia et Casimir faisaient la claque dans la salle à demi-vide où il donnait, à Paris, son premier récital.

Le spiritisme, qui a toujours intrigué Pierre, est en vogue. Les rayons X ont fait naître les idées les plus folles sur les manifestations de l'invisible.

Une femme médium de grande réputation, Eusapia Paladino, s'exhibe alors à Paris. Pierre Curie et Jean Perrin se retrouvent un soir autour d'une table, la belle dame assise entre eux. Elle pose son pied droit sur le pied gauche de l'un, son pied gauche sur le pied droit de l'autre, et réclame l'obscurité totale.

La lumière s'éteint. Une sorte d'ectoplasme se manifeste, effleure le visage de Pierre et de Jean Perrin... Qui eut alors l'idée de rallumer ? Eusapia était sortie de ses chaussures sans que ses voisins le remarquent, celles-ci étant lestées, et agitait une écharpe de mousseline.

On aperçoit les Curie au Salon d'automne, haut lieu de la peinture moderne. Au Grand Palais où Rodin expose son *Penseur*. Marie s'est prise de sympathie pour Rodin qu'elle a rencontré chez Loïe Fuller, et elle ira souvent le voir dans son atelier.

Loïe Fuller, danseuse américaine, est alors la coqueluche de Paris. Elle présente aux Folies Bergère un spectacle où des lumières savamment dégradées teintent les voiles dont elle joue. On l'appelle « la fée de la lumière ».

Elle a lu dans la presse que le radium était lumineux et dans leur abondant courrier, les Curie ont trouvé un jour une lettre de la vedette des Folies Bergère demandant comment elle pourrait s'enduire de radium pour être phosphorescente.

Pierre a répondu — il répond à tout le monde — gentiment, sans se moquer de son ignorance.

La jeune femme en a été si touchée qu'elle a voulu manifester sa reconnaissance. Elle l'a fait avec délicatesse en offrant aux Curie de venir danser chez eux... pour eux. Et la salle à manger du boulevard Kellermann, investie par les électriciens de la belle Américaine, a été le théâtre d'une soirée mémorable.

Loïe Fuller était délicieuse. Des relations amicales se sont établies, peut-être aussi cette connivence des premiers rôles, quel que soit le domaine où ils jouent leur partie.

Marie ne s'habituera jamais à affronter la foule ni les inconnus, mais en la prenant dans ses filets, la gloire l'a apprivoisée.

Elle n'est intolérante qu'à l'ennui, et à la moindre tentative de familiarité. Mais qui s'y hasarderait ? Elle intimide, Madame Curie... Ses voisins de table, ses élèves, ses collaborateurs, et même cette petite effrontée de Marguerite Borel qui n'a pourtant pas froid aux yeux et qui, à 19 ans, mène la fleur de la science française par le bout du nez.

Le cercle des Curie s'est élargi aux Borel — où plus exactement le cercle des Borel s'est élargi aux Curie lorsque ceux-ci ont commencé à se montrer, parfois chez eux.

Emile Borel est un mathématicien brillant, bel homme brun aux yeux dorés. La très jeune Marguerite qu'il a épousée, piquante et vive, est la fille du doyen de la faculté des sciences, Paul Appell.

Les Borel et les Perrin reçoivent alternativement, une fois par semaine, leurs amis, c'est-à-dire, essentiellement, d'anciens condisciples d'Emile et de Jean à l'Ecole Normale. Réunions d'hommes. Ceux qui sont mariés, comme Paul Langevin, viennent sans leur épouse. Autour d'un piano, d'un feu de bois, de bouteilles de bière et de gâteaux secs, s'entassent mathématiciens, physiciens, chimistes ; des littéraires aussi, Jacques Maritain, Charles Péguy qui fait quelques apparitions, Léon Blum, Edouard Herriot qui les défie tous de le coller sur les vers de Victor Hugo. Même Langevin n'en connaît pas autant. Lui, c'est sur Balzac qu'il est incollable.

Ces réunions de jeunes hommes qui sont aussi de vieux étudiants, se situent à la fois au plus haut niveau de la discussion scientifique et à celui des canulars. Parfois Jean Perrin s'empare du piano et chante en duo avec Langevin le Chant du Graal. Ils sont tous les deux admirateurs inconditionnels de Wagner, dont les opéras commencent à être montés à Paris.

La jeune Marguerite, charmante, coquette, provocante, s'ébroue au milieu de sa cour. Elle flirte outrageusement avec Perrin qu'elle a baptisé « l'Archange » à cause de sa tête bouclée, avec Langevin qui a « de si beaux yeux marron » et qui sait s'en servir, elle joue dans cette assemblée le rôle de la jolie bécasse et feint de croire que son ignorance est pesante à ces jeunes hommes de savoir, pour le plaisir de s'entendre dire par Perrin que « les fleurs non plus ne savent rien ».

Elle les suit lorsqu'ils vont, le soir, parler dans l'une de ces universités populaires où, dans une cuisine au fond d'une cour, ils dialoguent, après leur conférence, avec le public auquel se mêlent quelques ouvrières « en cheveux ». Le chapeau est alors symbole de statut bourgeois.

Marguerite sait écouter aussi, recevoir les confidences, deviner les amours qui naissent et celles qui meurent, improviser des œufs brouillés pour celui qui arrive en criant « J'ai faim... »

« Parfois, écrira-t-elle, Pierre et Marie Curie se glissent, pareils à deux ombres. Lui parle peu. Elle d'apparence très jeune, attrayante sous ses cheveux frisés, entre brusquement dans une conversation scientifique pour exposer longuement son point de vue. Ils m'intimident... »

Mais Marie, si intolérante au babillage, subit elle aussi le charme de cette petite personne délurée, féministe déterminée, qui se lancera non sans succès dans la fabrication d'une *Revue du Mois* où elle réussira même à faire écrire Pierre Curie, avant de publier sous le nom de Camille Marbo des romans qui lui vaudront notoriété.

Un soir, les Borel rencontrent les Curie au théâtre. Marguerite, enthousiasmée par le spectacle — il s'agit d'une pièce d'Ibsen — parle avec vivacité de l'héroïne. Marie, amusée par sa flamme, l'embrasse... Evénement si stupéfiant que soixante ans plus tard, l'intéressée le rapportera pieusement dans ses « souvenirs ».

Les Borel ont de l'abattage, du style, des relations, de la qualité aussi, et du courage. Lorsque Marie sera, plus tard, objet de scandale, Borel osera lui donner refuge, non sans allure.

Dans ce milieu d'universitaires, les « fils de famille » sont plus rares que ces jeunes hommes dont les parents se sont saignés aux quatre veines, comme on dit alors, pour que leur garçon entre à

Normale ou à Polytechnique, et qui deviendront la fierté de la République.

Emile Borel est fils de pasteur. La mère de Jean Perrin, veuve d'officier, tient un bureau de tabac. Le père des Langevin est, on l'a dit, serrurier.

C'est à eux que l'on doit ce long respect français du savoir, ce culte de la mémoire, ce goût de la citation qui vient à propos, dans un discours politique, rappeler que l'on a fait ses humanités avant de s'occuper d'adductions d'eau, cette vénération des concours, des diplômes, ce fonds commun de références historiques et littéraires : il fallut d'ailleurs bien longtemps pour s'apercevoir qu'il n'était pas si commun que ça.

C'est Jaurès qui, énumérant en 1904 les collaborateurs du journal qu'il lance, *L'Humanité,* à Aristide Briand, titulaire de la rubrique politique, fait fièrement remarquer : « Il y a sept agrégés » !

Briand répondit : « Mais où sont les journalistes ? » La suite lui donna raison.

N'importe. L'avenir brille alors de tous les feux que jettera le savoir quand il sera le bien de tous, et qu'au lieu de s'entendre prêcher résignation et obéissance par l'Eglise, le peuple tout entier aura reçu les instruments de sa liberté.

Donc, celle-ci commence par l'enseignement. « La révolution n'est pas à l'atelier, elle est à l'école ! » a dit Jaurès.

Les Borel et leurs amis sont d'ardents partisans de la sécularisation de l'enseignement, ce qui n'est pas pour effaroucher les Curie, au contraire. Pierre et Marie n'ont pas fait baptiser leurs enfants, alors que le baptême est quasiment une obligation sociale. Ils n'ont pas échangé, cependant, un sectarisme contre un autre, mais Pierre souscrit aux propos de Berthelot selon qui « la science émancipatrice a été courbée depuis des siècles sous le joug oppresseur de la théocratie ».

Si les Curie sont peu sensibles aux turbulences quotidiennes de la politique, c'est par horreur de la violence qui les accompagne et celle-ci fait rage jusque dans les églises depuis que le ministère Combes est sorti des élections de 1902.

La majorité parlementaire qui soutient le gouvernement et le maintiendra au pouvoir pendant 31 mois est substantielle — 339 voix contre 124 —, mais une minorité active le combat.

Petit père du peuple pour les uns — d'où son surnom —, le « petit père Combes », ancien professeur de philosophie catholique et d'autant plus hérétique qu'il vient de loin, est le fils de Satan pour les autres. Non seulement il dissout les congrégations religieuses, mais il est allié aux « rouges ». Le jour même où il a obtenu la confiance du Parlement pour conduire « une politique de sécularisation, de réformes sociales et de solidarité », le poète José Maria de Heredia, recevant Melchior de Vogüé à l'Académie française, a félicité le récipiendaire d'être issu d'une lignée « aimant Dieu, le roi, leur terre et la guerre. »

Aucune nomination, aucun avancement de fonctionnaire ne peut désormais avoir lieu sans que les préfets aient été consultés sur le loyalisme républicain de l'intéressé.

La naissance de l'Etat laïque, que consacre en 1905 la séparation de l'Eglise et de l'Etat, ne s'est pas faite sans douleur ni haine. Marie en éprouvera un jour les séquelles, cet urticaire récurrent sur la peau de la France...

Pour l'heure, plus encore que les clameurs des Cléricaux contre la Gueuse et les bagarres quotidiennes qui accompagnent la dissolution par la République des congrégations religieuses, c'est l'insurrection russe qui l'intéresse.

Bronia et Jozef lui ont écrit que cette fois, enfin, la Pologne va être libérée de l'oppresseur.

> « Pourvu que cet espoir ne soit pas déçu, écrit Marie à son frère. Je le souhaite ardemment et j'y pense sans cesse. En tout cas, je crois qu'il faut soutenir la Révolution. J'enverrai de l'argent à Casimir dans ce but puisque je ne peux, hélas, apporter aucune aide directe. »

L'espoir sera provisoirement déçu.

Un espoir d'une autre nature, que Marie n'a jamais cessé de nourrir pour Pierre, va en revanche se réaliser : il entre à l'Académie des sciences.

Pourquoi se laisse-t-il faire, après s'être un peu débattu, quand on lui demande de poser, encore une fois, sa candidature, et s'inflige-t-il à nouveau le rituel des visites ?

« Mon cher Curie, écrit Mascart, arrangez-vous comme vous voudrez mais il faut qu'avant le 20 juin, vous fassiez le sacrifice d'une tournée finale chez les membres de l'Académie quand vous devriez pour cela louer une automobile à la journée. »

Pierre Curie s'est exécuté, attitude assez incompréhensible. Tout à fait incompréhensible, même si l'influence de Marie ne s'est pas, en la circonstance, manifestée.

C'est, il est vrai, le premier — et le seul — hommage que Pierre Curie recevra de ses compatriotes. Et puis quoi... Personne n'est parfait.

Mal élu, ce qui l'affecte, il écrit à Georges Gouÿ...

> « Je me trouve à l'Académie sans l'avoir désiré et sans que l'Académie ait désiré m'avoir... Tout le monde m'a déclaré qu'il était

convenu que j'aurais cinquante voix. C'est pourquoi j'ai failli ne pas passer.

« ... Que voulez-vous ? dans cette maison, ils ne peuvent rien faire simplement, sans intrigues. En dehors d'une petite campagne, fort bien menée, il y a eu contre moi le manque de sympathie des cléricaux et de ceux qui ont trouvé que je n'avais pas fait assez de visites...

« ... Je me demande vraiment ce que j'ai été y faire. L'intérêt des séances est nul. Je sens très bien que ce milieu n'est pas le mien. »

Son élection entraîne une interview de Marie dans *La Patrie.* Attend-elle une récompense analogue de son propre travail ? « Oh ! je suis seulement une femme, rien qu'une femme, je ne siégerai jamais sous la Coupole... » Sa seule ambition, ajoute-t-elle, est d'aider son mari dans ses travaux.

Mais à peine les lecteurs de *La Patrie* se sont-ils réjouis de cette saine modestie féminine, un démenti cinglant de Marie les informe qu'il s'agit là de propos « purement imaginaires ». Le rédacteur, penaud, le reconnaît et présente des excuses.

Le voyage deux fois remis à Stockholm, pour la cérémonie qu'impose le règlement de l'académie Nobel, a été plus heureux. Les Suédois ont fait les choses simplement, sans faste ni foule, ni publicité excessive. Ce sont essentiellement des scientifiques que Pierre et Marie rencontrent. La maîtrise qu'elle a de l'allemand, sa connaissance de l'anglais rendent les contacts aisés.

Et puis, juin est beau en Suède et les Curie ont gardé l'amour de la nature.

La conférence obligée du lauréat sur le travail couronné est, cela va de soi, prononcée par Pierre, bien que Marie soit également titulaire du Nobel. Il est sur l'estrade, elle dans la salle.

Il vient de traverser dix-huit mois difficiles à tous égards, improductifs scientifiquement, mais sa réflexion sur le sens de la recherche s'est aiguisée. Il croit toujours à ce qu'il répète à ses étudiants lorsque ceux-ci débattent de problèmes sociaux : « Ce n'est pas la peine de se tracasser excessivement à ce sujet. Les physiciens résoudront ces difficultés tout simplement en supprimant le problème, parce qu'ils arriveront à créer assez de richesse pour tous. »

Mais il achève sa conférence en ces termes :

> « On peut concevoir encore que, dans des mains criminelles, le radium puisse devenir très dangereux et ici l'on peut se demander si l'humanité a avantage à connaître les secrets de la Nature, si elle est mûre pour en profiter ou si cette connaissance ne lui est pas nuisible. L'exemple des découvertes de Nobel est caractéristique : les explosifs puissants qui ont permis aux hommes de faire des travaux admirables. Ils sont aussi un moyen terrible de destruction entre les mains de grands criminels qui entraînent les peuples vers la guerre. » Il conclut : « Je suis de ceux qui pensent, avec Nobel, que l'humanité tirera plus de bien que de mal des découvertes nouvelles. »

Mais il ne pouvait guère faire moins devant l'académie fondée par l'inventeur de la dynamite.

Pierre Curie appartient à l'espèce des savants qui se consacrent à la science comme on se consacre à l'art, pour fuir le morne désespoir de la vie quotidienne. Sur le chemin de sa fuite, le radium a ouvert un gouffre où il aperçoit, à la fois fasciné et épouvanté, le mystère des mystères, celui de la matière.

Ce radium, ces éléments radioactifs, ce n'est pas lui qui s'en servira pour casser le noyau présumé insécable de l'atome.

Les Curie n'ont été que l'un des maillons d'or de cette chaîne de la découverte scientifique où celui qui dit « j'ai trouvé » ne précède parfois que de quelques jours celui qui allait trouver et qui a hésité ou dérapé, ou que son savoir alourdissait de trop de données jugées acquises pour avoir encore l'agilité intellectuelle de les renverser, ou qui a eu le vertige.

Max Planck, quand il énonça, en 1900, l'invraisemblable hypothèse des « quantas », confia plus tard que ce fut pour lui « un acte désespéré » que de l'introduire dans la théorie de l'énergie. Hypothèse qui bouleversa la physique, que personne ne voulut admettre, et que lui-même contesta lorsque cinq ans plus tard, Einstein l'appliqua à la lumière.

Henri Poincaré, qui suggéra en 1896 à Becquerel son expérience cruciale, qui avait, en 1904, parlé du « principe de relativité » et manifesté à ce sujet d'étonnantes prémonitions, se montra, selon les termes d'Einstein, « simplement hostile à la théorie de la relativité et malgré toute sa pénétration, il n'avait guère l'air de comprendre où l'on en est » (à un Congrès, six ans après qu'Einstein, expert stagiaire de troisième classe à l'Office des brevets de Berne, eût exposé cette théorie).

« Comme M. Einstein cherche dans toutes les directions, on doit s'attendre à ce que la plupart des voies dans lesquelles il s'engage soient des impasses, mais on doit en même temps espérer que l'une des directions qu'il a indiquées soit la bonne », écrivit Poincaré dans une lettre destinée à soutenir la candidature d'Einstein à un poste de professeur à

Zürich. Mais Poincaré ajoutait : « Cela suffit. C'est bien ainsi qu'on doit procéder. Le rôle de la physique mathématique est de bien poser les questions, ce n'est que l'expérience qui peut les résoudre. »

Au moment où Pierre Curie parlait à Stockholm, Einstein posait l'équation fameuse E = mc2, que l'expérience allait vérifier plus de trente ans après, et concrétiser en 1945, sous la forme d'une bombe tombant sur Hiroshima. Mais aussi sous la forme des centrales nucléaires fournissant cette « source d'énergie nouvelle se reproduisant presque sans travail », où Marcelin Berthelot voyait le problème fondamental du XXIe siècle.

Le discours de Pierre Curie n'était pas on le voit, pur pessimisme d'un optimiste physiquement délabré.

13

Le 15 avril 1906, Marie est à la campagne avec ses enfants. Elle a loué l'été précédent une maison près de Paris, à Saint-Rémy-de-Chevreuse.

Pierre vient les rejoindre.

Le dimanche et le lundi de Pâques seront les deux dernières journées qu'ils passeront ensemble.

Elles furent douces, semble-t-il, un peu mélancoliques peut-être...

Leur part de rêve s'était rétrécie à des dimensions plus humaines, leur part de travail aussi. Et l'effort n'était pas négligeable qu'ils avaient dû fournir pour trouver un nouvel équilibre depuis qu'ils marchaient ensemble sur le chemin de gloire.

Aux yeux du public, la représentation avait été parfaite, Pierre toujours attentif à « reporter tout le mérite sur sa femme », comme l'écrivait l'un de ses confrères anglais.

Mais il avait décidé d'abandonner la radioactivité pour revenir à ses travaux sur la physique cristalline, et sans doute n'était-ce pas sans signification.

Après un printemps si pluvieux que la Seine avait atteint, à Paris, la cote d'alerte, il faisait beau. Pierre et Marie marchèrent longuement dans la campagne, comme autrefois, cueillirent des fleurs fraîches écloses, comme autrefois, firent un grand feu dans la cheminée... Parlèrent de l'avenir. Pierre s'interrogeait sur les méthodes d'enseignement. Il rêvait pour ses filles, pour toutes les filles et pour tous les garçons, d'une éducation qui saurait intégrer la science, sinon que signifierait la culture au xxe siècle ?

Il reprit le train le lundi soir, emportant un bouquet de renoncules.

Marie rentra le mercredi soir. La pluie avait repris sur Paris.

Au dîner de la Société de physique, qui avait lieu rituellement au restaurant Foyot, Pierre entreprit Henri Poincaré sur la réforme de l'enseignement...

Le lendemain jeudi, il avait encore un déjeuner, celui des professeurs de la faculté des sciences qui se tenait rue Danton à l'Hôtel des Sociétés Savantes, et puis une course à faire chez son éditeur, Gauthier-Villars, pour corriger les épreuves d'un article, et puis une séance à l'Académie...

La pluie avait cessé et, après le déjeuner, il s'en fut à pied le long du boulevard Saint-Germain. Chez Gauthier-Villars, il trouva porte close : les ouvriers des ateliers d'imprimerie avaient cessé le travail. La grande vague de grèves de mai 1906 s'annonçait. Alors, il s'engagea dans la rue Dauphine, pour gagner les quais et de là l'Institut.

La pluie avait repris, il ouvrit son parapluie...

La rue est étroite, encombrée, il traverse derrière un fiacre... Dix secondes, et le cerveau de Pierre Curie gicle sur la chaussée boueuse.

Croisant le fiacre, le conducteur d'un camion à deux chevaux, venant des quais et remontant la rue Dauphine, a vu surgir devant son cheval de gauche un homme en noir, un parapluie... L'homme a chancelé, il a essayé de s'agripper au harnais du cheval... Empêtré dans son parapluie, il a glissé entre les deux chevaux que leur conducteur cherchait de toutes ses forces à retenir. Mais le poids du lourd attelage long de cinq mètres et chargé d'équipements militaires l'a entraîné. C'est la roue arrière gauche qui a broyé le crâne de Pierre.

Un attroupement se forme, des passants commencent à malmener le camionneur affolé, d'autres s'interposent, ils ont vu l'accident, l'homme s'est jeté sur l'attelage... Il y a un début de bagarre ; des agents interviennent. D'autres hèlent un fiacre pour y charger le corps de l'homme en noir. Le cocher refuse, pas question de tacher les sièges de sa voiture avec tout ce sang...

Enfin arrive un brancard. On transporte l'homme en noir au commissariat voisin, celui de la rue des Grands-Augustins. Dans la poche de sa veste, il y a des cartes de visite qui portent le nom célèbre... L'adresse du boulevard Kellermann sur les unes, l'adresse de la Faculté des sciences sur les autres... C'est là qu'un inspecteur téléphone.

Dans la rue la rumeur se répand. Le camionneur a tué Pierre Curie ! Cette fois, on va l'écharper. Des agents l'emmènent avec son attelage dont les chevaux, nerveux, piétinent le sol gluant... C'est un garçon de 30 ans, Louis Manin. Il pleure sur le banc du poste de police tandis qu'un médecin compte les fragments de ce qui fut le crâne de Pierre Curie, nettoie le visage souillé mais intact.

C'est un vieil aide préparateur, Pierre Clerc, qui arrive de la Faculté et éclate en sanglots devant la plaie béante que le médecin se hâte de recouvrir d'un bandage. « Vous reconnaissez M. Curie », demande le commissaire ?

Et il prend son téléphone. Mais Pierre Curie n'a plus d'oreilles pour s'agacer d'appartenir, même dans la mort, au nombre de ceux pour qui l'on dérange le ministre de l'Intérieur.

***

Un émissaire du Président de la République sonna à la porte du boulevard Kellermann, et demanda Mme Curie. La servante répondit que Madame n'était pas rentrée. Il repartit.

Au second coup de sonnette, le docteur Curie se leva.

Lorsque le vieil homme aperçut Jean Perrin et Paul Appell, le doyen de la Faculté, leurs visages bouleversés, il prononça, sans une question, quatre mots : « Mon fils est mort. » Ils racontèrent les circonstance de l'accident. Et le docteur accablé murmura : « A quoi rêvait-il encore ?... »

Marie rentra tard, ce jour-là. Elle a sa clé, pénètre directement dans la pièce où Perrin et Appell l'attendent avec le docteur. Ils disent les choses, simplement, comme il convient.

Marie demeure figée ; puis elle dit : « Pierre est mort ? Tout à fait mort ? »

Oui. Pierre était tout à fait mort.

Alors elle se mure, blanche, muette.

Veut-elle une autopsie ?

Non.

Désire-t-elle que le corps de Pierre soit ramené boulevard Kellermann ?

Oui.

Un télégramme pour Bronia, un mot pour demander que les Perrin veuillent bien garder Irène chez eux, où elle est en train de jouer. Puis elle sort dans le jardin encore noyé de pluie, s'assied et attend. Une heure. Deux heures.

Ce sont d'abord les clefs, le portefeuille, la montre

intacte de Pierre qu'un inspecteur de police lui rapporte. Quand arrive l'ambulance qu'accompagne André Debierne, Marie indique aux brancardiers la chambre du rez-de-chaussée, assiste, impassible, à la toilette du mort, puis s'enferme avec lui.

Le lendemain matin, quand elle voit Jacques Curie, arrivé en hâte de Montpellier, elle craque un instant puis se reprend.

La sonnette ne cesse de retentir. Les visiteurs se succèdent. Les télégrammes affluent, de tous les coins du monde, les lettres s'amoncellent, les condoléances sont royales, républicaines, scientifiques, formelles ou simplement émues et sincères. La gloire et l'amour brutalement fauchés par la mort... Brelan irrésistible. Et puis Pierre Curie était aimé.

Qui fera le discours d'usage ? Qui représentera le gouvernement ? L'Académie ? Pendant qu'ici et là on en délibère, Marie fait avancer la date des obsèques. Mort le jeudi après-midi, Pierre est enterré le samedi matin sans cérémonie, dans le cimetière de Sceaux où repose sa mère, en présence de ses seuls amis. Le ministre de l'Instruction publique, Aristide Briand, s'est glissé discrètement parmi eux.

Le Journal du 22 avril 1906 rapporte :

> « Mme Curie a suivi, au bras de son beau-père, le cercueil de son mari jusqu'à la tombe creusée au pied du mur de clôture, à l'ombre des marronniers. Là, elle est restée un moment immobile, ayant toujours le même regard fixe et dur ; mais une gerbe de fleurs ayant été apportée près de la tombe, elle s'en est saisie d'un geste brusque et s'est mise à détacher une à une les fleurs pour les répandre sur le cercueil.
>
> « Elle faisait cela lentement, posément, et paraissait avoir oublié totalement l'assistance

qui, profondément impressionnée, ne faisait entendre ni bruit ni murmure.

« Le maître de cérémonie crut cependant devoir prévenir Mme Curie qu'elle avait à recevoir les condoléances des personnes présentes. Alors, laissant tomber à terre le bouquet qu'elle tenait, elle a quitté la tombe sans dire un mot, et elle a rejoint son beau-père. »

Un nouveau titre, sinistre, s'ajoute à ceux dont on a jusque-là couronné Marie. On ne l'appellera plus désormais que « la veuve illustre ».

Elle a 38 ans. Pierre allait en avoir 47. Ils étaient mariés depuis moins de onze ans.

Onze ans, c'est long. Assez long pour que les racines de l'amour, si l'arbre était robuste, plongent si profond qu'elles subsisteront toujours, même desséchées.

Marie n'avait pas seulement perdu le compagnon de ses jours et de ses nuits, de son labeur et de ses succès. Elle avait perdu sa sécurité. Celui qui l'aimait glorieuse et défaite, inspirée et butée, timide et catégorique, parce qu'elle était le battement de son cœur.

Il lui fallait maintenant faire son deuil de Pierre et d'une certaine Marie, souveraine juvénile et tendre d'un grand homme, disparue avec lui et que personne ne pourrait jamais ressusciter.

Il lui fallait aussi se mortifier, se flageller, se punir de tous les moments où elle avait été distraite de lui.

Des premiers jours qui suivent la mort de Pierre, elle a laissé un témoignage. Un cahier gris, où sa petite écriture claire et régulière est soudain déréglée. Une sorte de carnet de laboratoire de la douleur.

« ... Pierre, mon Pierre, tu es là, calme comme un pauvre blessé qui se repose en dormant, la tête enveloppée.

« ... Tes lèvres que jadis j'appelais gourmandes, sont blêmes et décolorées. Ta petite barbe est grisonnante. On voit à peine tes cheveux car la blessure commence là, et au-dessus du front, à droite, apparaît l'os qui a sauté. Oh ! comme tu as eu mal, comme tu as saigné, tes habits sont inondés de sang. Quel choc terrible a subi ta pauvre tête que je caressais si souvent en la prenant de mes deux mains... J'ai baisé tes paupières que tu fermais pour que je les embrasse en m'offrant ta tête d'un mouvement familier...

« ... Nous t'avons mis en bière samedi matin et j'ai soutenu ta tête pour ce transport. Nous avons mis le dernier baiser sur ta figure froide. Puis quelques pervenches de jardin dans la bière et le petit portrait de moi que tu appelais « la petite étudiante bien sage » que tu aimais.

« ... Ta bière est fermée et je ne te vois plus. Je n'accepte pas qu'on la recouvre de l'affreux chiffon noir. Je la couvre de fleurs et je m'assieds près d'elle.

« ... On vient te chercher, assistance attristée, je les regarde, je ne leur parle pas. Nous te reconduisons à Sceaux et nous te voyons descendre dans le grand trou profond. Puis affreux défilé de gens. On veut nous emmener. Nous résistons, Jacques et moi, nous voulons voir jusqu'au bout, on comble le fossé, on pose les gerbes de fleurs, tout est fini, Pierre dort son dernier sommeil sous la terre, c'est la fin de tout, de tout, de tout... »

Quinze jours après l'enterrement, le 7 mai :

> « Mon Pierre, je pense à toi sans fin, ma tête éclate et ma raison se trouble. Je ne comprends pas que j'aie à vivre désormais sans te voir, sans sourire au doux compagnon de ma vie. »

Le 11 mai :

> « Mon Pierre, je me lève après avoir assez bien dormi, relativement calme. Il y a à peine un quart d'heure de cela et voici que j'ai de nouveau envie de hurler comme une bête sauvage. »

Si seulement elle savait hurler.

Le lendemain de l'enterrement, elle va chez les Perrin, parce qu'il faut dire à Irène que son père est mort.

Irène, qui a sept ans, joue avec Aline Perrin. Elle ne paraît pas entendre, continue à jouer. « J'avais saisi plus vite, raconta Aline Perrin, et j'entends Mme Curie disant à maman : « Elle est trop petite, elle ne comprend pas. »

Aujourd'hui, Marie aurait su que les enfants ne sont jamais « trop petits ». A peine est-elle repartie, Irène fond en larmes et supplie qu'on la ramène chez sa mère.

> « Elle a pleuré beaucoup à la maison puis elle est repartie chez ses petits amis pour oublier... Maintenant elle n'a plus l'air d'y penser... » écrit Marie sur son cahier gris.

« Arrivée de Jozef et de Bronia. Ils sont bons. »

« ... Tout le monde parle. Et moi je vois Pierre, Pierre sur son lit de mort. »

Au cœur de l'agitation funèbre qui a envahi la maison, elle est absente, raide, muette.

Les deux familles s'inquiètent. Une femme seule avec deux enfants... Que va-t-elle devenir ?

Les amis de Pierre songent à ouvrir une souscription publique. D'un mot, Marie coupe court. Répugnant. Le gouvernement fait connaître à Jacques Curie que Marie bénéficiera d'une pension de l'Etat, comme la veuve de Pasteur. Elle refuse. Elle sait travailler, elle travaillera.

Soit. Mais travailler où ? Comment ? Que voudrait-elle ? Elle ne veut rien. Rien. « Je n'ai même pas le désir de suicide », écrit-elle dans le cahier gris.

Jacques Curie et Georges Gouÿ délibèrent avec les amis de Pierre. Le ministre est alerté. Le conseil de la faculté des sciences se réunit.

Finalement arrive une proposition : si Marie y consent, la chaire de physique générale sera créée à la Sorbonne pour Pierre lui sera attribuée.

Proposition à sa taille : jamais une femme n'a encore été admise dans l'enseignement supérieur. Ce n'est pas le seul domaine où la première entrera sur les épaules d'un mort.

Acceptera-t-elle, cette fois ? « J'essaierai », dit-elle. Nommée le 13 mai 1906 chargée de cours, avec un traitement annuel de 10 000 francs prenant effet le 1er mai, elle écrit dans le cahier gris :

« Mon petit Pierre, je voudrais te dire que les faux ébéniers sont en fleur, les glycines, les aubépines, les iris commencent — tu aurais aimé tout cela. Je veux te dire aussi que l'on m'a nommée à ta chaire et qu'il s'est trouvé des imbéciles pour m'en féliciter. »

Rassurée, Jacques Curie, Georges Gouÿ et Jozef sont repartis, laissant une femme rompue mais calme.

Une lettre envoyée le 9 mai par Georges Gouÿ remercie Marie de s'être résignée « à sortir momentanément de vos tristes pensées pour vous occuper des choses scientifiques qui étaient si chères à Pierre », et lui communique des renseignements à propos d'un circuit électrique expérimental [1].

« Tout est morne. Les préoccupations de la vie ne me laissent même pas penser en paix à mon Pierre », note Marie le 16 juin.

Le contenu de ce cahier gris, mis à part quelques fragments, restera secret jusqu'en 1990. On sait cependant que, même à Pierre, qui ne le lira jamais, Marie n'y fait pas l'aveu de la scène macabre que Bronia raconta trente ans plus tard.

Celle-ci va repartir, à son tour, pour rejoindre son mari à Zakopane lorsqu'un soir, sa sœur l'appelle dans sa chambre.

Un feu flambe dans la cheminée malgré la douceur du printemps. « Bronia, dit Marie, il faut que tu m'aides. » Elle ferme la porte à clef, tire d'une armoire un paquet entouré d'un fort papier d'emballage, prend une paire de ciseaux, s'accroupit devant le feu, fait signe à sa sœur de s'asseoir auprès d'elle et défait le paquet.

Il contient un ballot noué dans un drap. Elle le

1. Georges Gouÿ a trouvé, en 1898, que le mouvement brownien était une manifestation de la chaleur.

dénoue. Apparaissent des vêtements et du linge raides de boue et de sang séchés, ceux que portait Pierre lorsqu'il est tombé, rue Dauphine. Marie les garde depuis un mois dans sa chambre.

Méthodiquement, elle commence à découper le veston de Pierre en morceaux qu'elle jette un à un dans les flammes, s'arrête, se met à embrasser follement le tissu souillé. Bronia lui arrache les ciseaux, les vêtements, jette le papier, jette le drap, jette la serviette avec laquelle elle a essuyé les mains de Marie et les siennes.

« Je ne pouvais pas supporter que d'autres y touchent, dit Marie. Tu comprends ? »

Et soudain, agrippée à sa sœur, elle sanglote, en proie à une crise de nerfs, elle crie, hoquète : « Comment vais-je faire maintenant, pour vivre, comment vais-je faire ?... »

Il faudra un long moment pour parvenir à la déshabiller, la coucher, l'apaiser.

L'été est là et le soleil si blessant lorsqu'en soi tout est noir...

> « Je passe toutes mes journées au laboratoire, écrit Marie sur le cahier gris. Je ne conçois plus rien qui puisse me donner une joie personnelle, sauf peut-être le travail scientifique — et encore non, car si je réussissais, je ne pourrais supporter que tu ne le saches pas. »

Elle réussira. Et elle supportera. Parce que c'est la loi de la vie.

14

Le 5 novembre 1906, à midi, la foule a déjà commencé d'envahir la place de la Sorbonne, et à piétiner devant les grilles closes, bien que la séance ait été annoncée pour 13 heures 30.

A 13 heures, le petit amphithéâtre de physique fut pris d'assaut, les portes aussitôt refermées.

« Les premiers rangs offrent l'aspect d'un parterre de théâtre, selon *Le Journal*. Beaucoup de toilettes, énormément de grands chapeaux, heureusement la salle est en gradins ! »

Assise entre Jean Perrin et Paul Appell, la comtesse Greffulhe se fait remarquer, elle, par sa toque. Elle vient d'en lancer la mode, en faisant elle-même ses chapeaux.

Une quinzaine de Sévriennes, qui sont venues assister à cette séance mémorable où l'on verra, selon l'expression de l'une d'elles, « la première femme au nombre des Maîtres » observent avec étonnement ce public où l'on compte plus de femmes du monde, d'artistes, de photographes et de membres de la colonie polonaise que d'étudiants, pour entendre parler de l'ionisation des gaz.

L'usage veut que le doyen de la Faculté « installe » le nouveau titulaire d'une chaire, que celui-ci remercie le ministre, la Faculté, et prononce l'éloge de son prédécesseur.

A 13 heures 20, Paul Appell se lève pour faire connaître que, selon le vœu de Mme Curie, il n'y aura ni installation officielle ni éloge.

A 13 heures 30, Marie se glisse furtivement dans la salle. Une ovation la salue tandis qu'elle pose ses papiers sur la table, frotte l'un contre l'autre ses doigts rongés, attend, les yeux baissés, que les applaudissements s'éteignent, et commence, d'une voix plate où chantent les « r » : « Lorsqu'on envisage les progrès qui ont été accomplis en physique depuis une dizaine d'années, on est surpris du mouvement qui s'est produit dans les idées sur l'électricité et sur la matière... »

Elle a repris le cours de Pierre au point où il l'a laissé.

Elle est tendue à se rompre. On l'entend mal... Sa voix est faible, son débit trop rapide. Elle s'adresse à un public auquel elle pourrait aussi bien parler chinois...

Quelque chose passe pourtant, qui embrume les regards, serre les gorges, tient du haut en bas des gradins la salle figée dans l'émotion devant cette petite silhouette noire.

Elle termine sous un tonnerre d'applaudissements, reprend ses papiers, s'éclipse. Il y a quinze ans, jour pour jour, qu'arrivant de Varsovie une petite étudiante polonaise a traversé pour la première fois la cour de la Sorbonne. La seconde vie de Marie Curie a commencé.

« Un front bombé comme les vierges de Memling... » racontera l'un, relatant ses impressions. « Un visage étrange, sans âge. Ses yeux clairs et profonds semblent las d'avoir trop lu ou trop pleuré », écrira l'autre. Et le chroniqueur du *Jour-*

nal : « Une grande victoire du féminisme. . Car si la femme est admise à donner l'enseignement supérieur aux étudiants des deux sexes, où sera désormais la prétendue supériorité de l'homme mâle ? En vérité, je vous le dis : le temps est proche où les femmes deviendront des êtres humains. »

Dans les mois qui suivent, une romancière à succès, Colette Yvert, publie *Princesses de Science.*

L'héroïne, Thérèse, en est une fille de médecin, qui a suivi les traces de son père. Or, voilà qu'elle prétend se marier et avoir un enfant tout en continuant d'exercer son métier.

Que croyez-vous qu'il arrive ? L'argenterie cesse de briller, la cuisinière fait danser l'anse du panier, les cols du mari sont mal empesés et l'enfant meurt en nourrice.

Ce que voyant, le mari va chercher auprès d'une jeune veuve oisive consolation et chaleur du foyer.

Thérèse comprend enfin qu'au lieu d'imiter son père, elle aurait dû imiter sa mère, et qu'il n'est que temps de renoncer à son métier pour donner les dîners nécessaires à la carrière de son mari.

Madame Curie, il fallait rentrer à la maison, et votre mari ne serait pas tombé sous les pas d'un cheval, portant, qui sait ? une chemise où il manquait peut-être un bouton. Quand les femmes de chambre ne sont pas surveillées...

Princesses de Science fut couronné, à la fin de l'année, par le prix Fémina.

Le féminisme des membres du jury, entièrement féminin, avait encore quelques progrès à faire.

Plus grave — mais aussi plus stimulante — fut l'offensive de lord Kelvin.

L'éminent vieillard, âgé maintenant de 82 ans, accouru à Paris pour assister aux obsèques de Pierre, avait multiplié les attentions affectueuses. Mais il s'était mis en tête que le radium n'était pas un élément.

C'est la première page du *Times* de Londres qu'il choisit pour le dire, dans le fameux « Courrier des lecteurs ». Vénérable et illustre, lord Kelvin ne manqua pas de faire ainsi tout le bruit qu'il escomptait.

Son hypothèse — selon laquelle le radium n'était probablement qu'un composé moléculaire de plomb et d'atomes d'hélium — ne détruisait pas seulement celle de Marie Curie. Elle balayait la théorie de Rutherford et Soddy sur l'existence d'une « énergie atomique ».

Le vieux lion de la physique britannique, que ces jeunes gens commençaient d'agacer, dut s'en lécher les babines.

Le *Times* fut, au cours de l'été 1906, le théâtre d'une bataille furieuse, poursuivie dans la revue spécialisée *Nature,* bataille où toutes les célébrités scientifiques du temps s'engagèrent.

« Je ne vois pas l'utilité de combattre la théorie de lord Kelvin », écrivit avec hauteur Marie, soutenue contre la vieille garde par les représentants de la radiochimie moderne. Elle avait raison.

Dès lors que « des doutes avaient été émis par ceux à qui l'hypothèse atomique de la radioactivité n'apparaissait pas encore avec un caractère d'évidence », il était vain de discuter. Il fallait prouver.

Prouver, c'est-à-dire produire non pas du sel de radium pur, ce sel dont elle était parvenue à obtenir quelques centigrammes après quatre ans de travail et quelques milliers d'opérations, mais le métal lui-même.

Marie était seule à pouvoir le faire. Et son laboratoire bénéficiait désormais d'une aide matérielle considérable : celle d'Andrew Carnegie.

Disposant d'une fortune illimitée édifiée dans l'acier, cet Américain puritain la dépensait en prêchant le mécénat tous azimuts, associé à l'austérité personnelle.

Marie, rencontrée à Paris peu après la mort de Pierre, toute auréolée de cette gloire mélancolique qu'elle portait sobrement, l'avait touché au cœur par la simplicité de sa mise et la précision des objectifs qu'elle s'était fixés.

Il avait décidé de financer ses recherches, ce qu'il sut faire avec élégance. Lorsqu'il régla avec le Recteur de l'Académie de Paris les modalités de ce financement, ce fut en proposant que la fondation créée à cet effet ne se nomme pas Carnegie, mais Curies. « Le pluriel, ajoutait-il, inclurait Madame, ce que je désire vivement. » Cet anglicisme ne fut pas retenu, mais les dollars d'Andrew Carnegie le furent.

Dans un laboratoire réorganisé, équipé en matériel et en personnel, où elle allait commencer à former une génération de jeunes chercheurs à ses méthodes originales, Marie, assistée par André Debierne, entreprit de démontrer que lord Kelvin se trompait.

Elle allait y passer quatre ans.

Quatre ans de manipulations minutieuses, épuisantes, théoriquement irréalisables avec la quantité infime de sels de radium purs dont elle disposait : dix centigrammes.

« L'opération a présenté de grandes difficultés », dit-elle simplement lorsqu'elle eut terminé. Elle avait réussi à condenser, par l'électrolyse d'une solution de radium avec une cathode de mercure, une parcelle infinitésimale mais indiscutable, cette fois, d'un métal blanc : « son » radium, dont elle donna le point de fusion : 700°.

Dans le même temps, elle avait réglé son compte à un chimiste allemand, Willy Marckwald, qui, au bout de travaux aussi laborieux que ceux de Marie, avait cru découvrir une nouvelle substance radioactive qu'il avait baptisée radiotellure.

Convaincue, à juste titre, que cette radiotellure n'était que « son » polonium, Marie avait procédé, après dix mois d'observation, à l'exécution du malheureux chimiste.

Elle prit même le soin de publier à ce sujet une note en allemand. Marckwald s'était reconnu vaincu.

Lord Kelvin n'eut pas à subir la même humiliation. Il mourut avant de savoir que la si charmante Mme Curie l'avait proprement envoyé au tapis.

D'une certaine façon, il l'avait aidée. Rien ne vaut un défi quand on a la force de le relever ; Marie avait puisé cette force là où elle n'était jamais sans ressource : dans l'orgueil.

Aux yeux de la communauté scientifique internationale, la jeune veuve qui avait découvert le radium avec son mari — mais qu'est-ce qu'elle avait fait au juste dans cette collaboration romanesque ? — était devenue une personne implacable, sans rivaux dans le domaine où elle faisait autorité, étoile unique, parce qu'elle était une femme, dans la constellation qui brillait alors au ciel de la science.

Elle avait perdu l'éclat de la jeunesse, mais flambait, dès qu'elle s'animait, de cette étrange beauté émaciée, brûlante d'intelligence, qui subjuguait ceux qui avaient l'honneur, chichement accordé, de la rencontrer. A moins que, glaciale, elle ne leur apparût au contraire insupportable et dénuée d'attrait.

C'était en particulier le point de vue du physicien américain Boltwood. En 1908, il avait demandé de pouvoir comparer ses solutions de radium avec celles que Marie avait obtenues, et s'était fait jeter dehors.

« Madame ne souhaitait pas le moins du monde qu'on procédât à cette comparaison, dit-il à Rutherford. Sa mauvaise volonté « constitutionnelle » lui interdit de « faire quoi que ce soit qui puisse aider directement ou indirectement un chercheur travaillant sur la radioactivité. »

Boltwood se rangea du même coup parmi ceux — et il y en eut toujours — qui déclaraient usurpée la réputation de Mme Curie, tout en tremblant d'avoir à l'affronter dans quelque réunion scientifique.

Elle y jouait excessivement, selon ses adversaires, de sa fragilité, se déclarant « nerveusement épuisée » lorsqu'il lui convenait d'interrompre une discussion en abandonnant la séance, puis reprenant l'assaut, le lendemain, et finissant toujours par imposer sa volonté à des hommes excédés, durablement furieux, ensuite, d'avoir cédé.

Le colloque tenu à Bruxelles pour arriver à un accord sur la définition d'un étalon international du radium fut particulièrement désagréable. Cet étalon était devenu indispensable tant aux chercheurs qu'à l'emploi thérapeutique du radium dont il fallait mesurer avec précision les doses utilisées. Chaque pays pourrait ensuite produire le sien.

L'accord se fit pour déclarer qu'il revenait à Mme Curie d'établir cet étalon, en raison de son autorité en la matière. Quelqu'un suggéra de baptiser « curie » l'unité de mesure et Marie daigna s'en déclarer satisfaite. Mais que serait cette unité ? « La quantité d'émanation en équilibre dans un gramme de radium », déclara Marie. Elle refusa la discussion, quitta la salle et s'abstint de paraître au dîner qui clôturait le congrès, en prétextant un rhume. Jean Perrin et Rutherford eurent quelque peine à persuader leurs collègues que la santé de Mme Curie exigeait réellement des ménagements.

Sa définition fut adoptée. Il fallut plus tard tout le charme de Rutherford pour convaincre Marie qu'un étalon international ne pouvait pas rester dans son laboratoire. Elle se sépara à regret du petit tube de verre contenant les 21 milligrammes de sel pur qu'elle avait précipités pour le déposer au Bureau international des poids et mesures après l'avoir scellé de ses mains.

Seul Rutherford le Magnifique savait comment il fallait traiter Marie parce qu'elle ne l'impressionnait pas ; elle lui plaisait. Depuis le congrès, où il avait dû, un soir quitter l'Opéra au milieu d'une représentation pour la ramener, chancelante, à l'hôtel, elle l'apitoyait aussi.

« Elle a les nerfs malades », lui avaient dit quelques-uns des médecins qui participaient au congrès. Les nerfs ne sont jamais malades. Ils disent seulement que, quelque part, on est malade.

Mais, en 1910, on ignorait qu'un docteur Freud avait déjà analysé Dora.

***

Intraitable avec ses confrères, à moins qu'elle ne les jugeât de hauteur convenable pour dialoguer avec eux, Marie était exigeante mais bonne avec ceux qu'elle appelait ses « enfants du laboratoire », et qui l'appelait « la patronne ».

> « Il n'y avait pas beaucoup de place, nous n'étions que cinq ou six travailleurs. Marie Curie y venait tous les jours et y passait de

longues heures... Elle avait incontestablement le don de l'administration. (...) Mais ce qui était le plus important et le plus précieux, c'était le contact intime entre les étudiants et chefs... Elle connaissait à fond le travail de chaque élève, toujours pleine d'intérêt pour tous les détails. Dans le laboratoire, son visage ordinairement fermé, un peu triste, était animé, son sourire fréquent, on entendait même un rire jeune et frais... Et il n'y avait pas un seul de ces étudiants qui ne fût pas, de temps en temps, frappé par l'étendue de son savoir, par la clarté lumineuse de sa pensée qui saisissait toujours l'essentiel d'un problème, si compliqué qu'il fût... »

C'est le témoignage qu'en a laissé une étudiante norvégienne, Mme Gleditsch.

Marie rentrait chez elle le soir, exténuée, et là, elle était douce, mais close, sans larmes mais sans gaieté. Bien des années passeraient encore avant que ses filles aient l'âge où l'on peut parler avec ses enfants de ce qui occupe vos jours.

Elle avait connu le privilège des privilèges : la cohérence. L'unité entre le rêve et l'action, entre la vie du cœur, de l'esprit et des sens. Maintenant elle était dissociée comme ces pierres où l'eau, en s'infiltrant, écarte les deux moitiés.

Après la mort de Pierre, elle avait fui le boulevard Kellermann et s'était installée dans une villa de Sceaux avec le vieux docteur, les petites filles et une jeune femme polonaise expédiée par Bronia, qui gouvernait la maison.

Elle professait des idées arrêtées et pour l'époque, révolutionnaires, sur l'éducation des enfants. D'abord assurer leur santé en les faisant vivre à la campagne, loin des miasmes de la ville. Les endurcir en les mettant dehors par tous les temps, sur une bicyclette, un trapèze, des anneaux, une corde lisse.

Ensuite les initier à tous les travaux manuels. Tout le monde doit savoir se servir de ses mains, et s'en servir bien.

Enfin leur donner de bonne heure une formation scientifique.

L'Ecole ? Hélas ! « J'ai parfois l'impression, écrit Marie à sa sœur Hela, qu'il vaudrait mieux noyer les enfants que de les enfermer dans les écoles actuelles. »

Forte de cette conviction que partageait son beau-père, elle réussit à convaincre ses familiers, Henriette et Jean Perrin, Paul Langevin, le sinologue Edouard Chavannes et sa femme, voisins de Sceaux, qu'il y a quelque chose à inventer pour que la petite bande formée par leur douzaine d'enfants respectifs ne perde pas son temps au lycée.

Ce qu'ensemble ils inventèrent était simple : une leçon chaque jour, pas une de plus. Avec quels professeurs ? Ceux de la Sorbonne et du Collège de France : Jean Perrin, Paul Langevin et Marie se partagèrent la chimie, les mathématiques et la physique ; Henri Mouton et le sculpteur Magrou, qui se joignirent à l'expérience, se chargèrent des sciences naturelles, du dessin et du modelage ; français, littérature, histoire et visites au Louvres furent assurés par Henriette Perrin et Mme Chavannes.

Le système, lorsque la rumeur s'en répandit, ne fut pas apprécié par tout le monde si l'on en juge par le commentaire d'un échotier de l'époque : « Ce petit monde qui sait à peine lire et écrire, a toute licence de faire des manipulations, de construire des appareils et d'essayer des réactions... La Sorbonne et l'immeuble de la rue Cuvier n'ont pas encore sauté mais tout espoir n'est pas perdu ! »

Il fut efficace, si l'on en juge par le souvenir ébloui qu'en ont gardé les intéressés, et dura deux ans. Après quoi, il fallut bien rentrer dans le rang.

Marie avait décidément peu d'inclination pour l'enseignement public : elle fit entrer Irène, et plus tard Eve, dans un collège privé.

Tout ce qu'elle pouvait faire pour ses filles, elle le fit. Les aguerrir, les instruire en tous domaines, développer leurs aptitudes particulières sans contrarier leur nature ni leurs goûts respectifs.

Irène ne fut jamais obligée d'apprendre à dire bonjour et ne le sut d'ailleurs jamais. Eve ne fut jamais réprimandée d'avoir voulu exercer son charme jusque sur les poteaux télégraphiques, et elle ne cessa d'ailleurs jamais de l'exercer.

L'une et l'autre apprirent les langues étrangères et la cuisine, le ski et la couture, l'équitation et le piano. Marie fut intransigeante sur les mathématiques, mais avare en leçons de morale. Elle en fit des jeunes personnes indépendantes, averties qu'elles auraient à gagner leur vie et à s'en réjouir, ce qui n'était pas plus courant de son temps que de laisser les enfants sortir seuls dès onze ans.

Elle les protégea sans les écraser, les aima sans les couver, ne fit jamais entre elles de différence, et lorsque ce petit canard d'Eve décida qu'elle ne savait pas ce qu'elle voulait faire, mais en tout cas ni de la physique, ni de la médecine, ni rien de ce qui constituait pour Marie, depuis l'enfance, l'univers noble, elle n'y trouva rien à redire.

Elle ne négligea pas une carie, n'oublia pas un anniversaire. Si elle donna peu de temps à ses enfants, c'est qu'elle n'en avait pas. Peu de chaleur apparente, c'est qu'elle ne savait pas. Plus d'équations à faire pendant les vacances que de baisers, c'est qu'elle n'avait jamais eu le droit d'embrasser sa propre mère.

Si elle ne leur parla jamais de leur père dont elle avait interdit qu'on prononçât le nom en sa présence, c'est que les plaies vives sont si promptes à saigner, et depuis quand saigne-t-on devant ses enfants, devant quiconque ? Se taire pour être sûre de se tenir était sa règle, elle l'appliqua. Cela ne facilite pas la communication.

En février 1910, le docteur Curie, âgé de 82 ans, fut emporté par une congestion pulmonaire.

Le jour de son enterrement, Marie fit placer le cercueil de Pierre sur celui de son père en pensant au jour où elle le rejoindrait. Le rationaliste impénitent qui ne mettait jamais les pieds au cimetière n'était plus là pour lui répéter que, dans ces boîtes de bois, il n'y avait rien. Rien qu'un petit tas d'os sans importance.

Marie ne prit pas le deuil. Elle ne l'avait jamais quitté.

Aussi, lorsque, cette année-là, Marguerite Borel, dînant un soir chez les Perrin, la vit arriver en robe blanche, rajeunie, lumineuse, une rose passée dans sa ceinture, elle conclut avec discernement que le temps de la résurrection était venu.

Au premier congrès Solvay, réuni à Bruxelles du 29 octobre au 3 novembre 1911, la fine fleur de la physique mondiale. De gauche à droite, debout : R.B. Goldschmidt, M. Planck, H. Rubens, A. Sommerfeld, F. Lindemann, M. de Broglie, M. Knudsen, Hasenohrl, Hostelet, Herzen, J.H. Jeans, E. Rutherford, H. Kamerlingh Onnes, A. Einstein, P. Langevin ; assis : W. Nernst, M. Brillouin, E. Solvay, H.A. Lorentz, O.H. Warburg, J. Perrin, W. Wien, M. Curie, H. Poincaré.

En plan rapproché, un détail de cette photo demeurée célèbre : Marie Curie, entre Jean Perrin à sa droite et Henri Poincaré à sa gauche. Elle va avoir 44 ans.

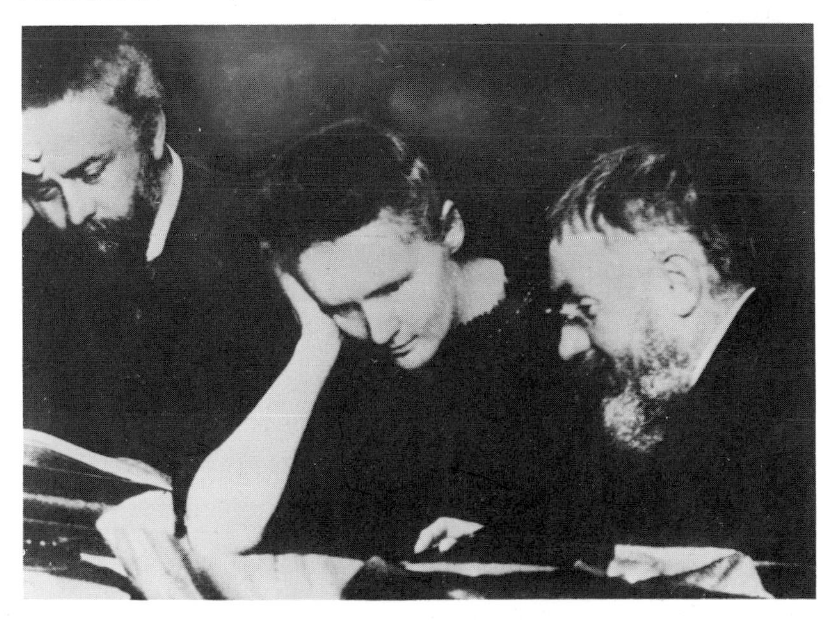

Marya, Bronia et Hela Sklodowska avec leur père, en 1890. "Comment joindre les deux bouts ?"

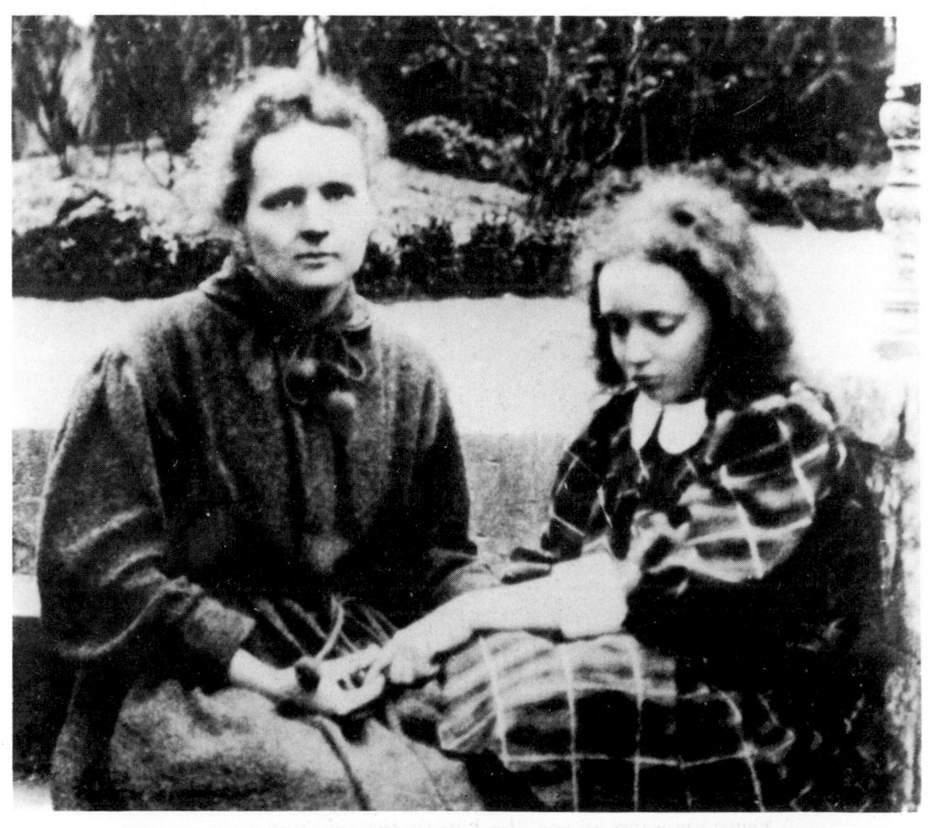

Marie et Irène en 1908. "Depuis quand saigne-t-on devant ses enfants ?"

Jacques et Pierre Curie, avec leur père et leur mère. "Mes parents sont exquis..."

Pierre Curie vers 40 ans. "Un haut degré de civilisation..."

Pierre et Marie Curie en 1895. "Cheminant à la fois dans le sublime et dans la physique théorique..."

Partant, à bicyclette, après leur mariage. “Sans alliance ni bénédiction...”

Irène (8 ans) et Eve (1 an). Toujours habillées par leur mère.

La maison du boulevard Kellermann. "Les glycines, les aubépines, les iris commencent..."

Une double page du cahier noir de laboratoire. Leurs deux écritures mêlées.

sublimation des 0,5 de matière
tube à compartiments vide pompe

matière blanche se sublime
avant que matière atteigne 100°
se dépose dans des régions à 60°
juin
chauffe jaunie à 107°

la soie
mat blanche
matière blanche et jaune
bien moins volatile
entraînée par accident

juin (3 h) tension ? > 2,8 Hg
jaune

chauffe tout le jour

juin chauffe
150 en A

juin 200° tout en A | matière cristalline incolore
pas mal de matière
ensuite mat blanche

4. Juin.

La matière II a été, partie soluble
dans l'eau a été précipité par
H^2S. Les sulfures sont un mélange
de noir et brun, sulfures II
sulfures II plateau 4 cm.
1000 — 10"
2000 — 20"

5. Juin

Mouvement spontané
20 — 29"

Matière III à résidu de l'attaque
100 — 18"
200 — 37"

La matière I chlorures jaunes déliquescents sont additionnés de HCl et
d'eau. Je filtre la solution jaune.
Cette solution se trouble
par addition d'eau. Le trouble disparaît par addition de HCl

Le laboratoire où fut découvert le radium. "Cela tenait de l'écurie et du cellier à pommes de terre..."

Marie à sa table de travail... "Température ambiante 6°25.."

Paul Langevin en 1902, 30 ans. "Un garçon du tonnerre..." (Coll. Palais de la Découverte).

AUJOURD'HUI : 12 PAGES — LE NUMÉRO QUOTIDIEN 10 Cent. — N° 55 – LUNDI 9 JANVIER 1911

•EXCELSIOR•

Journal Illustré Quotidien

Directeur : Pierre LAFITTE

88, Champs-Élysées, PARIS

Informations - Littérature - Sciences - Arts - Sports - Théâtres - Élégances

L'Académie des Sciences examine aujourd'hui la candidature de Mme Curie

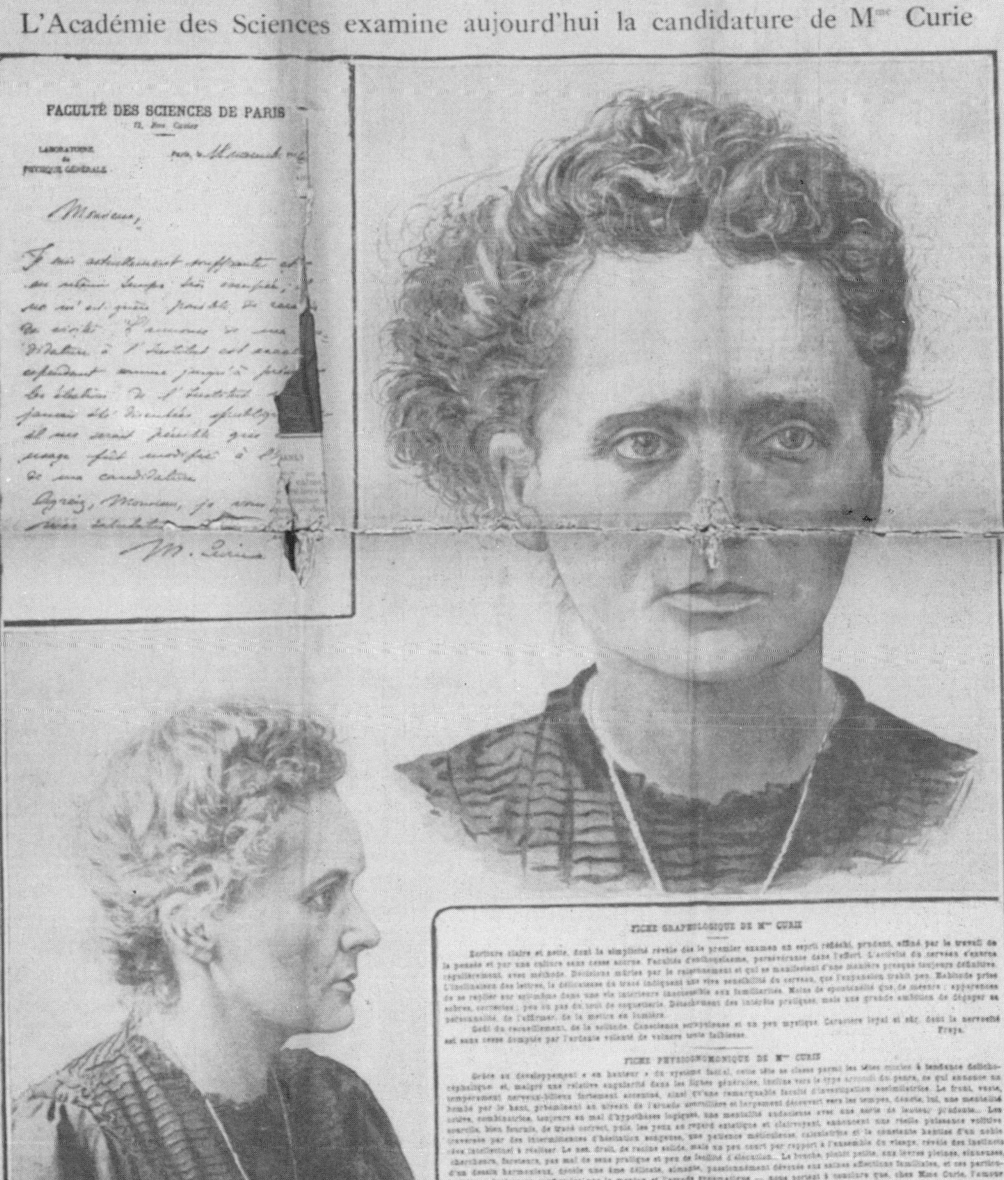

FACULTÉ DES SCIENCES DE PARIS
12, Rue Cuvier

LABORATOIRE de PHYSIQUE GÉNÉRALE

Monsieur,

[illegible]

M. Curie

FICHE GRAPHOLOGIQUE DE Mme CURIE

[illegible]

Fraya.

FICHE PHYSIOGNOMONIQUE DE Mme CURIE

[illegible]

Génia Lioubow.

LA PHYSIONOMIE ET L'ÉCRITURE DE Mme CURIE

Nous avons demandé à Mme Fraya, dont on connaît les qualités de graphologue, et à Mme Génia Lioubow, experte en physiognomonie, de nous donner chacune une "consultation" sur l'écriture et sur la physionomie de la candidate au fauteuil du physicien Gernez.

La "Une" de l'Excelsior, du 9 janvier 1911. Sur toute la hauteur de la page.

Les “petites Curie” exposées dans la cour des Invalides. Un million cent mille radiographies en 1917/1918.

Marie au volant de sa Renault radiologique. Par tous les temps, à 50 km/h.

Avec des industriels américains à Pittsburgh en 1921. “L’anti-vedette fit un malheur...”

A la Maison Blanche avec le Président Harding. “Dignifying science...”

Avec Albert Einstein à Genève. “Ses travaux sont tout à fait de premier ordre.”

Henri Becquerel par qui tout arriva.

Jean Perrin l'Archange.

Ernest Rutherford le magnifique.

André Debierne le fidèle.

15

Vingt-huit voix pour Mme Curie, vingt-neuf pour Edouard Branly, une pour Marcel Brillouin...

Dans la grande salle de l'Institut où se déroule, le 23 janvier 1911, le scrutin pour l'élection du successeur au fauteuil du physicien Gernez, le public rugit. Un homme, terrassé par la chaleur s'évanouit. « Nous allons procéder à un second tour de scrutin... », annonça, au milieu du vacarme, le président de séance.

Depuis deux mois, un public survolté par une campagne de presse comme on n'en avait jamais vu au sujet d'une élection académique, attendait le jour où les portes de l'antique institution s'ouvriraient — ou se fermeraient — devant une femme.

Il s'agissait en l'occurrence de l'Académie des sciences. On sait que l'Institut de France se compose de cinq académies au prestige inégal. Académie française proprement dite, Académies des sciences, des inscriptions et belles-lettres, des beaux-arts, des sciences morales et politiques.

Marie eut-elle spontanément l'idée de vouloir y siéger, parce qu'il ne lui manquait que cette plume à son chapeau pour avoir réussi toutes les « premières » sur les faces de l'Himalaya masculin ? Ou bien

Henri Poincaré, Lippmann, Bouty, eurent-ils à la convaincre de s'y présenter ?

Elle venait de publier un *Traité sur la radioactivité* exhaustif, et académique, précisément, si l'on en croit le jugement de Rutherford écrivant à Boltwood :

« En lisant son livre, j'aurais pu croire que je relisais ce que j'avais moi-même écrit, additionné de quelques recherches effectuées au cours de ces dernières années... C'est très drôle de voir le mal qu'elle se donne à certains endroits pour revendiquer la priorité pour la science française, ou plutôt pour elle-même et pour son mari... Cependant, je sens bien que la pauvre a énormément travaillé »...

La presse scientifique internationale et Rutherford lui-même en avaient néanmoins publié de respectueux comptes rendus.

Habituée aux hommages de ses pairs, Marie ne mit pas en doute, en tout cas, qu'elle serait élue. En quoi elle se montra, pour une fois, présomptueuse.

Non que les titres ou les mérites lui fissent défaut : elle en avait plus que quiconque dans cet aréopage traditionnellement occupé par un pourcentage quasi constant de personnages dont on se demande ce qui peut bien les conduire à s'y croire à leur place, sinon la médiocrité de ceux qui les y introduisent.

L'Académie française avait préféré un M. Saint-Priest à Balzac, et vingt-deux candidats successifs à Zola. L'Académie des sciences avait élu en 1903 un M. Amagat plutôt que Pierre Curie, avant de lui accorder parcimonieusement ses suffrages.

Marie en savait trop sur les mœurs académiques pour ignorer que, si la valeur n'était pas automatiquement un handicap, il arrivait assez souvent qu'elle le fût. Mais il semble qu'elle-même et ses amis crurent que sa singularité lui assurerait une élection de maréchal.

Et les choses commencèrent, en effet, par se présenter ainsi.

Dès que *Le Figaro* du 16 novembre 1910 eut annoncé qu'elle songeait à briguer l'Académie, la presse quotidienne nationale, qui diffusait alors plus de quatre millions d'exemplaires (soit deux fois plus qu'aujourd'hui pour une population de 31 millions d'habitants), fit un sort à l'événement.

« La gloire a tant de noblesse et de beauté — jusqu'à la poignante poésie de la douleur, rien ne manque à l'image parfaite et pure qu'elle dresse en nous », écrivait *Le Figaro,* lui consacrant trois colonnes signées Fœmina.

Le tirage du *Figaro,* organe des « gens du monde » dirigé par Gaston Calmette, était faible (32 000 exemplaires) mais il se piquait de donner le ton et d'ailleurs, sur bien des points, le donnait, le prestige d'un journal n'étant pas fonction de sa diffusion mais du niveau d'instruction de ses lecteurs et de la nature de leurs intérêts.

Pierre Lafitte, qui venait de lancer *L'Excelsior,* formule révolutionnaire — d'immenses photos d'actualité assorties de grosses légendes — publia le portrait de Marie sur toute la hauteur de sa première page, accompagné d'un fac-similé de son écriture et d'une analyse morphologique.

L'Intransigeant demanda à ses lecteurs d'établir la liste des femmes les plus dignes, selon eux, de siéger sous la coupole de l'Institut. Colette vint en tête, Marie fut largement citée.

Le Temps lui-même, dont les 55 000 exemplaires avaient une audience exclusivement masculine, entra dans la danse, le 2 décembre, sur le mode élogieux.

Dans une lettre au rédacteur en chef de ce journal, Marie confirma sa candidature tout en le priant qu'articles et commentaires soient désormais suspendus. Elle écrivit également à *L'Excelsior* : « L'annonce de ma candidature à l'Institut est exacte ; cependant, comme jusqu'à présent les élections de l'Institut n'ont jamais été discutées publiquement, il me serait pénible que cet usage fût modifié à l'occasion de ma candidature ».

Pendant quelques jours, elle put croire qu'elle ferait la loi dans la presse comme elle la faisait dans les congrès.

La crue de la Seine, la mort de Tolstoï, le serment « antimoderniste » demandé par le Vatican et prêté, en l'église Saint-Roch, par les curés de Paris et de banlieue, le nouveau ministère Briand, la première Rolls Royce présentée au Salon de l'automobile, la campagne contre l'avortement, « crime national », lancée par *Le Matin* (350 000 ex.) et reprise par l'ensemble de la presse, remplirent les colonnes des journaux jusqu'à la fin de l'année.

Mais une fois le premier choc passé, les académiciens, retrouvant leur souffle, n'étaient pas restés inactifs. Mme Curie ou une autre, pas une femme ne franchirait le seuil de l'enceinte sacrée.

L'ancien rival heureux de Pierre Curie, Gabriel Amagat, se mua en dragon à la porte du temple.

Une femme, pourquoi pas ? déclara courageusement le mathématicien Gaston Darboux, secrétaire perpétuel de l'Académie des sciences ?

Et saisissant la Tribune Libre que, fait sans précédent, *Le Temps* lui offrait, il publia le 31 décembre un article ferme et documenté, expliquant l'intérêt purement scientifique que présentait, pour un chercheur, le fait d'appartenir à l'Académie et les bénéfices qu'en tirerait le laboratoire Curie.

Le 4 janvier, l'Institut réunit ses cinq académies pour délibérer sur le principe. Décrivant l'arrivée des cent cinquante académiciens se pressant dans les lieux, le chroniqueur du *Figaro* écrivait :

« Je vois passer de très vieux messieurs confits dans les rides qui tiennent à la main un mouchoir gris ; les épaules sont couvertes de pellicules, les pantalons tirebouchonnent sur de maigres échalas... C'est un défilé qui mêle au cocasse le lamentable, celui de ces hommes quelquefois considérables mais décrépits se rendant à une réunion où doit être discutée... l'admission des femmes parmi eux. »

Surprise : une majorité se prononça pour. Le lendemain, selon la règle, la section de physique générale de l'Académie des sciences classa les candidats au fauteuil de Gernez. Elle en retint trois : Marcel Brillouin, Marie Curie et Edouard Branly.

Les chances de Marcel Brillouin étaient nulles, bien qu'il fût un brillant physicien. Mais en suscitant la candidature de Branly, les adversaires de Marie s'étaient montrés avisés politiciens.

A 66 ans, Branly avait déjà été black-boulé deux fois. Sa physionomie publique était celle d'un homme modeste, décent, mal récompensé d'une invention populaire : la télégraphie sans fil. Il était en fait le père du cohéreur à limaille.

En réalisant les liaisons par ondes hertziennes, c'est-à-dire la radio, l'italien Marconi lui avait fait passer le Nobel sous le nez. Les mérites scientifiques d'Edouard Branly n'avaient pas reçu, hors de France, la consécration qu'il aurait pu en espérer, mais il en avait de plus précieux encore, en la circonstance : le pape Léon XIII l'avait fait commandeur de l'ordre de saint Grégoire-le-Grand ; il n'enseignait pas à l'Université mais à l'Institut catholique.

Le tout était de faire savoir à quel concurrent — à quelle concurrente — Branly allait livrer un combat aussitôt qualifié de patriotique.

Le 10 janvier, *L'Intransigeant,* dont le nouveau directeur, Léon Bailby, poursuivait la tradition nationaliste et antisémite du fondateur du journal, Henri de Rochefort, passait à l'attaque, bientôt suivi et dépassé par la presse de même tendance.

Qu'avait-elle fait, cette dame Curie, pour oser disputer à Edouard Branly l'insigne honneur de siéger sous la coupole de l'Institut ? Elle était arrivée de Pologne pour se faire épouser par Pierre Curie auquel revenait tout le mérite du prix Nobel. Une étrangère. Quant à ses cours hebdomadaires à la Sorbonne — où, depuis l'annonce de sa candidature, Marie était accueillie par les applaudissements des étudiants — on s'y ennuyait à périr à l'entendre discourir sur son « cher radium » qu'elle prétendait avoir découvert.

Comment s'appelait-elle au juste, avant de s'appeler Curie ? Sklodowska. Un nom impossible. Catholique ? On dit ça. Depuis quand ? N'y avait-il pas quelque ancêtre juif là-dessous ?

« L'affaire » n'était pas loin. Le petit père Combes non plus.

Innocenté et décoré de la Légion d'honneur, en 1906, dans la cour de l'Ecole militaire où il avait été dégradé, Dreyfus était toujours, pour *L'Action Française,* pour *L'Intransigeant,* le « traître juif ».

Les catholiques de gauche, comme on dit aujourd'hui, réunis par Marc Sangnier autour du *Sillon,* ne s'intéressaient pas encore aux batailles académiques mais au repos hebdomadaire pour les ouvriers boulangers. Le Vatican s'était employé d'ailleurs à stigmatiser le désordre de leur esprit. Et Sangnier venait de faire soumission.

La compétition entre Marie et Branly, baptisée « guerre des sexes » par la presse libérale, se livrait entre deux France. Marie, qui n'en connaissait qu'une, celle de ses amis, avait largement sous-estimé l'allergie qu'elle provoquait dans les rangs de l'autre. Elle la sous-estima jusqu'au bout.

Pendant quinze jours, elle monta cinquante-huit fois des étages pour se conformer au rite obligé des visites.

Edouard Branly en fit autant.

Le lundi 23 janvier, jour de l'élection, badauds et curieux piétinaient devant les portes de l'Institut tandis que le président de séance et les académiciens feignaient d'écouter, avec intérêt, les communications inscrites à l'ordre du jour. Enfin, la pendule sonna quatre heures, marquant la fin de la séance ordinaire et le début de la cérémonie électorale. « Laissez entrer tout le monde, les femmes exceptées » ! cria le président aux huissiers.

Dans la grande salle bourrée de journalistes et de photographes, l'agitation fut à son comble.

Le président essaya d'obtenir le silence pendant que les huissiers faisaient circuler les urnes. Le calme un instant rétabli se transforma en tumulte lorsque quelqu'un s'écria qu'il avait vu Gaston Darboux glisser un bulletin de vote dans les mains d'un autre académicien, M. Radau.

Le malheureux Radau, qui était aveugle, dut expliquer que, favorable à Marie, et harcelé par son voisin favorable à Branly, il avait, en raison de son « extrême myopie », prié le secrétaire perpétuel de l'Académie de lui donner un bulletin de vote correspondant bien à son choix.

Mise au point qui fit l'objet d'une lettre au *Temps*.

Le décompte des voix se déroula dans le vacarme jusqu'à ce que le président eût annoncé les résultats du scrutin et la nécessité d'un second tour pour dégager une majorité.

Dans le nuage de fumée provoqué par l'explosion d'une ampoule de magnésium, les supporters les plus ardents de l'un et l'autre entreprirent d'ultimes tentatives de débauchage. L'un d'eux traversa la salle et l'on observa qu'un bulletin déjà plié fut remplacé à la dernière extrémité par un autre.

A 17 heures, les journalistes jaillirent de l'Institut porteurs de la nouvelle : Mme Curie était battue. Elle avait conservé ses 28 voix. Edouard Branly en avait 30.

Dans son petit bureau du laboratoire où elle se tenait, Marie apprit par téléphone le résultat du scrutin. Elle l'accueillit sans commentaire, rejoignit ses collaborateurs et eut le temps de voir disparaître le bouquet qu'ils avaient préparé pour fêter sa victoire tandis que, quai Conti, les académiciens s'ébrouaient. Henri Poincaré eut la courtoisie d'aller serrer la main des membres du clan adverse réunis autour d'Amagat pour le féliciter de sa victoire par Branly interposé.

L'Institut restait inviolé. Marie se fût-elle présentée, le mois suivant, au siège qu'un nouveau décès venait de rendre vacant, le viol eut vraisemblablement été, cette fois, consommé au lieu d'être remis de soixante-huit ans.

Elle ne voulut pas en entendre parler et ne postula plus jamais ni siège ni distinction d'aucune sorte. Davantage : elle ne présenta plus aucun de ses travaux aux séances de l'Académie.

A la fin de la même année 1911, c'est le jury de l'Académie suédoise qui se fit un plaisir de lui décerner le prix Nobel. De chimie, cette fois, et sans partage.

Mais la nouvelle lui parvint au cœur d'une tempête à côté de laquelle les remous académiques étaient ondéc de printemps.

En un mot, Mme Curie avait alors cessé d'être une femme honorable.

IV

Le scandale

16

Un jour de mars 1914, une femme élégante pénétra dans le bureau du directeur du *Figaro,* sortit un revolver de son manchon et tira six fois. Henriette Caillaux avait tué Gaston Calmette.

Le Figaro venait de commencer la publication d'une correspondance échangée entre la jeune femme et son mari, Joseph Caillaux, député de la Sarthe, ancien — et, croyait-on, futur président du Conseil. Ce n'était qu'un épisode particulièrement sordide d'un combat politique.

Mais, pour ce qui concernait la meurtrière elle-même, que pouvait révéler cette correspondance dérobée et fournie par la première Mme Caillaux? Qu'avant d'épouser le ministre, Henriette avait été sa maîtresse.

Pour justifier son geste, celle-ci s'écria devant le jury des Assises : « Mon pauvre père m'a toujours dit : une femme qui a eu un amant est une femme sans honneur ». Elle fut acquittée.

Il faut avoir ceci à l'esprit pour saisir le climat où éclata, à l'automne 1911, ce qu'on appela l'affaire Langevin.

La France bourgeoise du début du siècle n'est pas puritaine. Elle est pudibonde. On enregistre quotidiennement 39 constats d'adultère en moyenne à Paris, et un nombre si élevé d'avortements dans le pays qu'une campagne a été lancée en 1910, par *Le Matin,* pour que disparaissent des journaux populaires les petites annonces où, en termes à peine voilés, les sages-femmes proposent leurs discrets services. Vingt-quatre naissances sur cent sont illégitimes.

Qu'ils se rencontrent dans les salons, les étables ou les fabriques, là où se trouvent des hommes et des femmes, ils s'éprennent, se prennent et se déprennent. Mais à cet éternel jeu-là, les femmes risquent maintenant le seul bien qu'on leur reconnaisse en propre : leur réputation.

C'est que le XIXe siècle a fait prospérer une nouvelle valeur : la famille. La seule, peut-être, qui à travers les années ait perduré.

Mais la famille est vécue de nos jours comme une œuvre que l'on sait fragile, qui exige, pour s'accomplir dans la durée, intention et volonté communes. La famille du XIXe siècle, ce sont les lois écrites et non écrites qui en assurent la pérennité. Puisqu'on ne peut pas compter sur les femmes, ces pécheresses à la cervelle d'oiseau, il faut les mettre en cage. Le Code civil et le Code social y pourvoient. Le second a établi un nouveau modèle féminin : l'Honnête Femme, en qui la médiévale, cette sensuelle joyeuse, la Précieuse, cette cérébrale qui jouit à être infiniment courtisée, la libertine, habile à ne jamais engager son cœur, auraient bien de la peine à reconnaître leurs descendantes. Car une femme de bien doit vivre le don d'elle-même comme un holocauste sur l'autel du mariage. C'est d'ailleurs souvent le cas, un époux avisé se gardant d'éveiller les sens de sa femme à supposer qu'il en ait le talent. Et alors, quel ennui !

Le foyer ainsi protégé, c'est ailleurs que se cherche

ou se rencontre l'amour ou ses succédanés. Ce que les sociologues appellent horriblement la sexualité récréatrice. Brève aventure ou liaison, passade ou passion, les amours irrégulières ne sont socialement vivables, pour une femme de « bonne condition », que strictement clandestines. Et la surveillance que les épouses frustrées font peser sur les autres n'est pas la moindre.

Ceci n'est pas pour déranger excessivement Marie Curie et Paul Langevin. Il y a dix ans qu'ils se connaissent, se rencontrent, travaillent ensemble, se consultent. Il l'a aidée, après la mort de Pierre, à préparer ses premiers cours en Sorbonne ; elle l'a aidée, quand il lui a succédé, à l'école de Sèvres. Leur intimité n'est donc pas matière à médisance. L'œil exercé de Marguerite Borel a bien perçu, irradiant de Marie, quelque chose d'indéfinissable, mais c'est sa curiosité qui a été éveillée, non sa malveillance.

Elle cultive largement, pour sa part, les amitiés ambiguës qui la font confidente privilégiée de Jean Perrin et de quelques autres, heureux de trouver, en fin de journée, la jolie Marguerite dans son petit salon jaune, toujours disponible quand il s'agit d'écouter.

Les Borel habitent maintenant rue d'Ulm l'appartement de fonction du directeur scientifique de l'Ecole normale.

C'est là que Langevin passe, de plus en plus souvent, implorant du thé, retardant le moment de rentrer chez lui, à Fontenay-aux-Roses, et confiant qu'il est malheureux.

Le boursier méritant est devenu professeur au Collège de France. Sa renommée scientifique est établie. Physicien, il utilise l'outil mathématique avec une sûreté qui impressionne les mathématiciens eux-mêmes.

Après sa thèse, il a élaboré, en s'inspirant des travaux expérimentaux de Pierre Curie, une théorie complète des phénomènes dia et para-magnétiques, *avant* que la théorie des quanta ait été conçue. Il a supposé, a priori, ce que seule l'intervention des quanta pouvait justifier.

En 1906, il est arrivé à la conclusion que m = ec2, que la masse des corps est égale à leur énergie divisée par le carré de la vitesse de la lumière, avant qu'un ami, Edmond Bauer, lui indique qu'un « dénommé Einstein » était sur la même piste que lui.

En 1911, il fera un étincelant discours au Congrès international de philosophie de Bologne, sur le bouleversement que la théorie de la relativité apporte aux notions d'espace et de temps.

Bref, comme dirait Marie, Langevin est « quelqu'un ».

Mais ses travaux sont obscurs aux yeux de la femme qu'il a épousée à 22 ans, fille d'ouvrier comme lui, alors qu'elle tenait avec sa mère une petite épicerie.

De surcroît, il est généreux, dépensier. Elle peine à élever leurs quatre enfants en courant toujours derrière dix francs. Et lorsque d'alléchantes propositions viennent à Langevin de l'industrie privée, elle le harcèle pour qu'il les accepte et abandonne l'Université. « Tu gagnerais quatre fois plus », lui répète-t-elle.

Les incessants problèmes d'argent que Langevin supporte avec agacement, mais comme le tribut que l'on doit à la science, Jeanne Langevin les vit comme le tribut qu'elle-même et ses enfants doivent payer à l'insouciance d'un égoïste.

Rien que de très ordinaire, en somme, y compris les scènes qui éclatent entre eux, les interventions acides de la mère de Mme Langevin qui habite avec eux.

Jean Perrin, dont l'épouse est à la fois indulgente à ses frasques et délicieuse, Emile Borel, qui entretient avec sa femme des relations originales mais qui resteront heureuses pendant un demi-siècle, plaignent fort leur ami Langevin, s'inquiètent de le voir de plus en plus nerveux, tendu, tentent de le distraire en l'entraînant au théâtre, aux Halles où l'on va après le spectacle déguster la soupe à l'oignon. Les Perrin, étroitement liés avec Marie, savent bien évidemment que ses rapports avec Langevin ont glissé de l'intimité intellectuelle à l'intimité amoureuse. Et les Borel l'ont vraisemblablement deviné.

Lorsque, en juillet 1910, Langevin loue à Paris le petit appartement qui abritera sa liaison, Marie a-t-elle déjà décidé de le conduire à quitter sa femme ? Probablement. On l'imagine mal supportant longtemps une situation de rivalité avec Jeanne Langevin. Ou avec quiconque.

En tout cas, la crise que traverse Langevin, telle qu'il en fait confidence à ses amis — le chercheur écartelé entre la Science et les appétits d'argent de sa femme — fournit à Marie le meilleur prétexte pour qu'elle s'emploie à le soustraire à l'influence conjugale, à supposer qu'elle ait eu besoin de prétexte.

Un soir où elle se trouve à Gênes en compagnie des Borel pour assister à un congrès, elle prie Marguerite de lui faire visite dans sa chambre.

Là, pelotonnée sur son lit, elle lui parle de Langevin.

Elle a peur, dit-elle, qu'il se perde, « Et c'est un génie ! »

Elle saisit les mains de Marguerite et supplie : « Il faut le sauver de lui-même. Il est faible. Vous et moi nous sommes dures. Il a besoin de compréhension, d'affection douce... »

D'affection douce ? Il est clair qu'en fait d'affection, elle aime Langevin comme elle n'a jamais aimé Pierre, qu'elle n'est pas avec lui dans une relation chaude et paisible, assurée d'être l'Unique, l'Irremplaçable, la Chère petite fille qui se laisse chérir par le doux compagnon de sa vie, mais dans une relation intense de passion et d'orages, de scènes et d'ultimatums, avec un homme incertain.

Un autre jour, c'est André Debierne qui vient chez Marguerite la conjurer d'agir sur Paul Langevin. Dans quel sens ? Pour qu'il cesse « de harceler Marie de ses désenchantements. Il la trouble, elle ne peut pas le voir accablé ».

« Que voulez-vous que je fasse ? demande Marguerite. A moi aussi, il vient se plaindre.

— A vous, répond Debierne, c'est sans danger. »

L'écho se répand d'une violente altercation entre Langevin et Debierne.

En août 1911, alors que son mari se trouve en Angleterre, où il a emmené ses deux garçons, et Marie en Pologne avec ses filles, Jeanne Langevin introduit en justice une demande en séparation de corps.

Le fils aîné de Langevin, André, écrivant soixante ans plus tard une biographie de son père, dit joliment : « N'est-il pas assez naturel que cette amitié (avec Marie) doublée d'une admiration mutuelle, se soit plusieurs années après la mort de Pierre Curie transformée petit à petit en une passion et une liaison. (...) Le foyer où nous avons été élevés jusque-là fut momentanément détruit. Mon père et ma mère allaient vivre séparés jusqu'à la guerre de 1914. »

Il n'y aurait rien eu à en dire de plus si l'affaire n'avait pris les proportions que l'on va voir.

Le 29 octobre 1911 s'ouvre à Bruxelles le congrès Solvay. Ernest Solvay, industriel belge fondateur de l'Institut international de physique qui porte son nom, réunit cette année-là, pour la première fois, tous les grands scientifiques du moment.

Sur une photo demeurée célèbre, on voit Marie, assise entre Henri Poincaré et Jean Perrin. Debout derrière elle se trouvent Einstein, Langevin, Rutherford et Kammerlingh-Onnes, Max Planck, Maurice de Broglie, Marcel Brillouin, Sommerfeld, Nernst, Lorentz, Warburg, Wien, Goldschmidt, Rubens, Lindemann, Knudsen, Hasehorl, Hostelet, Herzen, Jeans.

Toute la physique mondiale est là. Celle qui règne, et celui qui va la bouleverser. C'est à propos de ce congrès qu'Einstein écrira à un ami :

> « Lorentz a présidé avec un tact incomparable, une incroyable virtuosité... Poincaré s'est montré dans l'ensemble simplement hostile (à la théorie de la relativité !).
>
> Planck est bloqué par quelques préjugés indubitablement erronés... Mais personne n'y voit clair. Il y aurait dans toute cette affaire de quoi ravir une compagnie de jésuites démoniaques. »

C'est après ce même congrès que Marie écrit, pour appuyer une démarche d'Einstein :

> « J'ai beaucoup admiré les travaux qui ont été publiés par M. Einstein sur les questions

qui touchent à la physique théorique moderne.

« ... Ses travaux sont tout à fait de premier ordre...

« Si l'on considère que M. Einstein est encore très jeune, on est en droit de fonder sur lui les plus grandes espérances et de voir en lui un des premiers théoriciens de l'avenir. »

Par son âge — 43 ans — elle est à la charnière entre les anciens et les modernes. Peut-être doit-elle à Langevin, plus jeune de quatre ans, d'avoir tôt embrayé sur la physique moderne.

Tandis que le congrès Solvay se déroule à Bruxelles, les lecteurs du *Journal,* qui diffuse en France 750 000 exemplaires, trouvent le 4 novembre, en première page de leur quotidien favori, un article ainsi titré sur deux colonnes :

UNE HISTOIRE D'AMOUR
Mme CURIE ET LE PROFESSEUR LANGEVIN

et commençant par ce paragraphe :

« Les feux du radium qui rayonnent si mystérieusement sur tout ce qui les environne nous réservaient une surprise : ils viennent d'allumer un incendie dans le cœur des savants qui étudient leur action avec ténacité ; et la femme et les enfants de ce savant sont en larmes... »

Suit l'interview que le rédacteur de l'article, Fernand Hauser, dit avoir recueilli à Fontenay-aux-Roses, de la bouche de la belle-mère de Langevin.

Elle mérite d'être lue tout entière. C'est une jolie pièce d'époque.

« — *Que raconte-t-on dans Paris, ai-je dit ; un bruit invraisemblable circule : on murmure que le professeur Langevin a quitté son domicile pour suivre Mme Curie. Je suis venu pour vous entendre démentir vous-même cette nouvelle.*

La mère de Mme Langevin m'a considéré un instant, puis laissant glisser l'enfant qui jouait avec elle :

— Eh quoi ? L'on sait déjà ?...

— Ce serait donc vrai ?

— C'est inimaginable, n'est-ce pas ?

« La veuve de Pierre Curie, la grande savante, qui a collaboré à la découverte du radium, qui est professeur à la Faculté des sciences, qui a failli entrer à l'Institut de France, la célèbre, l'illustre Marie Curie a enlevé le mari de ma fille, le père de mes petits-enfants !... M. Langevin était un élève de Curie. A la mort de son maître, il se mit à la disposition de sa veuve, pour des démarches, pour l'aider dans ses travaux ; peu à peu, M. Langevin prit l'habitude d'être plus souvent chez Mme Curie que chez lui ; bien vite — l'instinct d'une femme ne la trompe jamais — ma fille soupçonna quelque chose ; et puis, un jour, elle sut tout. Ah ! les heures affreuses ! Les journées terribles !...

« Enfin, un matin, il y a trois mois, M. Langevin est parti avec ses enfants...

— Et avec Mme Curie.

— Je ne sais ; mais un fait est certain, c'est qu'en même temps qu'il partait, elle quittait Paris, elle aussi... Ma fille a voulu retrouver, au moins, ses enfants ; on est allé chez le juge, et il a été décidé que les pauvres petits verraient leur père et leur mère à tour de rôle, sauf cette fillette, qui n'a que deux ans et qu'on nous a laissée...

— Et vous savez où est M. Langevin, présentement ?

— Nous l'ignorons : ces jours-ci, il a fait réclamer ses livres ; nous les avons mis dans des caisses ; elles sont là, on n'est pas venu les chercher encore.

— Mme Langevin a intenté contre son mari une action en divorce ?

— Non... Elle espère que son mari lui reviendra et que son foyer sera ainsi reconstitué. Vous comprenez, quand on a des enfants — six enfants — on hésite devant l'irréparable...

— Mais si M. Langevin ne revient pas ?

— Alors, nous verrons... Nous n'avons pas encore pris de décision.

— On dit que vous avez en main des lettres de Mme Curie.

— Ah ? On vous a dit cela aussi : eh bien oui, nous avons ces lettres... Et elles constituent la preuve de ce que nous soupçonnions, de ce que nous savions déjà sans pouvoir encore l'affirmer...

La mère de Mme Langevin baisse la tête, pensive ; j'interromps le fil de sa rêverie, et je dis :

— C'est inconcevable !

— Oui, répond ainsi qu'un écho la mère de Mme Langevin, c'est inconcevable.

J'aurais voulu savoir ce que disent Mme Curie et M. Langevin de cette douloureuse histoire ; j'aurais voulu les entendre me crier : » On se trompe, on s'abuse, il n'y a pas un mot de vrai dans ce qu'on vous a raconté. « Mais Mme Curie est introuvable, et nul ne sait où se trouve M. Langevin.

Littérature mise à part, Fernand Hauser donnait généreusement six enfants à Langevin au lieu de quatre mais il était, il faut bien le dire, assez bien informé, ce journaliste...

Ce qu'il rapportait était le mieux fait pour plaire aux lectrices du *Journal* et à son directeur-fondateur, Fernand Xau, qui fit fortune dans la presse en visant le premier, délibérément, les femmes du milieu auquel son journal s'adressait.

Dans l'heure où, le 4 novembre, le numéro du *Journal* est en vente, toutes les rédactions s'interrogent sur la façon dont elles vont, à leur tour, traiter l'affaire, dépêchent des journalistes au Collège de France, au laboratoire Curie, chez Emile Borel, cherchent à joindre Mme Curie, à joindre Langevin, découvrent qu'ils sont en congrès à Bruxelles, alertent leurs correspondants.

« C'est une infamie ! » déclare Marie.

Langevin reconnaît qu'il a quitté sa femme, mais « pour se soustraire aux scènes de jalousie qu'elle me faisait bien à tort... »

Jean Perrin et Henri Poincaré se déclarent « indignés des accusations calomnieuses » portées contre leurs collègues et amis.

Marie remet au reporter du *Temps* un texte rédigé de sa main où elle fait justice de sa prétendue « fuite », et assure n'attacher aucune importance à des rumeurs qui relèvent de « la folie pure ».

Le Temps, toujours favorable à Marie, publie sa déclaration le 5 novembre dans ses pages intérieures.

Le même jour, tous les quotidiens rapportent les propos des uns et des autres, et assurent qu'ils n'auraient pas parlé de « cette affaire d'ordre privé si la mise en cause des deux importantes personnalités n'avait provoqué dans le public une vive sensation ».

Mais *Le Petit Journal* (850 000 exemplaires), qui

chasse sur le même terrain que *Le Journal,* a mis la main sur Mme Langevin, et sort le 5 novembre deux colonnes à la « Une », sous le titre suivant :

Un roman dans un laboratoire
L'AVENTURE DE Mme CURIE
ET DE M. LANGEVIN

Le Petit Journal dément que le couple soit en fuite et publie une interview de Jeanne Langevin. Elle est étrangère au scandale, dit-elle, réprouve une publicité qui lui fait du mal. Elle se confie, en pleurant, au journaliste qui l'interroge sur les motifs de l'instance qu'elle a introduite en justice, et il reproduit ainsi ses propos.

> « Il y a trois ans que mon mari entretient des relations coupables avec Mme Curie, je le sais, mais je n'en eus la pleine certitude, les preuves matérielles, que je réserve à la justice, qu'il y a dix-huit mois, et plus récemment encore. A ce moment, si j'avais été la femme que dans un certain milieu on a voulu représenter — une folle stupidement jalouse — j'aurais parlé, crié la trahison de mon mari et de celle qui a brisé mon foyer. Je me suis tue, car c'était mon devoir de mère et d'épouse de cacher les fautes de celui dont je porte le nom. J'ai donc attendu, espérant toujours une réconciliation, un retour à la raison chez mon mari. Peut-être serais-je restée longtemps encore dans cette situation atroce de la femme qui se sait bafouée et odieusement trompée, si un événement décisif ne s'était produit le 25 juillet dernier.

Elle raconte ici qu'une scène violente l'a opposée à son mari « au sujet d'une compote mal cuite », qu'il l'a frappée puis s'en est allé, emmenant ses deux fils, et n'est pas rentré.

Son avocat a lancé alors une assignation.

Jeanne Langevin ajoute qu'elle a voulu, quinze jours plus tard, tenter une réconciliation, en présence de son avocat et de celui de Langevin : « Pourvu que mon mari revînt à la maison, j'aurais fait abandon de mes armes de défense : les preuves des relations entre lui et Mme Curie. On a repoussé toutes mes propositions. »

A la fin de l'article, *Le Petit Journal* publie un paragraphe intitulé : « A Bruxelles ». L'agence l'Information nous a communiqué la dépêche suivante :

> « Mme Curie et M. Langevin à qui nous avons fait part du bruit qui circulait sur leur compte ont protesté avec indignation. »

Entre deux discussions sur les quanta, le congrès chuchote. « Foutaise », déclare Rutherford.

Mais Marie s'abstient d'assister à la séance de clôture, griffonne un mot à Rutherford pour le remercier des prévenances et de la gentillesse qu'il lui a manifestées et rentre à Paris à l'insu des journalistes.

Le 6 novembre, c'est *L'Intransigeant* qui entre dans la danse, évoque les querelles bien connues du ménage Langevin, et publie, sous la signature de Léon Bailby, une lettre ouverte à l'intention de M. X, physicien, concluant : « L'amie qui était votre confidente est tout bonnement votre maîtresse. »

Nouvelle réaction de Marie, brutale cette fois, que *Le Temps* publie le 7 novembre :

> « Je considère toutes les intrusions de la presse et du public dans ma vie privée comme

> abominables... C'est pourquoi j'entreprendrai une action rigoureuse contre la publication d'écrits m'étant attribués. En même temps, j'ai le droit d'exiger en réparation des sommes importantes qui seront utilisées dans l'intérêt de la science. »

Elle a obtenu des excuses de celui qui a lancé le premier pavé dans la mare, Fernand Hauser du *Journal,* et a fait parvenir au *Temps* copie de la lettre que celui-ci lui a adressée :

> « Madame, écrit le journaliste, je suis au désespoir et je viens vous présenter mes plus humbles excuses. Sur la foi de renseignements concordants, j'ai écrit l'article que vous savez : j'ai été trompé ; et du reste je ne peux comprendre en ce moment comment la fièvre de mon métier a pu me conduire à un acte aussi détestable... Une seule consolation me reste, c'est que l'humble journaliste que je suis ne saurait, par aucun de ses écrits, ternir la gloire qui vous auréole ni la considération qui vous entoure... Votre très affligé, Fernand Hauser. »

Le lendemain 7 novembre, Marie reçoit un télégramme : « Prix Nobel de chimie vous est attribué. Lettre suit. Aurivillus. »

Cas unique dans l'histoire de la plus haute distinction récompensant un savant au XXe siècle : Marie Curie en est deux fois titulaire. Extraordinaire succès. Extraordinaire consécration. Extraordinaire hommage rendu à la science française[1].

1. Marie Curie reste le seul exemple d'un lauréat deux fois couronné par le Nobel pour des travaux scientifiques. Linus Pauling, a reçu le Nobel de chimie en 1954 et le Nobel de la paix en 1962.

Marie pourrait, ce jour-là, s'enorgueillir. Elle pourrait aussi espérer que ce second Nobel, lorsque la nouvelle en sera rendue publique, éteindra le souffle du scandale.

Mais elle sait que les preuves dont Mme Langevin a fait état existent : des lettres que le beau-frère de celui ci a dérobées dans un tiroir dont il a fracturé la serrure.

Assistés de l'avocat de Marie et de Langevin, Raymond Poincaré (à ne pas confondre avec Henri, le mathématicien), Jean Perrin et Emile Borel vont voir le préfet de Police. Poincaré obtient la mise sous séquestre de tous les documents détenus par Mme Langevin.

S'il est exact que Raymond Poincaré n'a pas été innocent de la divulgation des lettres de Mme Caillaux dans le but d'éliminer un rival politique, on ne sait s'il faut dire qu'il a pris des leçons dans l'affaire Curie ou si le dédoublement entre l'avocat et l'homme politique peut être décidément, remarquable.

Poincaré est aussi l'avocat du Syndicat de la presse parisienne. Le président de ce syndicat, Jean Dupuy, a téléphoné aux directeurs des principaux journaux pour leur demander de mettre un terme à leurs articles sur l'affaire Curie-Langevin.

Il a fait discrètement allusion au Nobel qui pourrait bien... Un honneur pour la France...

Les grands journaux mettent la sourdine.

Mais il y a les autres. Dupuy a négligé — ou jugé inutile — d'intervenir auprès de l'*Action Française,* de *La Libre Parole* (le journal d'Edouard Drumont qui porte en sous-titre : « La France aux Français »), dont les articles ne laissent aucun doute sur le fait que l'on a, de ce côté-là, des munitions.

La Libre Parole publie cinquante lignes « à la Une », intitulées « Mme CURIE RESTERA-T-ELLE PROFESSEUR A LA SORBONNE ? », dont le contenu est clair.

Après avoir indiqué que la plainte en adultère formée par Mme Langevin contre son mari et Mme Curie pour complicité viendra le 7 décembre devant la 9e chambre correctionnelle, le rédacteur ajoute :

> « Les documents versés au débat sont écrasants pour Mme Curie. Il y a, dans l'assignation, des lettres écrites par elle (...) qui provoqueront la stupeur quand elles seront connues. Et elles ne sauraient manquer de l'être puisqu'elles seront produites au grand jour de l'audience.
>
> « Nous eussions, conformément à notre habitude, jeté le voile s'il ne s'agissait que du domaine de la vie privée. Mais il s'agit de tout autre chose. Mme Curie occupe une chaire d'enseignement public obtenue dans des conditions qui donnent à l'opinion un droit d'appréciation, à ses élèves et à leurs familles le droit d'exiger du professeur ce que les Anglais appellent la « respectability... » »

Muette jusqu'à la tombe sur cette affaire, Marie n'a jamais confié, pour autant qu'on puisse le savoir, comment elle a passé les deux semaines qui se sont écoulées entre le télégramme de l'Académie suédoise et la publication de ses lettres. Avec Langevin près d'elle et combattant ensemble ? Il n'y paraît pas. Peut-être son avocat a-t-il conseillé à cet égard la prudence. Reprochant à Langevin sa légèreté ? On ne laisse pas traîner chez soi les lettres de sa maîtresse. Mais elle n'était pas du genre à reporter sur les autres ses responsabilités.

Supposant un instant Langevin enfin libre de vivre avec elle ? En proie en tout cas à une obsession : son image.

Ce qui fait échec à cette image, la blessure narcissique, il est éclatant que c'est la seule, à la fin, qui l'atteigne dans ses forces vives. Et qui la conduira à censurer totalement cet épisode de son existence.

Elle se terre chez elle où, autour de la maison, hommes et femmes s'agglutinent. Une pierre parfois rebondit contre une vitre, tandis qu'un cri fuse : « Dehors l'étrangère ! » « A bas la voleuse de mari ! » Soudain, le 23 novembre, est mise en vente une brochure rouge, *L'Œuvre.*

Sur la couverture, ce titre :

La vérité sur le scandale Langevin-Curie :

POUR
Une
MERE
par Gustave Téry.

Gustave Téry, directeur de *L'Œuvre,* laissera son nom dans la presse. Devenu quotidien en 1915, *L'Œuvre* comptera parmi les journaux influents et se donnera comme slogan publicitaire : « Les imbéciles ne lisent pas *L'Œuvre* ».

Téry n'est certes pas un imbécile. Il est pire. Aigri.

Normalien, comme Langevin avec lequel il entretenait des relations cordiales à l'Ecole, il a abandonné, l'année précédente, une carrière sans éclat de professeur de philosophie pour créer sa revue, où il nourrit de prétention intellectuelle une xénophobie et un antisémitisme obscènes, mais si bien insérés dans l'époque que l'on trouve, dans les pages de

L'Œuvre, la signature d'Henry de Jouvenel. Celle de Séverine, elle, n'étonne pas.

Petit, laid, tourmenté par des troubles digestifs, Téry est exécrable mais il a du talent.

Son article commence en forme de dialogue.

> « On frémit, en songeant que si cette fatale étudiante n'était pas venue de Pologne tout exprès pour assister à la découverte du radium, il n'y aurait plus de science française... Et il y a encore des patriotes assez obtus pour considérer l'invasion des métèques comme un fléau national. Quand même il ne s'agirait que de l'honneur d'une femme, la presse devrait garder le silence.
>
> — D'une femme ? Je croyais qu'il y en avait deux.
>
> — Il n'y en a qu'une d'intéressante. Vous avez lu dans tous les journaux que cette Mme Langevin est « une petite sotte indigne de son mari et jalouse comme une petite ouvrière ».
>
> — On ne va pas, je pense, tirer argument de ce fait que dans ses lettres Mme Curie tutoie Langevin... Oui, en camarade... Tout le monde sait que ce sont les habitudes de laboratoire.
>
> — Excusez-moi. J'ignorais qu'à la Sorbonne tout le monde se tutoyait de la sorte, comme à la Chambre et au bagne... Et sans doute si Mme Curie et M. Langevin ne se rencontraient qu'au laboratoire..., etc., etc. »

Son article risque de porter atteinte à l'honneur de l'Université ? Celui-ci n'a « rien à voir avec les phénomènes de radioactivité qui étaient très suffisamment connus avant la découverte de Pierre Curie ».

Puis Téry se livre à quelques considérations sur les ravages de « la morale nietzschéenne » ainsi résumée : « Suis ta joie... » Et enchaîne :

> « Si Mme Curie avait dit : « Je me ris de vos traditions et de vos préjugés : je suis une étrangère, moi, une intellectuelle, une affranchie... Fichez-moi la paix... » Si Mme Curie avait tenu ce langage, nous aurions dit : « Ce n'est pas français, mais c'est crâne ! »
>
> « Etrange et double attitude de ces femmes qui se réclament à tout propos des principes féministes !...
>
> « Délibérément, méthodiquement, scientifiquement, Mme Curie s'est appliquée à détacher Paul Langevin de sa femme et à séparer sa femme de ses enfants. Tout cela est raconté avec cynisme ou confessé avec inconscience dans les lettres qui restent aujourd'hui la seule défense de Mme Langevin... »

Va-t-il publier ces lettres ? « Que Mme Curie et ses chevaliers se rassurent : nous ne publierons pas ces lettres, moins par respect pour elle que par respect pour nos lectrices... »

Et sur cette belle parole... il les publie. Ou plus exactement, avec l'une de ces astuces dont la meilleure presse ne craindra jamais d'user, il publie l'assignation lancée à Langevin par l'avocat de sa femme, où ces lettres sont surabondamment citées.

Il faut imaginer Marie, Marie Curie, telle que nous la connaissons un peu, lisant et sachant que partout, ce jour-là, on va lire ceci. D'abord les « attendus » de l'assignation :

> « Attendu que dès juillet 1910, Paul Langevin et Mme Curie s'y retrouvent journellement et même plusieurs fois dans la journée (Mme Curie faisait elle-même les provisions et y restait fort avant dans la nuit).
>
> « Attendu que M. Langevin met continuellement Mme Curie au courant de ses préoccupations intimes, lui demandant des conseils et une véritable direction morale. »

Et à l'appui de cet attendu suivent les extraits de lettres, mis bout à bout.

Ce qu'elle écrit lui ressemble. C'est sobre, intelligent, fort, net, et, sous le vocabulaire le plus décent, passionné. Intéressant aussi, parce qu'on l'y saisit comme rarement.

D'abord, son cheminement :

> « Il y a entre nous des affinités très profondes qui ne demandaient pour se développer qu'un terrain favorable. Nous en avons eu quelquefois le pressentiment dans le passé, mais nous n'en avons acquis une pleine conscience qu'en nous retrouvant l'un en face de l'autre, moi avec le deuil de la belle vie que je m'étais faite et qui s'était écroulée dans un tel désastre, toi avec le sentiment que tu avais complètement manqué cette vie de famille... »

On retiendra : « la belle vie que je m'étais faite... » Elle seule « fait » sa vie.

Ailleurs, à un moment où sans doute Langevin

tergiverse à cause de ses enfants dont il ne se résigne pas à être séparé :

« L'instinct qui nous entraîne l'un vers l'autre a été bien puissant. La destruction d'un sentiment sincère et profond n'est-elle pas comparable à la mort d'un enfant qu'on a chéri et vu grandir et ne peut-elle même dans certains cas constituer un malheur plus grand que celui-là ? »

On voit qu'elle n'a pas peur, Marie, pour écrire cela. Elle poursuit :

« Que ne pourrait-on tirer de ce sentiment ? Je crois qu'on en aurait tout tiré : du bon travail commun, une bonne amitié solide, du courage dans l'existence et même de beaux enfants d'amour dans la plus belle acception de ce mot. »

Enfin, ce passage, digne de figurer dans une anthologie de lettres féminines et dont le dernier paragraphe éclaire si bien celle qui l'écrit :

« Une des premières choses à faire est de regagner ta chambre. Je t'ai promis de ne plus te faire de reproches et tu peux y compter. J'ai en toi la plus grande confiance en ce qui concerne tes intentions. Je crains plus que je ne puis le dire des événements imprévus : crises de larmes auxquelles tu résistes si mal, guet-apens pour t'amener à la rendre enceinte.

« Si elle avait encore un enfant, ce serait la séparation définitive car je ne pourrais accepter ce déshonneur en face de moi-même, de toi et

> des gens que j'estime. Si ta femme le comprend, elle exploitera ce moyen. Aussi je t'en prie ne me fais pas attendre trop longtemps la séparation de lit. »

Ce déshonneur ! Fichtre...

Le malheureux Langevin qui donnera, dans la suite de sa vie, tant de preuves d'un authentique courage, n'est évidemment pas, entre deux femmes, plus courageux qu'un autre.

L'Œuvre couronne son exploit par cette note :

> « Le 8 décembre viendra devant la 9e chambre correctionnelle, le procès Langevin-Curie. On y verra toute la Sorbonne rastaquouère contre une femme française, une mère française, contre le foyer français. Or le Syndicat de la presse requiert les journaux d'étouffer le scandale. De quoi se mêle-t-il ? »

De ce numéro de *L'Œuvre,* un quotidien de la presse Hearst tirera, aux Etats-Unis, ce résumé lapidaire : « Mme Curie folle d'amour. L'épouse? Une idiote, déclare-t-elle. »

Lorsque Jean Perrin, accompagné d'André Debierne, arrive à 9 heures du matin chez les Borel, *L'Œuvre* à la main, Emile Borel expédie sur-le-champ sa femme à Sceaux, avec Debierne, pour qu'ils ramènent Marie et ses enfants immédiatement. Elle habitera chez lui, à l'Ecole Normale, le temps nécessaire pour la protéger. Qu'on lui prépare une chambre.

Mission aussitôt exécutée. Marguerite bondit à Sceaux, trouve Marie foudroyée, qui se laisse embarquer sans résistance dans un taxi avec Eve, sous les yeux des curieux attroupés devant la maison.

Irène est à un cours de gymnastique.

Debierne se charge d'aller la chercher et la trouve plongée dans la lecture d'un exemplaire de *L'Œuvre,* décomposée.

Elle a alors 14 ans.

Arrivée rue d'Ulm, elle refuse de quitter sa mère. Henriette Perrin réussit à l'emmener. Marie, toujours muette, est conduite dans une chambre.

Et tandis que Perrin, Debierne, les Borel délibèrent, le téléphone commence à sonner.

Qui n'a pas lu *L'Œuvre,* ce matin-là, à Paris ? Les Chavannes mis à part qui, catéchisés par Henriette Perrin, ne participeront pas à la curée, Marie Curie fait désormais partie des femmes que l'on ne fréquente plus.

« Nous la fréquentons si bien qu'elle est chez nous, répond Marguerite Borel. Oui, à l'Ecole. »

Dans l'heure, Emile Borel est convoqué chez le ministre de l'Instruction publique Théodore Steeg. Il n'a pas le droit de disposer d'un appartement de fonction pour déconsidérer l'Université en hébergeant Mme Curie. S'il persiste, il sera révoqué.

« Soit, répond Borel, je persiste.

— Consultez votre femme, suggère le ministre. »

Marguerite est alors convoquée par son père Paul Appell, toujours doyen de la faculté des sciences. Il est en train de se chausser et explose en la voyant. De quoi sa fille et son gendre se mêlent-ils ? Ont-ils perdu la tête ? Le ministre est furieux. Le scandale immense. La Sorbonne à feu et à sang. Responsable de l'ordre à la Faculté, il a décidé de retirer sa chaire à Mme Curie. Il lui conseillera pour son bien de démissionner et d'aller enseigner en Pologne.

« Si tu lui demandes de quitter la France, je ne te reverrai de ma vie », répond Marguerite.

Exaspéré, son père, qui tient une chaussure à la main, la jette contre le mur.

En fait, l'Université en a vu d'autres. La femme d'un haut fonctionnaire a été récemment enlevée par un professeur d'histoire. La femme d'un mathématicien par un professeur de Polytechnique.

Mais ces messieurs ont fait « leur métier d'homme ».

Tandis que les Borel, les Perrin et Debierne entreprennent une campagne de réhabilitation de Marie parmi leurs relations, *L'Œuvre* et la presse nationaliste se déchaînent.

Rien ne sera épargné à « l'étrangère », même pas le rappel du cri lancé par le conducteur du camion qui a tué Pierre : « Il s'est littéralement jeté sous mon cheval ! » S'il s'est jeté, c'est qu'il avait de bonnes raisons. Au fait, M. Langevin et Mme Curie enseignaient tous les deux à Sèvres à l'époque... Tout le monde aura compris.

Les duels font rage, et qui ne sont pas seulement de plume. On se bat beaucoup, à l'époque, pour laver une injure dans le sang de l'adversaire... ou pour faire un peu parler de soi. Tradition qui sera longue à s'éteindre : il y aura encore des duels, en France, après la Seconde Guerre mondiale.

Insulté dans *L'Action Française* parce qu'il a critiqué le ton des attaques lancées dans ce journal contre Marie et Langevin, le directeur de la revue *Gil Blas* se bat à l'épée avec Léon Daudet et lui inflige une « blessure profonde de six centimètres ».

Critiqué dans *Gil Blas* parce qu'il a publié les lettres de Marie, Téry provoque, à l'épée, le rédacteur en chef du journal.

Traité par Téry de « lâche », de « mufle », baptisé d'un mot qui fera fureur dans les cabarets, « le chopin de la Polonaise », Langevin arrive à l'Ecole

Normale, fait demander à Borel de descendre et lui déclare : « J'ai décidé de provoquer Téry en duel. C'est idiot, mais je dois le faire. »

Et emmenant Marguerite pour s'épancher un peu sur une tendre épaule, il part à la recherche de témoins qui l'éconduisent successivement. Seul Paul Painlevé, le mathématicien, futur Premier ministre, accepte immédiatement et persuade Haller, directeur de l'Ecole de physique, qui s'est d'abord récusé.

L'épisode sera particulièrement grotesque. A 11 heures moins 10, le 25 novembre, les deux hommes vêtus de noir, chapeau melon et moustaches cirées, se retrouvent dans l'enceinte du Parc des Princes avec les quatre témoins, deux médecins et quelques journalistes qui ont atteint le haut des gradins par une échelle placée à l'extérieur du stade. Elle est prévue à cet effet.

Les témoins sont convenus que la rencontre aura lieu au pistolet à vingt-cinq pas. Il arrive qu'on y reste.

A onze heures, Langevin et Téry se font face, arme baissée. Painlevé compte : Un... deux... trois...

Langevin lève son arme, Téry laisse la sienne baissée. Langevin baisse son arme, la relève, la rabaisse. Téry refuse de tirer. Dès lors Langevin ne peut que s'abstenir. C'est fini.

Les témoins enlèvent leurs armes aux duellistes et les vident en l'air.

Téry expliquera plus tard à ses lecteurs, qu'il a craint de desservir la cause de Mme Langevin en tuant son mari. Qu'il a eu scrupule à « priver la science française d'un cerveau précieux, soit qu'il opère lui-même, soit qu'il préfère recourir au gracieux truchement de Mme Curie ».

Enfermée avec Eve dans sa chambre, où on lui sert ses repas, veillée par Henriette Perrin qui s'efforce de lui cacher la presse, et par Bronia accourue de Pologne avec Hela et Jozef, Marie semble, cette fois, anéantie.

Si on lui interdit de travailler en France, soit : elle repartira avec les siens en Pologne, comme ils l'en prient, l'en supplient, pressés de l'arracher à l'ingrat pays.

Selon Marguerite Borel, il y aurait eu à ce sujet délibération en Conseil des ministres. En tout cas, l'intense activité de Perrin et de Borel auprès de leurs collègues, de Marguerite auprès de leurs épouses pour les persuader que Marie est l'innocence même, ont réussi à calmer les vertueuses ardeurs universitaires. La Sorbonne prépare un rapport sur la question.

Après quelques jours, des sympathies commencent à se manifester. Et le réconfort, précieux en cet instant, de Jacques Curie. D'inconnus aussi qui envoient des bonbons, des fleurs... Paderewski vient déjeuner avec Marie.

Mais elle est brisée au fond, et de toutes les manières.

Cependant, avant de s'engloutir dans la maladie, cette femme disloquée va tirer encore une fois de son orgueil l'énergie de se regrouper.

Les savants les plus éminents seront réunis à Stockholm, le 10 décembre, pour la cérémonie officielle de remise des prix.

La Suède est à 48 heures de train. Elle est malade. Il faut qu'elle rédige un discours, qu'elle le prononce, debout, devant la famille royale, les ambassadeurs, les scientifiques ses pairs, la presse, les photographes, qu'elle s'expose aux regards marchands qui se posent inéluctablement sur toute héroïne d'une histoire d'amour, surtout lorsque son partenaire est plus jeune qu'elle.

Elle le fera.

Bronia l'accompagne et surtout, surtout elle a voulu emmener Irène.

Dans la salle où, six ans plus tôt, Marie était assise, auditrice parmi les auditrices, pendant que Pierre Curie parlait, c'est elle qui parle, cette fois, droite dans sa robe de dentelle. Et chaque mot de son discours est pesé.

Le prix qu'elle a partagé avec Pierre Curie et Henri Becquerel concernait officiellement « la découverte de la radioactivité ».

Celui qu'elle vient de recevoir concerne officiellement « la découverte du radium ».

Certains ont trouvé cette distinction subtile, en particulier ceux qui espéraient, cette année-là, recevoir le Nobel de Chimie, et l'éternel Boltwood, qui a commenté ainsi l'affaire Langevin : « Elle est exactement ce que j'ai toujours pensé, une fichue idiote ! »

Mais l'ensemble des scientifiques étrangers, choqués par le sort que lui avait fait l'Académie, se félicite au contraire de voir ses mérites propres couronnés. Et puisque, depuis un an, on ne cesse en France d'insinuer ou de dire clairement qu'elle s'est parée des mérites de son mari, elle va cette fois mettre un point sur chaque i.

Après un coup de chapeau à Becquerel, un autre à Rutherford, elle dit par exemple :

« L'importance du radium au point de vue des théories générales a été décisive. L'histoire de la découverte et de l'isolement de cette substance a fourni la preuve de l'hypothèse, *faite par moi,* d'après laquelle, etc., etc. »

Ou encore :

« Le travail chimique qui avait pour but d'isoler le radium à l'état de sel pur et de le caractériser comme élément nouveau a été effectué spécialement *par moi...* »

Elle parle des « corps nommés *par moi* radio-actifs »...

Et précise à plusieurs reprises :

« J'ai employé... J'ai effectué... J'ai déterminé... J'ai obtenu... »

Mais on ne la prendra pas en défaut vis-à-vis de Pierre.

« Ce travail (...) se trouve intimement lié à l'œuvre commune. Je crois donc interpréter exactement la pensée de l'Académie des sciences en admettant que la haute distinction dont je suis l'objet est motivée par cette œuvre commune et constitue ainsi un hommage à la mémoire de Pierre Curie. »

Voilà. C'est fini. Maintenant elle peut mourir. En fait, cette fois, elle le désire.

Elle rentre à Paris prostrée, tandis que *L'Œuvre* publie un nouveau numéro portant en couverture :

L'INVASION ETRANGERE
A la Sorbonne
A l'Ecole Centrale
A l'Institut Pasteur
A la Faculté de Médecine
Partout.

A l'intérieur : « Les métèques à la Sorbonne. Des laboratoires envahis par une cohorte d'individus pour la plupart étrangers. Le nombre de femmes augmente constamment, les plus recommandables viennent là chercher un mari. Quant aux autres... »

C'est le moment que choisit l'Archevêché pour convoquer une réunion destinée à définir l'attitude des confesseurs vis-à-vis des lecteurs de « mauvais journaux ».

Sont réputés mauvais « ceux qui attaquent l'Eglise, blessent la morale ou propagent l'antipatriotisme ».

Au lecteur assidu de ces journaux-là, l'absolution doit être refusée par son confesseur, mais celui-ci ne doit pas inquiéter l'actionnaire d'un « mauvais journal ». On respire.

Quant au lecteur de *L'Œuvre* et littérature assimilée, il peut aller tranquille sous le regard de Dieu.

Le 29 décembre, avant d'avoir pu emménager dans l'appartement qu'elle a loué à Paris, 36 quai de Béthune, Marie doit être transportée en clinique, sur une civière.

Elle souffre l'enfer, tremble de fièvre.

On ne saura jamais la part de la radioactivité et celle du désir de mort dans l'état déplorable où elle se trouve.

Les médecins condamnent la porte de sa chambre tandis que sa fièvre augmente, exigent le repos absolu.

Après quelques jours, elle a connaissance du jugement de séparation entre les Langevin. Raymond Poincaré est décidément bon négociateur : ce jugement ne contient pas un mot sur Mme Curie. C'est ce qu'elle redoutait le plus : que preuve soit enregistrée, officialisée, de sa « complicité d'adultère ».

Nul doute que, ce jour-là, les médecins ont trouvé Marie plus vaillante.

Jean Perrin peut écrire à Rutherford :

> « ... La fièvre est tombée et on ne sera pas obligé d'opérer tout de suite Mme Curie, ce qui nous inquiétait beaucoup vu son état d'épuisement.
>
> « Le jugement de séparation entre Langevin et sa femme ne fait *aucune mention* de

Mme Curie (...) mais les « torts » sont attribués à Langevin (qui n'a pas eu la précaution d'avoir des témoins pour ceux qu'il pouvait invoquer contre sa femme, sans mêler à son procès le nom de Mme Curie).

« Les deux garçons déjeunent chaque jour (entre leurs classes de lycée) avec Langevin. Les quatre enfants couchent chez la mère, sauf un jeudi sur deux et un dimanche sur deux... A partir de dix-neuf ans les garçons doivent vivre avec lui. Enfin, il garde « la direction intellectuelle » des quatre enfants. Tels sont les termes du jugement (plus une pension à sa femme naturellement).

« Et maintenant, j'espère que nous allons tous pouvoir travailler ! ?...

Jean Perrin

« (Langevin a été très sensible à votre amitié. Mme Curie a aussi été très touchée de votre attitude.) »

Travailler, il n'en sera pas question pour Marie avant de longs mois. Elle a confié le laboratoire à André Debierne qui prend aussi en charge ses affaires personnelles, elle règle avec lui les questions urgentes, mais quand elle sort de clinique, fin janvier, elle ne tient pas debout. Ses reins sont gravement lésés. Elle s'enferme, quai de Béthune, en attendant d'avoir repris les forces nécessaires pour être opérée.

Ce nouvel appartement, situé au troisième étage, est superbe avec ses parquets anciens et ses hautes fenêtres, sa vue sur la Seine et l'éperon de la Cité. Il est aussi parfaitement inconfortable, sans ascenseur, immense, sillonné de couloirs et d'escaliers intérieurs.

Marie Curie l'habitera pendant vingt-deux ans sans y mettre jamais ni tapis ni rideaux, ni d'autres meubles que ceux hérités du docteur Curie, perdus dans l'immense salon.

Le confort domestique n'a jamais été son génie. Elle y est insensible. En revanche, il lui est insupportable qu'une réunion sur l'étalon international du radium se tienne à Paris sans qu'elle soit en état d'y assister.

Elle essaie de la faire ajourner. En vain. Rutherford, plus amical que jamais, vient la voir mais se félicite à part lui que Debierne, « cette personne de bon sens », représente Marie à la réunion, car « nous pourrons peut-être en avoir fini bien plus vite sans Mme Curie qui a, comme vous le savez, tendance à soulever des difficultés », écrit-il à l'un de leurs collègues.

La situation est épineuse, en effet. Un physicien autrichien, Stefan Meyer, a préparé de son côté un étalon. Si celui préparé par Marie n'est pas rigoureusement identique, c'est que l'un des deux est faux. Rutherford n'ose pas penser à l'accueil que Marie ferait à cette suggestion. Le Comité décida que Debierne procéderait, en l'absence de Marie, à la comparaison, et le miracle fut : les étalons concordaient. Mme Curie voulut bien approuver a posteriori la méthode.

Après une opération éprouvante, elle se retire à Brunoy, près de Paris. Bronia a loué à son propre nom une maison dont l'adresse sera tenue strictement secrète. Marie écrit à Irène sous double enveloppe, au nom d'André Debierne. Irène envoie ses lettre au nom de Mme Sklodowska. Le facteur et l'épicier de Brunoy n'auront pas matière à commentaires ni à indiscrétions.

Marie avait de bonnes raisons objectives de souhaiter l'incognito. L'affaire Langevin n'occupait plus la presse, mais sa trace demeurait dans les esprits où il ne fallut rien moins qu'une guerre mondiale pour l'effacer.

Elle restait donc à la merci de curiosités abjectes.

Mais une chose était de chercher à s'y soustraire en se cloîtrant, une autre de cacher durablement son identité. Un nom n'est pas quelque chose avec quoi l'on joue si aisément.

Tout permet de penser que la décision à laquelle Marie se tint pendant plusieurs mois s'alimentait à un sentiment de culpabilité. Cette bonne vieille culpabilité si prompte à resurgir du tréfonds de son enfance.

Elle ne se reprochait pas ce qu'on lui reprochait : le savant arraché à son foyer par une séductrice exotique. Pauvres hommes en proie aux perfides sirènes... Paul Langevin en trouva d'autres, moins voyantes, prêtes à le consoler.

On ne sait ce que pensa Marie lorsque le coupable réintégra deux ans plus tard le foyer conjugal. Le sûr est que leur amitié traversa victorieusement l'entracte de la passion et fut ensuite constante.

Bien des années après, lorsque Langevin, épris de l'une de ses anciennes élèves dont il eut un enfant, chercha à faire entrer la jeune femme dans un laboratoire, c'est à Marie qu'il demanda de l'accueillir. Et, bien sûr, elle accepta.

Ce dont Marie s'accusa, ce n'est pas d'avoir transgressé l'interdit des amours irrégulières. C'est, ce faisant, d'avoir jeté une ombre sur le nom que Pierre lui avait donné. Ce nom qui avait effacé, le jour où elle l'avait reçu de lui, la gouvernante qu'on n'épouse pas. Ce nom qui, par son inadvertance, avait été traîné dans la boue. Il lui fallait se mortifier. Elle s'y employa en se déclarant indigne de s'appeler Mme Curie.

C'est donc Mme Sklodowska qui passe en juin de sa retraite de Brunoy à un sanatorium de Savoie, puis, fin juillet, en Angleterre.

Dès le scandale connu, Mrs Ayrton a écrit à Bronia pour lui proposer d'héberger Marie.

Depuis que Hertha Ayrton et Marie Curie se sont rencontrées à Londres, en 1903, elles ont conservé des relations épisodiques.

Physicienne, Hertha Ayrton n'a pas eu plus de succès avec la Royal Institution que Marie avec l'Académie. Ses collègues ont refusé de l'y accueillir et de reconnaître qu'elle a accompli à côté de son mari une œuvre personnelle. Ils y ont seulement mis plus d'hypocrisie que leurs homologues français en se retranchant derrière les statuts de l'Institution où le cas d'une femme mariée n'a pas été prévu.

Hertha a du tempérament, elle est belle, excentrique, brillante, et après la mort de son mari, ses collègues ont réussi à rendre son féminisme véhément.

Si Marie fait partie du « Conseil International des femmes », qui compte alors en France 70 000 membres, son militantisme féminin est à l'image de cette organisation, hostile aux manifestations bruyantes et soucieux d'efficacité quotidienne.

Hertha Ayrton, en revanche, est engagée auprès de Sylvia Pankhurst. Elle a participé au premier défilé des suffragettes anglaises, elle a marché avec elles sur la résidence du Premier ministre où un policier l'a empêchée d'entrer en l'attrapant par le cou.

Les trois dirigeantes du mouvement pour le vote des femmes ont été arrêtées et condamnées à neuf mois de prison. Elles font la grève de la faim. Une pétition internationale a été lancée pour demander leur libération. Quand Hertha Ayrton a écrit à Marie pour lui demander de la signer, Marie — qui sera toujours judicieusement avare de son nom — l'a donné aussitôt. Hertha est l'une de ces femmes qui bénéficient et bénéficieront de sa confiance. Elles sont plus nombreuses, il faut bien le dire, que les hommes qui ont quelquefois du génie, auxquels il arrive d'être beaux, dont on peut tirer toutes sortes d'agréments, avec qui on peut faire amitié et amour. Mais donner sa confiance... Pas plus qu'aux femmes et plutôt moins.

Hertha est convenue avec Bronia qu'aussitôt en état de voyager, Marie la rejoindrait dans une maison du Hampshire.

Une rechute a retardé son départ. Elle a dû subir, en Savoie, un nouveau traitement dont elle a noté tous les épisodes quantifiables — température, quantité de liquide absorbé le matin, le soir, état de ses urines, fréquences et intensité des douleurs — comme elle a noté dans son carnet de dépenses : « Affaire L. 318 francs. »

Enfin elle arrive dans le Hampshire, maigre et défaite. Le personnel d'Hertha Ayrton ne soupçonnera pas que cette femme lasse au léger accent slave est la Française tumultueuse dont les exploits amoureux ont largement retenti dans la presse anglaise.

L'amitié intelligente d'Hertha va faire merveille. Elle n'offre pas cette compassion qui introduit l'indiscrétion dans l'intimité du malheur, mais une vigoureuse fraternité. Alors lentement, au fur et à mesure que sa santé se restaure, Marie écarte les fantasmes et remet peu à peu les choses en place.

Que lui est-il arrivé ? Ses véritables amitiés n'ont pas été si peu que ce soit ébranlées. Son prestige scientifique est intact, il est même à son apogée... En effaçant de la mythologie l'épouse douloureuse dans ses voiles de deuil, elle s'est aliéné les sympathies que le public réserve aux veuves, mais elle n'a rien à faire de ces sympathies. Le rapport élaboré par ces messieurs de la Sorbonne sur la femme complice d'adultère a été enterré dès lors que la justice n'a ni retenu le délit à l'encontre de Langevin, ni prononcé le nom de Mme Curie. Elle reprendra son enseignement quand elle le désirera.

Son laboratoire l'attend. Elle n'a plus de « vie privée », mais c'est elle qui a rompu. De ce côté-là son orgueil est sauf.

Peut-être son biographe anglais, Robert Reid, s'avance-t-il un peu en déclarant qu' « aucun homme n'entrera plus dans la vie de Marie ». Disons plutôt, avec certitude cette fois, qu'aucun homme n'y jouera plus de rôle majeur, ce qui est différent et, dès lors, indifférent.

Irène y jouera en revanche un rôle croissant. Déjà ses lettres montrent la maturité de la grave adolescente. Elle lui écrit en juillet 1912.

> « ... Moi aussi, j'ai été très peinée de la mort de M. Henri Poincaré. Quant à la politique, je m'y intéresse toujours mais en ce moment, il y a peu de choses que je puisse comprendre. Par exemple, les causes et les conséquences de la chute du gouvernement turc sont des choses trop compliquées pour moi. J'ai vaguement compris que cela avait quelque rapport avec les désertions dans l'armée turque et la démission du ministre de la Guerre ou du ministre de la Marine, des deux (je ne sais pas exactement)...
> « J'ai vu aussi qu'un ministre anglais manque tous les jours ou presque tous les jours d'être tué

par des suffragettes anglaises, mais il m'a semblé que les suffragettes n'avaient pas trouvé là un brillant moyen de prouver qu'elles étaient capables de voter... »

Marie a traversé une tempête, elle n'a pas subi un effondrement existentiel.

Une délégation polonaise conduite par Henry Sienkiewicz est venue, avant son départ pour l'Angleterre, la supplier de rentrer en Pologne.

> « Notre peuple t'admire, lui a écrit l'auteur de *Quo Vadis,* lui-même prix Nobel, mais voudrait te voir travailler ici dans ta ville natale. C'est le désir ardent de toute la nation. En te possédant à Varsovie, nous nous sentirons plus forts, nous relèverons nos têtes courbées sous le poids de tant de malheurs. Puisse notre prière être exaucée. Ne repousse pas les mains qui se tendent vers toi. »

Mais Marie se sent capable, maintenant, d'affronter Paris. Elle peut rentrer. Elle rentre.

Lorsque, en octobre 1912, elle regagne son appartement du quai de Béthune, il y a exactement un an que sur son journal de laboratoire, elle a noté sa dernière observation. La suivante apparaît le 3 décembre 1912. Elle s'est reprise en main. Et elle a repris son enseignement.

Le formulaire intitulé « Note individuelle » des fichiers de la faculté des Sciences portant ses nom, prénom, qualités, titres et diplômes, mentionne à la rubrique « Interruptions de service » : Pour cause de maladie, du 1er janvier 1912 au 1er août 1912.

Il n'y en aura jamais d'autres, jusqu'à la fin de sa vie.

Le rapport de laboratoire qu'elle signe pour l'année 1912/1913 indique qu'elle a rétabli avec les autorités universitaires des relations habituelles : elle y réclame avec véhémence des crédits.

Marie Curie n'a alors plus rien à prouver dans le domaine scientifique. Sa réputation internationale, sans précédent et sans équivalent, n'a cessé de grandir à mesure des succès enregistrés dans les applications du radium au traitement du cancer. Mais la radioactivité est encore loin d'avoir livré ses secrets.

Or, paradoxalement, au lieu d'apporter aux chercheurs davantage de moyens, le succès phénoménal du radium leur en retire. Non seulement le prix des matières radioactives monte en flèche parce que la demande ne cesse de s'accroître dans le monde et que la production ne suit pas, mais la priorité dans les livraisons est donnée aux Instituts consacrés à la médecine, les fonds privés se concentrent sur la recherche médicale, les laboratoires de physique ne disposent ni de quoi former et rémunérer des chercheurs, ni de quoi acquérir le matériel de plus en plus sophistiqué nécessaire à leurs travaux.

La bataille des laboratoires, « temples de l'avenir » selon la formule de Pasteur, est celle dans laquelle Marie va engager ses forces retrouvées. Elle est bien résolue à ne pas céder une parcelle de sa souveraineté sur le domaine qu'elle a défriché, à l'étendre au contraire.

C'est un accord entre l'Institut Pasteur — qui fonctionne sur fonds privés — et l'Université qui va lui en donner les moyens.

Le directeur de l'Institut Pasteur, qui souhaite depuis longtemps s'assurer la collaboration de Marie, et le recteur de l'Académie de Paris, qui n'a aucune envie de la perdre pour la Sorbonne, s'entendent pour créer ensemble, à frais communs, un Institut du Radium qui comprendra deux sections : l'une dirigée par Marie, consacrée à la recherche en physique et en chimie, l'autre dirigée par le Dr Claude Regaud, consacrée à la médecine et à la biologie.

Les deux pavillons composant l'Institut du Radium seront édifiés rue Pierre-Curie.

Plans, architectes, entrepreneurs, décisions de tous ordres... Marie a là de quoi employer son énergie, et sa science des jardins. Les fondations des deux bâtiments ne sont pas encore jetées qu'elle a fait planter des tilleuls pour qu'ils aient déjà un peu de taille lorsqu'elle emménagera. Et dans son devis de fonctionnement, elle a prévu un jardinier.

Pendant tout le temps que durera la construction de l'Institut, les ouvriers la verront arpenter le chantier, le plus souvent dans la boue et la pluie, escalader les échafaudages.

Un jeune boursier de l'Institut Pasteur (qui deviendra le professeur Lacassagne) racontera plus tard :

« La cérémonie rituelle de la réunion sur le chantier des divers entrepreneurs se tenait les vendredis après-midi. J'étais arrivé de Lyon quatre jours auparavant. Le 7 novembre (1913) j'accompagnais le Dr Regaud pour cette réunion en plein air. Mme Curie vint nous rejoindre. Je vis une femme frêle, toute vêtue de noir, très pâle.

« Elle avait alors 46 ans — c'était le jour anniversaire de sa naissance — et cependant je fus frappé par son extraordinaire apparence de jeunesse, par le charme et la douceur de son regard. »

Un séjour dans l'Engadine a achevé de la rétablir. Elle a fait de l'alpinisme avec ses filles et un compagnon d'excursion qui l'entretient en allemand

Irène et Eve le trouvent drôle, ce monsieur qui circule distraitement sur les rochers en disant à leur mère : « Vous comprenez, Madame, ce que j'ai besoin de savoir, c'est ce qui arrive exactement aux passagers d'un *ascenseur* quand celui-ci tombe dans le vide... »

C'est Einstein.

Elle se rend à Varsovie pour inaugurer un laboratoire et y prononcer, pour la première fois, une conférence scientifique en polonais.

Puis à Birmingham pour y recevoir un diplôme de docteur honoris causa et décrit joyeusement la cérémonie dans une lettre à Irène, en lui donnant la nouvelle que la jeune fille espérait depuis longtemps ; on peut lui écrire à Londres, chez Mrs Ayrton, au nom de Mme Curie : « Mon nom est maintenant connu des domestiques, de sorte qu'on peut l'employer sans inconvénient. »

Exit Mme Sklodowska. Madame Curie a retrouvé droit de cité. C'est un ami de Rutherford, présent à la cérémonie de Birmingham avec Lorentz et Soddy, qui décrit comment, en la circonstance, il a vu Marie :

« ... timide, réservée, maîtresse d'elle-même et pleine de noblesse ; tout le monde voulait la voir mais peu y parvenaient. Les journalistes quêtaient les interviews et Mme Curie se déroba habilement à leurs questions en chantant les louanges de Rutherford. Ce n'était pas tout à fait ce qu'ils souhaitaient mais ce fut tout ce qu'ils purent obtenir... »

« J'invite, déclara-t-elle, l'Angleterre à fixer ses regards sur M. Rutherford ; son travail sur la radioactivité m'a considérablement surprise. Il est probable que de grands progrès seront prochainement réalisés, auxquels la découverte du radium ne constitue qu'un préliminaire. »

Rutherford vient de découvrir le noyau de l'atome en appliquant pour la première fois la procédure que les physiciens suivent encore aujourd'hui et qui consiste à bombarder de la matière par des radiations. Un jeune physicien danois travaille alors au laboratoire de Cavendish, Niels Bohr. C'est lui qui incorporera l'hypothèse des quanta dans le modèle d'atome de Rutherford, et établira le « modèle planétaire » de l'atome[1].

Les expériences de Rutherford vont fournir la première manifestation provoquée des forces nucléaires. Et son génie n'est pas épuisé.

Celui de Marie non plus.

Mais d'autres forces sont en mouvement qui vont les arracher l'un et l'autre aux grisantes délices de la science pure.

1. Selon la théorie des quanta, les transformations mutuelles de matière et de rayonnement ne peuvent avoir lieu que par quantités discontinues d'énergie.

V

L'entracte

17

« Ce qu'il faudrait, c'est une bonne guerre et la suppression de Jaurès », disait au printemps 14 l'épouse du Président de la République, Madame Poincaré.

La brave dame qui aimait tant les bêtes allait être comblée. Il est juste de dire qu'elle n'y fut pour rien. Comme souvent les femmes sottes, elle exprimait l'inconscient collectif. Et un désir de guerre rôdait sur l'Europe.

Individuellement, chacun n'en faisait pas moins des projets, fondait une famille, bâtissait une maison, labourait son champ, et désirait la paix.

Pour sa part, Marie harcelait les menuisiers qui achevaient d'installer les rayonnages de son bureau, dans le pavillon Curie tout près d'être achevé lorsque, achetant *Le Temps* le dimanche 28 juin 1914, comme tous les après-midi, elle apprit que, peu avant midi, l'archiduc héritier d'Autriche-Hongrie, François-Ferdinand, neveu de l'empereur François-Joseph, avait été assassiné avec son épouse par un étudiant serbe dans une ville de Bosnie nommée Sarajevo.

Marie connut, comme ses amis, quelques jours d'inquiétude. Dans la poudrière des Balkans, la

Bosnie, annexée par l'Autriche en 1908, abritait des minorités serbes turbulentes. L'empereur allait-il saisir le prétexte pour déclencher une expédition punitive contre le royaume de Serbie ? Et si le feu prenait là, où l'arrêterait-on ?

Mais la cour de Vienne, qui n'a jamais pardonné à son archiduc de s'être mésallié en épousant une comtesse polonaise, ne lui accorde qu'un enterrement princier de troisième classe, et le 4 juillet, les observateurs concluent dans la presse parisienne : « Tout conflit austro-serbe est maintenant écarté. »

Le 15 juillet, la France bourgeoise se met en vacances, qui au Touquet, qui à Biarritz, qui à Cabourg. Marie expédie ses filles, sa cuisinière et une gouvernante en Bretagne où elle compte les rejoindre à la fin du mois.

Les journaux n'ont plus d'yeux et d'oreilles que pour le procès d'Henriette Caillaux.

Quelques lignes sont bien consacrées ici et là au débat parlementaire sur l'augmentation des dépenses militaires. Il ne s'agit que des crédits nécessaires à la transformation de la tenue de campagne des soldats, mais il a donné lieu à des échanges surprenants :

« Combien de temps faudrait-il pour éliminer le dangereux pantalon garance ?

— De trois à sept ans.

— Et qu'arrivera-t-il si une guerre éclate d'ici là ? »

Au Sénat, c'est l'ensemble de l'administration de l'Armée qui est violemment critiqué, exemples à l'appui, et le sénateur qui interpelle le gouvernement a conclu : « Si la guerre était déclarée, nos soldats partiraient avec une paire de chaussures aux pieds et une demi-paire de godillots fabriqués il y a 30 ans. »

Mais seul, *Le Temps* commente, le 23 juillet, « l'arrogance du ton et l'outrance sans mesure des exigences » contenues dans l'ultimatum remis à la Serbie par l'Autriche-Hongrie.

Soudain, le dimanche 26, le procès Caillaux émigre à la seconde page des journaux : la mobilisation partielle a commencé en Russie.

Rappelant que « l'armée russe est admirablement organisée, entraînée, outillée », l'ensemble de la presse française, quelle que soit sa nuance politique, se félicite « que la Russie ne reste pas impassible devant l'écrasement de la Serbie ».

Seul Jaurès écrit : « La seule espérance qui reste, c'est l'immensité de la catastrophe dont le monde est menacé. » Il appelle « tous les prolétaires à s'unir pour que le battement unanime de leur cœur écarte l'horrible cauchemar »...

La population parisienne se concentre sur les boulevards devant les immeubles des journaux où sont affichés les derniers télégrammes.

Le mardi 28, la Serbie rejette l'ultimatum autrichien. Le premier coup de canon de la Première Guerre mondiale est tiré sur Belgrade.

A Paris, les épiciers sont dévalisés par les ménagères qui font des stocks de sucre. Les marchands de chaussures par les acheteurs de souliers de marche.

Dans *La Libre Parole,* d'extrême droite, le colonel Driant écrit : « Je souhaite ardemment, comme tout Français doit le faire, que la paix soit maintenue ; mais si l'Allemagne juge que l'occasion si souvent guettée s'offre à elle, si elle prend la responsabilité de l'attaque, je dis que nous avons assez d'éléments de confiance pour la regarder en face. [1] »

Le Radical n'écrit pas autre chose : « Les éléments

1. Il sera tué en mars 1916.

sont déchaînés mais notre barque est solide... Chacun est à son poste, nous sommes donc parés. Envoyez les couleurs. »

Et *La Lanterne :* « Si fermement attaché que l'on puisse être à l'idée de la paix, il est des heures où il faut se résigner à la violence pour répondre à la violence. La guerre est alors le plus sacré des devoirs. »

A la dernière audience du procès Caillaux, l'avocat de l'accusée, Me Labori, s'écrie : « Gardons nos colères pour les tourner contre les ennemis du dehors ! »

A Berlin, les socialistes allemands tiennent simultanément 29 meetings pour protester contre l'éventualité d'un conflit. Mais ils l'attribuent à « la politique de prestige de l'Autriche et de la Russie ». L'Allemagne n'est pas en cause. A Bruxelles, Jaurès délivre de son côté un satisfecit au gouvernement français « qui veut la paix et travaille pour la paix ».

L'Internationale socialiste a échoué. Echoué à abolir le nationalisme jusque dans ses propres rangs, échoué dans son rêve de solidarité entre travailleurs au-delà des frontières, échoué à substituer la guerre des classes à la guerre des patries, guerre sublime, guerre sainte, guerre porteuse des valeurs suprêmes : héroïsme, abnégation, devoir accompli...

Ces valeurs sont si largement partagées, le sentiment national si fervent que pas un antimilitariste ne manquera à l'appel des armes. A la veille de la guerre, l'Etat-Major évaluait à 14 % de l'effectif total des hommes mobilisables ceux qui refuseraient de servir. Il y aura, au cours de toute la durée des hostilités, 1,3 % d'insoumis.

Le 30 juillet la dernière vitre mise en place, Marie fait avec André Debierne le tour de son nouveau royaume. Deux ans plus tôt, tout lui glissait des mains. La voici à nouveau souveraine. Ces salles où pourront travailler sous ses ordres plus de trente chercheurs, cet amphithéâtre, cette solide bâtisse portant au fronton « INSTITUT DU RADIUM, PAVILLON CURIE », sont le symbole même de sa résurrection achevée.

Là est le sens de sa vie si la vie a un sens, là le lieu de son pouvoir sur les choses et accessoirement sur les personnes.

Se peut-il qu'une guerre absurde... Elle ne veut pas y croire. Ses amis non plus. Les Borel sont partis en Bretagne. Jean Perrin y part le jour même. Marie passe à la gare Montparnasse retenir une place pour le 1er août. Elle ne l'occupera pas.

Le 31 juillet au soir, Jaurès est assassiné par Raoul Vilain, dont on ne sait s'il a été davantage intoxiqué par *L'Action Française* ou par Péguy, qui exulte. « Combien de fois avons-nous laissé Jaurès impuni [1] ? » Le lendemain, la France et l'Allemagne mobilisent. Les dés de fer sont jetés.

L'engrenage qui va entraîner 27 nations dans la guerre, broyer dix millions d'hommes, et trois empereurs, bouleverser les frontières et bien davantage encore, s'est déclenché.

Personne ne doute, ni en France ni en Allemagne, que la guerre qui s'engage sera brève et victorieuse.

Dans Paris pavoisé, le premier jour de mobilisation a « la gaieté et la splendeur d'un jour de fête », selon *Le Figaro.* Marie écrit plus sobrement à ses filles : « Paris est calme et fait très bonne impression malgré les départs. »

Mais le courrier n'arrive plus en Bretagne où l'on

1. Charles Péguy sera tué au front le 18 septembre 1914. Le fils de Jaurès en juin 1918. Raoul Vilain incarcéré pendant toute la durée de la guerre, acquitté et abattu en 1936, à Minorque, par un républicain espagnol

ne sait rien, sinon que le tocsin a sonné, que les femmes pleurent, que les hommes partent en disant : « C'est pour les Serbes... » Officier du génie, mobilisable le 2e jour, Jean Perrin a repris le train, écœuré.

Curieusement, Marie, optimiste sur l'issue du conflit, est immédiatement persuadée que la guerre sera longue, meurtrière, et que les armements modernes provoqueront de dangereuses blessures.

On appréciera sur ce point sa clairvoyance, en sachant que le 11 août, sur information du ministère de la Guerre, la presse rassure en ces termes les familles inquiètes des rumeurs qui circulent : « Tous (les blessés) sont unanimes à reconnaître que les blessures ne sont pas douloureuses. Leur vitesse et leur chaleur font que l'infection n'est pas à redouter, les désordres qu'elles occasionnent sont pour la plupart insignifiants. »

Autour de Marie, tous les hommes ont rejoint leur affectation : Perrin, Debierne, Langevin, Maurice Curie son neveu, les garçons du laboratoire, bon nombre d'étudiants. Marguerite Borel s'agite autour du Secours National, organisation du genre « union sacrée » dont son père, Paul Appell, qui n'a pas l'âge de combattre, a été nommé président. Il est Alsacien. Si les Allemands prennent Paris, il risque d'être fusillé. « Une belle mort en temps de guerre pour un Alsacien », déclare-t-il.

Sollicitée d'y participer, Marie répond : « Il faut agir, agir. »

Elle trouve rapidement son terrain d'action.

Quelques hôpitaux parisiens mis à part, les rayons de Röntgen, les rayons X sont encore peu ou mal utilisés. Les services sanitaires de l'Armée n'ont prévu aucune installation et possèdent, en tout et pour tout, une voiture radiologique. Les hôpitaux militaires qui s'improvisent ne disposent ni de matériel ni de personnel compétent.

Le 12 août, Marie, usant de son nom, de son autorité, de ses relations, a déjà arraché aux fonctionnaires débordés du ministère de la Guerre, un ordre de mission.

Son plan : constituer une flotte de voitures munies des appareils et du personnel nécessaires pour que partout où, dans la zone des combats, on ramasse des blessés, les examens radiologiques aient lieu immédiatement.

Il ne reste plus qu'à trouver voitures, appareils, manipulateurs. Toutes les automobiles de plus de 16 CV ont été réquisitionnées.

Pour des raisons évidentes, Marie n'a jamais partagé la russomanie française. Quand Nicolas II annonce, au grand embarras de la France, qu'après sa victoire sur l'Autriche, il « reconstituera la Pologne sous son autorité », elle est sans nouvelles de Bronia, ignore dans quel camp se trouvent son frère et son beau-frère. Avec les Russes contre les Autrichiens qui envahissent la Pologne ? Avec les Autrichiens et la légion que forme Pilsudski par haine du joug russe ? Mais on sait qu'elle a le sens des priorités. Sollicitée de s'exprimer publiquement au sujet de « la question polonaise », elle le fait sans ambiguïté par une déclaration au *Temps*.

De Bretagne, Irène supplie sa mère de lui permettre de rentrer. Non seulement elle veut « servir à quelque chose », mais les gens du pays commencent à regarder les demoiselles Curie de travers. Quelle langue parlent-elles donc avec leur cuisinière et leur gouvernante ?

> « C'est d'autant plus important, écrit Irène, que l'on t'a toi-même accusée d'être une étran-

gère et que nous n'avons personne à l'armée... On dit que je suis une espionne allemande...

« Je suis peu effrayée de tout cela mais très peinée. Cela me fait du chagrin de penser qu'on me prend pour une étrangère alors que je suis si profondément française et que j'aime la France plus que tout. Je ne puis m'empêcher de pleurer chaque fois que je pense à cela...

« Je préférerais 100 fois être seule avec Eve qu'avec Walcia et Jozia en ce moment... »

Réponse de Marie, que Pierre Curie eût aimée :

« J'ai été désolée d'apprendre que tu as des ennuis au sujet de ta nationalité. Ne prends pas ces choses trop à cœur, mais fais de ton mieux pour éclairer les gens à qui tu as affaire. Pense aussi que non seulement tu dois supporter avec patience ces petites misères, mais que c'est même ton devoir de protéger Joséphine et Valentine qui sont étrangères. Ce serait ton devoir même si elles étaient allemandes car, même en ce cas, elles ont le droit de séjourner en Bretagne. Chérie, prends conscience plus exactement de ce que tu te dois comme Française, à toi-même et aux autres... »

Elle donne quelques conseils pratiques, puis recommande :

« Fais faire des problèmes de physique à Fernand (Chavannes). Si vous ne pouvez travailler pour le présent pour la France, travaillez pour son avenir. Bien des gens manqueront hélas après cette guerre. Il s'agira de les remplacer. Faites de la physique et des mathématiques le mieux que vous pourrez. »

Pour sa part, elle a entrepris la tournée des femmes fortunées qu'elle connaît. Patriotes ? C'est le moment de le prouver. Comment ? En lui donnant leur automobile : « Je vous la rendrai après la guerre », dit-elle avec assurance.

Plusieurs de ces dames obtempèrent, au pire elles se font rançonner.

Marie a déjà réuni quelques voitures lorsqu'un avion allemand lâche trois bombes sur la capitale et une banderole : « L'armée allemande est aux portes de Paris. Vous n'avez plus qu'à vous rendre. »

Le 2 septembre, le Président de la République et le gouvernement partent pour Bordeaux. Tout ce qui peut s'y précipiter à leur suite s'y précipite. Alors Marie, à son tour, s'engouffre dans un train bondé qui avance au pas, parmi « ceux qui ne pouvaient pas ou ne voulaient pas affronter les dangers d'une éventuelle occupation allemande », écrira-t-elle. Ils emportent leur or, leurs bijoux, leur argenterie. Marie est munie, elle aussi, d'un sac qu'elle peut à peine soulever, lourd comme du plomb. D'ailleurs c'est du plomb. Vingt kilos de plomb entourant un gramme de radium, le seul qui existe en France. Le radium de Marie.

Elle voyage tout le jour, horripilée à l'idée qu'on puisse la reconnaître et croire qu'elle participe à l'exode. Mais sur le quai de la gare de Bordeaux, plantée en pleine nuit devant le sac qu'elle ne peut porter, elle se réjouit, pour la première fois de sa vie, que quelqu'un s'écrie : « Mais c'est Mme Curie ! », saisisse son sac et lui déniche dans la ville surpeuplée une chambre chez l'habitant. Le lendemain, elle loue un coffre dans une banque pour abriter son trésor, repart sur-le-champ. Dans un convoi de troupes, cette fois, qui remonte vers Paris et où cette dame distinguée en manteau d'alpaga mord de bon cœur dans le sandwich qu'un soldat lui a proposé de partager. Dans ce sens-là, elle trouve ses compagnons de voyage sensiblement plus sympathiques que dans l'autre.

Des nouvelles alarmantes circulent dans le train. Les Allemands sont à Compiègne.

Le 12 septembre, anniversaire d'Irène, Marie écrit quatre lignes pour « embrasser sa douce chérie de 17 ans ».

Le 14 : « L'invasion recule et bientôt tu pourras revenir à Paris sans trop de peine. »

Le 20 : « Je t'autorise à revenir seule... Si tu peux prendre du bagage, prends le panier recouvert de cuir. On a peu de temps ici pour entretenir ses habits, si donc tu peux, apporte-les. »

Irène, qui s'est blessée au pied, est immobilisée. Soignée par Henriette Perrin, elle répond : « Je commence les coordonnées dans l'espace parce que je ne comprends rien aux équations différentielles. »

Enfin, elle rejoint Paris où Marie la met aussitôt au travail.

Après les propriétaires de voitures, elle a frappé à la porte des carrossiers pour qu'ils transforment les châssis des véhicules en fourgons. Chez les constructeurs d'appareils à rayons X et de dynamos, pour qu'ils fournissent du matériel.

Lorsque, le 1er novembre 1914, la première voiture radiologique, peinte en gris réglementaire, croix rouge au flanc, prend la route du front, il y a déjà eu, du côté français seulement, 310 000 morts et 300 000 blessés, qui sont allés au feu en pantalon garance.

Dans la voiture se trouvent Marie et Irène, un médecin, un assistant et un chauffeur militaires.

Leur première étape sera l'hôpital militaire de Creil, dans l'Oise.

Le système que Marie a conçu est rudimentaire, mais efficace : chaque voiture emporte une dynamo, un appareil à rayons X portatif, le matériel photographique adéquat, un câble, des rideaux, quelques écrans et des gants de protection.

L'appareil est installé dans une salle dont on obture hermétiquement les fenêtres avec les rideaux. Le câble le relie à la dynamo restée dans la voiture, que le chauffeur actionne.

Jusque-là, il s'agit de technique. Mais ce sont des hommes qu'il faut radiographier et des hommes qui souffrent, portant parfois d'affreuses blessures.

« Pour haïr l'idée même de la guerre, il devrait suffire de voir une fois ce que j'ai vu si souvent pendant toutes ces années, écrira plus tard Marie. Des hommes et des garçons apportés jusqu'à l'ambulance à l'intérieur des lignes, dans un mélange de boue et de sang... »

Pour une jeune personne de 17 ans qui a vécu jusque-là protégée, le choc est rude. Irène l'accuse, mais se tient. Curie oblige. Et que ne ferait-elle pour répondre à l'attente de sa mère ?...

Elle n'a jamais oublié le jour où, interrogée sur un problème de physique, elle lui a donné distraitement une réponse erronée. Marie a saisi son cahier et l'a jeté par la fenêtre.

« Ma mère ne doutait pas plus de moi qu'elle ne doutait-elle », dira-t-elle, racontant comment, à 18 ans, elle s'en fut seule installer un service de rayons X à l'hôpital militaire d'Amiens, comment elle prit seule la responsabilité d'un autre service près d'Ypres « avec la tâche peu aisée d'enseigner les méthodes de localisation des projectiles à un médecin militaire belge ennemi des notions les plus élémentaires de la géométrie ».

Le 1er novembre 1914, c'est Irène qui doit apprendre et elle s'y applique. Le carnet de bord de la voiture dénommée voiture E indique que, ce jour-là, la petite équipe a procédé à trente examens.

Pour entraîner son monde, Marie a commencé par des cas simples. Le premier blessé qu'avec Irène elle installe devant son appareil a reçu une balle dans l'avant-bras. Marie règle l'appareil, relève un calque de l'image projetée sur l'écran tandis que le médecin dicte ses observations, prend un cliché qu'un assistant développe immédiatement.

Les blessures à la tête sont nombreuses. Proposé en 1911 par le ministre de la Guerre, le casque a été repoussé par la Chambre, parce que « cela ferait allemand ».

Il faudra attendre juin 1915 pour que la décision soit prise d'en équiper les combattants.

Au début de la guerre, les chirurgiens ont encore peu d'expérience de la radiologie. Certains, surtout parmi les moins jeunes, n'ont aucune confiance en ce moyen d'investigation.

Au début, toute l'autorité de « Madame Curie » sera nécessaire. Ensuite, ils opéreront fréquemment sans même que des clichés soient pris, en se guidant sur l'écran radiologique.

Partout où Marie passe, derrière les lignes, dans sa Renault grise, elle examine la possibilité d'installer un poste fixe de radiologie et, le cas échéant, revient elle-même avec le matériel nécessaire.

Le 1er janvier 1915, elle écrit à Langevin, sergent dans un bataillon d'ouvriers de l'armée : ... « J'ai reçu une lettre m'informant que la voiture radiologique fonctionnant dans la région de Saint-Pol a subi une avarie. Autant dire que tout le Nord est dépourvu de services radiologiques ! »

Le mois suivant, il y en a un. Puis deux. Puis trois. L'organisation, l'administration des personnes et des choses est l'un des talents de Marie. Elle sait faire elle-même, mais elle sait aussi faire faire.

Les vingt voitures, que l'on baptisera « les petites Curie », et les deux cents postes fixes qu'elle réussira à installer procéderont pour la seule période 1917/1918 à un million cent mille radiographies.

Dès que le front s'est stabilisé, la vie a repris à Paris. Les salles de spectacle ont rouvert leurs portes. Au cinéma, on va voir *Charlot* et les *Mystères de New York.* Les couturiers présentent audacieusement, en mars 1915, des jupes à mi-mollet. Les Ballets russes de Diaghilev donnent une soirée à l'Opéra au profit de la Croix-Rouge britannique. La classe 16 est mobilisée, et *Le Figaro* écrit : « Par la fraîche matinée de printemps, des troupes de jeunes gens s'en vont vers les gares portant pour tout bagage une musette en bandoulière ; les mains dans les poches, le chapeau ou la casquette sur l'oreille, ils s'interpellent gaiement et les gens plus âgés, les femmes et les jeunes filles qui accompagnent beaucoup d'entre eux font un effort pour ne pas troubler cette effervescence juvénile. »

Mais, de la Somme, un médecin écrit à Marie : ... « Je suis sur la brèche du matin au soir. J'ai pu réaliser 588 manipulations radiologiques pendant le mois de juillet... Je ne pense pas pouvoir continuer très longtemps à assumer ce genre de responsabilités... »

Tous les hommes disponibles, Marie les a mis à

l'œuvre. Alors elle décide de former des femmes radiologues.

Que ne font-elles pas, les femmes, depuis quelques mois ? Marguerite Borel, qui a ouvert dans une salle de l'Ecole Normale un bureau de recrutement pour les services nationaux où se passent les premiers tests d'aptitude, les envoie par wagons entiers vers les poudreries, les usines d'aviation. Elles sont factrices, coiffeuses, maraîchères, cheminotes.

Phénomène d'une telle ampleur et si bouleversant que, saluant leur courage, le député Jules Siegfried ose suggérer à la Chambre de leur donner, après la guerre, le droit de vote[1]. Eugène Brieux, l'auteur dramatique, en étudie dans un quotidien à grand tirage, *Le Journal,* les conséquences sur la société. Il écrit :

« Elles se disent : « Puisque nous ne sommes ni si faibles, ni si sottes, ni si inaptes que les hommes le prétendent, il y a pour nous une autre carrière que le mariage. Si donc nous n'avons plus besoin de lui pour vivre, nous avons le droit de choisir. »

Brieux conclut qu'après la guerre, « l'homme respectera la femme », que « l'abominable institution de la dot disparaîtra », mais que « la lutte des sexes pour le travail sera sévère. »

Pour l'heure, ce n'est pas le problème qui se pose. L'Armée manque de conducteurs et demande deux cents conductrices. Marie manque de radiologues et cherche des femmes capables d'acquérir les connaissances nécessaires pour le devenir.

Une de ses anciennes élèves, Marthe Klein, se

1. La Chambre des Députés accordera le droit de vote aux Françaises, le 20 mai 1919, par 344 voix contre 97. Mais le Sénat corrigera rapidement ce moment d'aberration dû à l'émotion bien compréhensible de la Victoire.

charge du recrutement, tandis que Marie pratique une sorte de « formation accélérée ».

Les candidates sont réunies par groupes de vingt au pavillon Curie. Là, Marie leur inculque, en deux mois, les notions élémentaires de mathématiques, de physique et d'anatomie nécessaires. Puis elles sont dirigées vers les postes radiographiques. Cent cinquante manipulatrices seront ainsi formées.

Egale à elle-même, Marie se montre à la fois patiente et impitoyable. Patiente avec celles qui travaillent sérieusement — les plus nombreuses —, impitoyable avec les autres qu'elle élimine sans cérémonie.

Elle a naturellement ouvert un carnet sur lequel les progrès de ses élèves sont enregistrés au jour le jour.

En face d'un nom, on lit : « X... idiote. » En face d'un autre : « Voulait s'en aller à cause des effets nocifs des rayons (???). »

Cette « idiote » là n'avait pas tort. On ignore combien de ces jeunes femmes, qui travaillaient pratiquement sans protection — des gants de tissu ! — en furent gravement détériorées.

Parallèlement à l'organisation des services radiologiques, Marie a récupéré le radium déposé à Bordeaux. Une nouvelle technique thérapeutique est apparue, l'utilisation du radon, ce gaz émanant du radium que l'on a appris à liquéfier. C'est à Dublin que le professeur Joly a inventé de « traire » le radium de son gaz, d'enfermer celui-ci dans des tubes de verre minuscules, hermétiquement clos, que l'on glisse dans des aiguilles de platine. L'aiguille est ensuite implantée dans le corps du patient.

Les hôpitaux militaires demandent du radon et encore du radon pour la cicatrisation de certaines blessures. Au pavillon où elle a transporté avec Irène le matériel de la rue Cuvier, Marie crée le premier service français de fabrication de tubes de radon, à partir de son gramme de radium.

Là aussi, ce sont des femmes qui manipulent la précieuse substance, les plus habiles.

Parfois, l'une ou l'autre est étrangement à bout de forces. Incapable de tenir debout. Après quelques jours loin du laboratoire, elle revient. Entre-temps, Marie prend sa place.

Directrice des services de radiologie de l'armée, on ne la verra jamais affublée d'un uniforme. Elle est Madame Curie, c'est tout.

C'est avec un brassard épinglé sur son manteau et un chapeau rond devenu informe qu'elle court les routes.

« Irène me dit que vous êtes aux alentours de Verdun, lui écrit son neveu Maurice Curie. Je plonge le nez dans toutes les automobiles sanitaires qui passent sur la route mais je ne vois jamais que des képis très galonnés et je ne pense pas que l'autorité militaire ait voulu régulariser la situation de votre coiffure fort peu réglementaire... »

Elle aime tendrement ce petit Curie, tremble pour lui, n'utilisera évidemment pas ses relations pour l'embusquer. Mais quelle pitié de voir les scientifiques aussi mal utilisés...

Jean Perrin a réussi à se faire affecter dans le service de Marie pour prendre la responsabilité d'une voiture radiologique. En janvier 1915, ils partent ensemble vers le Nord, crèvent deux fois en route, percutent un arbre, s'arrêtent pour avaler un thé et écrivent à Langevin qui végète à l'arrière :

> « Nous voici à Dunkerque dans un hôtel de demi-luxe, buvant du thé trop noir près d'une table unipode et branlante... Un bon accueil

nous est fait partout, en raison surtout de la présence de Mme Curie.

« ... Nous traversons une période si dure qu'un homme tel que toi doit avoir hâte de rendre les services que seul il peut rendre. Tu peux et tu dois faire beaucoup. Heureusement, tu n'as pas été convoqué suivant cette mobilisation « statistique » qui admet que nous sommes tous identiques. La mobilisation « fine » t'est donc possible. En employant ton intelligence de PHYSICIEN, tu peux rendre plus de services que mille sergents, malgré toute l'estime que j'ai pour ce grade honorable...

« Sérieusement, il me semble que là est ton grand devoir actuel : trouver des moyens qui nous aident à vaincre. Tous les autres devoirs passent au second ou au vingt-cinquième plan ! Tu as la chance d'avoir ton vrai devoir tout simple et tout clair devant toi.

Fonce dessus et néglige tout le reste... »

Marie ajoute à la lettre quelques lignes appuyant Perrin.

Paul Langevin n'est pas le seul scientifique quadragénaire employé à faire du terrassement, pendant que les plus jeunes se font tuer. Entre tant d'autres, le collaborateur préféré de Marie, Jean Danysz, capitaine dans l'artillerie.

Il faudra qu'un jour d'avril 1915, des bataillons d'Algériens tenant des tranchées devant Ypres soient enveloppés par un nuage vert, toussent, suffoquent, tombent inanimés, les poumons envahis par le chlore, pour que la mobilisation scientifique commence.

Ce nuage vert, c'est le premier essai d'intoxication

par le gaz, tenté par les Allemands auxquels un grand chimiste a fourni cette riche idée.

L'institut de chimie organique Kaiser Wilhelm, à Berlin, a été transformé en installation militaire, emploie cent cinquante universitaires et deux mille autres personnes, détail que l'on ne connaîtra que beaucoup plus tard.

Quelques chimistes français, dont le caporal Debierne qui a récolté en passant la médaille militaire, sont alors rappelés du front. Charles Moureu constitue une équipe chargée de mettre au point des produits toxiques. André Mayer, physiologiste au Collège de France, muté à Paris, improvise le masque à gaz.

Moureu et Mayer ont déjà essayé l'ypérite lorsque les Allemands l'emploient, à Ypres encore une fois, remplissant les hôpitaux d'hommes à moitié aveugles, crachant leurs poumons. Les Français vont s'en servir à leur tour, abondamment.

Quand Painlevé prendra, en octobre 1915, le ministère de l'Instruction Publique, des physiciens et des mathématiciens sont également rappelés à Paris. Langevin mène des expériences de balistique et travaille sur un canon sans recul. Perrin s'attaque au repérage par le son des bouches à feu et des avions, repérage qui sera opérationnel en 1918.

Mais un désastre menace sur mer, où les sous-marins allemands, insaisissables, détruisent le ravitaillement des Alliés en hommes, en charbon, en vivres. 936 navires alliés ont été coulés en 1916. Il y en aura 2681 en 1917. « Encore un peu, écrira Winston Churchill, et la guerre sous-marine nous aurait obligés, par la famine, à nous rendre sans conditions. Notre succès n'a tenu qu'à un petit fil, très ténu, très menacé. »

Ce petit fil est entre les mains des scientifiques.

Les Anglais, qui ont eux aussi rappelé leurs savants, et parmi eux Rutherford, cherchent désespérément la parade à l'activité des sous-marins allemands.

Comment les détecter ?

En France, un ingénieur, Constantin Chilowski, suggère de capter les ondes, les vibrations sonores qu'ils provoquent, que l'oreille humaine ne perçoit pas et que l'on nomme ultra-sons.

Mais comment les capter ? Langevin est chargé de s'attaquer au problème, avec deux de ses anciens élèves.

Les premiers essais, réalisés sur la Seine, montrent qu'il l'a résolu dans son principe. Mais la réception de l'écho ultra-sonore par un condensateur, puis par un microphone à grenaille de charbon, est mauvaise.

Langevin a alors l'inspiration décisive, il va utiliser la piezo-électricité du quartz, ce phénomène découvert par Pierre et Jacques Curie.

Il fait démonter la lame de quartz, équipée par Pierre Curie, que l'un de ses élèves a pieusement conservée, pour en faire un micro : le microphone à ultra-sons vient d'être découvert.

Quelques mois seront encore nécessaires pendant lesquels l'équipe travaille dans la fièvre. En 1917, Langevin a mis au point un dispositif de réception qui détecte des ondes dont l'amplitude ne dépasse pas un dix milliardième de millimètre.

Dans la rade de Toulon, un sous-marin en plongée est repéré à deux kilomètres en présence des spécialistes de l'Amirauté. Les appareils de détection sousmarine réalisés ensuite par la Grande-Bretagne doivent tout à celui de Langevin, comme les innombrables applications actuelles des ultra-sons.

Au cours des allées et venues des scientifiques entre l'Angleterre et la France, Rutherford se trouve un jour de 1917 à Paris. Il voit apparaître, vers midi et demi, devant la porte de son hôtel, un taxi conduit par un soldat, dans lequel se trouvent Perrin, Langevin, Marie et Debierne.

« Ils m'emmenèrent déjeuner et me traitèrent royalement », dira-t-il. Le petit groupe s'en fut ensuite écouter le topo de Rutherford, puis au pavillon Curie où Marie leur fit du thé.

Rutherford la trouva ce jour-là « plutôt grise, usée, fatiguée. »

Elle l'était. Elle avait reçu depuis vingt ans plus de radiations qu'aucun être humain et continuait à s'y exposer quotidiennement. Elle courait les routes par tous les temps dans des voitures démarrant à la manivelle et atteignant au mieux cinquante kilomètres à l'heure. Elle couchait n'importe où, mangeait n'importe quoi... Cependant, quelque chose lui était venu qui lui avait si souvent fait défaut dans le passé : la bonne humeur.

Mobiliser toutes ses ressources intérieures pour agir dans une période dramatique, rien de tel pour oublier de penser à soi. Soustraite aux moroses jouissances de l'introspection, Marie était réconciliée avec elle-même.

L'hiver 1918 fut particulièrement dur. L'essence manqua et la Seine charria des glaçons.

La carte d'alimentation, inventée par André Citroën, fut instituée, le pain rationné.

La nouvelle du traité de Brest-Litovsk, par lequel la Russie des Bolcheviks donnait la Pologne et l'Ukraine à l'Allemagne, atteignit la France le 3 mars, jour où les couturiers présentaient leurs collections : robes courtes et jersey.

En avril, les Allemands franchissaient l'Aisne, Soissons était évacué, Château-Thierry abandonné. C'est devant Château-Thierry que tomba un obscur combattant américain sur lequel on retrouva un « journal » où il notait : « L'Amérique doit gagner cette guerre. Donc, je travaillerai, j'épargnerai, je sacrifierai, j'endurerai, je me battrai allégrement et ferai le plus que je pourrai faire, comme si l'issue du combat dépendait de moi seul. »

Par quelque miracle, Marie, si prompte à contracter chaque automne une mauvaise grippe, fut épargnée par la grippe espagnole qui commença à faire, en octobre, deux mille morts par semaine, emportant entre autres Guillaume Apollinaire et Edmond Rostand.

Dans les premiers jours de novembre, le 944e blessé fut radiographié grâce à la voiture E. Il avait un éclat de shrapnel dans l'épaule gauche.

Le soir du 8 novembre 1918, dans la salle du théâtre Michel où Raimu jouait *L'Ecole des Cocottes*, dans celle du Casino de Paris où Maurice Chevalier chantait avec Mistinguett, dans toutes les salles de Paris (sauf à l'Opéra où les musiciens étaient en grève pour cause de salaires), le spectacle fut interrompu pour annoncer au public que Guillaume II avait pris la fuite.

Le 11 novembre, 1 561e jour de la guerre, Marie se trouvait au laboratoire avec Marthe Klein lorsque le canon tonna à 11 heures. Elles coururent chercher au magasin le plus proche, du tissu bleu, du tissu blanc, du tissu rouge pour les assembler, en faire un drapeau et pavoiser le pavillon Curie. Puis, comme tout le monde, elles s'en furent sur les Champs-Elysées.

VI

La statue

18

La France victorieuse, la Pologne libérée de ses chaînes — et le pianiste Paderewski président du Conseil à Varsovie —, sa famille indemne, ses amis les plus chers sains et saufs alors qu'un million et demi de Français avaient été tués, l'Institut du radium et le radium lui-même intouchés... Marie n'aurait pu espérer davantage. Elle sortait de la guerre privilégiée.

Elle n'était pas de ceux qu'affolait la révolution russe.

Lorsque le président des Etats-Unis, présentant les 14 points qui devaient, selon lui, constituer les bases du traité de paix, s'était écrié : « La voix du peuple russe est à mes oreilles plus poignante et contraignante qu'aucune des nombreuses autres voix qui font vibrer d'émotion l'air troublé de l'univers... », Marie avait approuvé.

Comme elle avait souscrit d'enthousiasme au projet de Société des Nations.

L'aube qui se levait après quatre ans de nuit éclairait un champ de morts, mais c'était l'aube d'un monde nouveau. « J'ai visité l'avenir et ça marche ! » disait l'un des membres de la délégation américaine envoyée en 1919 par Wilson à Lénine.

Sans doute Marie fut-elle quelque peu déçue, comme bien d'autres, par ce qui resta de l'inspiration wilsonienne dans le traité de paix, qu'il s'agisse de la Russie ou de l'Allemagne.

« Ou bien il faut exterminer les Allemands jusqu'au dernier, ce que je ne saurais préconiser, ou bien il faut leur donner une paix qu'ils puissent supporter », disait-elle.

La science économique n'étant pas celle où Marie s'illustrait, elle n'eut pas plus que d'autres l'immédiate conscience de la situation matérielle où la guerre avait laissé en France[1].

L'été venu elle s'octroya, pour la première fois depuis bien longtemps, de vraies, de longues vacances.

Un pur délice. Bien que, naturellement, elle ait emporté du travail : la rédaction d'un livre sur la radiologie et la guerre.

Grâce à Marthe Klein qui l'y a entraînée, elle découvre le Midi, sa splendeur, les nuits d'août où l'on dort sur la terrasse, la tiédeur de la Méditerranée où elle se remet à nager. Les touristes sont rares. Seuls, sur la plage, quelques Anglais...

« Si seulement l'hôtel était plus distingué comme genre, écrit-elle à Irène, il n'y aurait pas de meilleur endroit pour travailler. »

Elle y prend si bien goût, qu'elle fera construire plus tard, à Cavalaire, une maison surplombant la mer de trois côtés, et y composera minutieusement un jardin en terrasses. La passion des pierres est la seule qu'on lui connaisse en matière de propriété,

1. 32 milliards d'endettement vis-à-vis de l'étranger, 150 milliards vis-à-vis des particuliers (au lieu de 33 en 1914). 600 000 maisons, 20 000 usines, 5 000 kilomètres de voies ferrées, 53 000 kilomètres de routes et 3 millions d'hectares de terres cultivables partiellement ou totalement inutilisables.

mais celle-là est vive : elle achètera aussi une maison en Bretagne ; et gardera jusqu'à la fin de sa vie la maison de Brunoy.

Comme toujours lorsqu'elle est séparée de ses filles, elle leur écrit abondamment et décrit précisément. Cette fois, ce sont de vraies lettres de mère — et non de Marie corsetée dans le rôle de mère qu'elle envoie.

S'y mêlent les considérations sur « les confitures fabriquées par nous qui commençaient à moisir et que nous serons obligées de recuire », les recommandations concernant les mites, les problèmes de femmes de ménage et ce ton nouveau de tendresse détendue qui fonde désormais ses relations avec Irène, « sa chère grande fille », à laquelle elle confie « le souci de l'ordre au laboratoire dans la mesure où tu pourras empêcher qu'on fasse du gâchis en mon absence ».

> « Je pense souvent, écrit-elle, à l'année de travail qui s'ouvre devant nous, et je voudrais qu'il en sorte quelque chose de bon. Je pense aussi à chacune de vous et à tout ce que vous me donnez de douceur, de joies et de soucis. Vous êtes, en vérité, pour moi une grande richesse et je souhaite que la vie me réserve encore avec vous quelques bonnes années d'existence commune. Je sais que tu aimeras retrouver ta vieille amie de mère et que tu lui feras de nouveau toutes sortes d'amitiés. »

Marie, qui a maintenant plus de 50 ans, semble avoir trouvé ce qu'on appelle une nouvelle jeunesse. Qui est en fait le contraire de la jeunesse.

Moins d'exigence, moins d'angoisse, le fragile plaisir d'être « encore » agile, « encore » jeune,

« encore » capable de monter à cheval et d'aller patiner avec Irène. Pour combien de temps ? Une fois, ce sera la dernière fois. En attendant, la vie est là. Et Marie, qui n'a cessé de concevoir et de décrire son existence comme un calvaire, aime passionnément la vie.

Elle est toujours menue, mince, souple, se promène jambes nues, en espadrilles, avec des allures de jeune fille. Selon les jours, elle porte dix ans de plus ou dix ans de moins que son âge.

Depuis quelque temps elle a besoin de lunettes, mais quoi de plus naturel ?

Son étoile, un moment obscurcie par... mais de quoi s'agissait-il au juste ? Que tout cela paraît loin, quasiment irréel après le cyclone qui a balayé un continent, une époque, une société, ses mœurs...

Lorsqu'elle regagne Paris, l'ivresse de la victoire s'est dissipée.

Certes, « Paris est une fête » et le restera tout au long des années folles, folles de la rage de vivre. Certes, la suprématie de la France ne paraîtra jamais mieux établie, sa culture plus rayonnante, ses créateurs plus féconds, son attrait plus puissant que dans les années 20. Perles et diamants brodés sur tulle comme on le verra quand le tissu craquera.

Oui, Paris est une fête. Mais pas pour tout le monde.

Des milliers de sans-travail licenciés des usines d'armement ont faim et froid. Des milliers d'autres voient fondre leur pouvoir d'achat. Les salaires ont triplé, mais les prix ont quadruplé.

La capitale oscille entre la crainte — pour les uns — et l'espoir — pour les autres — de troubles graves.

Dans son dernier discours public, Jaurès a prophétisé : « A mesure que le typhus achèvera l'œuvre des obus... les hommes dégrisés se tourneront vers les dirigeants allemands, français, russes, italiens et demanderont quelle raison ils peuvent donner de tous ces cadavres. Et alors la révolution déchaînée leur dira : « Va-t'en et demande pardon à Dieu et aux hommes ! »

Moins lyrique, mais également persuadé — pour d'autres raisons — que la révolution prolétarienne mondiale est en voie de gagner l'Europe, Lénine la conduit en Russie. Elle va y rester. Avortée en Allemagne, refusée en Pologne, détournée en Italie, la révolution, en France, ne sera pas.

Les socialistes comptaient y parvenir par la voie démocratique, en gagnant les élections pour appliquer ensuite, forts du soutien populaire, le programme neuf, élaboré par Léon Blum, sur lequel ils firent campagne [1].

Au lieu de la majorité qu'ils escomptaient, ils se retrouvèrent avec une représentation diminuée, une soixantaine de députés sur 350, au sein d'une chambre « bleu horizon ».

C'était en novembre 1919.

Au début de l'année 20, un puissant mouvement de grève souleva le pays. Au soir du 1er mai 1920, 90 % des employés du métro, 70 % de ceux des P.T.T. avaient cessé le travail. Pour imposer la nationalisation des chemins de fer, alors compagnies privées, la Fédération des cheminots décréta une grève illimitée. Employés des transports, mineurs, dockers, marins, ouvriers du bâtiment suivirent en deux vagues.

Le 29 mai, la grève entamée un mois plus tôt dans

1. Programme qui évoque la plupart des thèmes que l'on retrouvera dans le programme du Conseil National de la Résistance, en 1945.

l'enthousiasme s'achevait dans la déroute. Le secrétaire général d'un syndicat de cheminots se suicida.

La répression avait eu raison du mouvement ouvrier. Dix-huit mille cheminots furent révoqués, rayés des cadres ou licenciés. C'était fini.

Autre chose allait commencer : la scission de la gauche, consommée en décembre, au fameux congrès de Tours.

On sait qu'il s'agissait alors de l'adhésion du Parti socialiste unifié à la IIIe internationale, décision obligatoirement assortie de l'acceptation des 21 conditions posées par les bolcheviks. On sait aussi, qu'accidentelle ou, en tout cas, conjoncturelle en 1920, cette scission entre socialistes et ceux qui s'appelaient désormais communistes, allait devenir structurelle dans la société française.

S'il convient de l'évoquer brièvement ici, c'est qu'une bonne part des scientifiques et notamment le « clan Curie » furent intimement mêlés à la vie politique des années 20 et des années 30. Et que, sans jamais affecter les amitiés, les attitudes n'y furent pas identiques.

Elles ne furent pas non plus divergentes. C'était d'ailleurs un temps où la frontière entre communisme et socialisme se franchissait aisément, dans les deux sens. Disons qu'il y eut entre les membres du « clan », dès après la guerre, des nuances sensibles.

En 1919, Langevin, professeur au Collège de France, signe un « message de sympathie » aux intellectuels russes. Cette Russie nouvelle où, lui apprend-on, des instituts de recherche, jusque-là inexistants, ont été ouverts, en pleine guerre civile, où des facultés ouvrières se créent pour donner une formation à ceux qui n'ont jamais reçu d'instruction secondaire, cette Russie nouvelle est belle comme l'espoir.

Il signe également, à côté d'Anatole France et de Maurice Ravel, le « Manifeste des Intellectuels » protestant contre le blocus infligé aux Russes.

Lors des grèves de 1920, dirigeant les études à l'Ecole de physique et chimie industrielles, il est le seul professeur à s'élever publiquement contre l'emploi des étudiants volontaires des grandes écoles pour briser la grève des chemins de fer.

Le directeur de l'Ecole, Albin Haller, celui-là même qui a été son témoin avec Painlevé lors du duel avec Gustave Téry, se montre favorable à la suspension des cours, pour faciliter le volontariat. Le 18 mai, Paul Langevin publie une « lettre ouverte » exposant les raisons pour lesquelles il désapprouve « l'introduction (à l'Ecole) de conflits dans lesquels ces jeunes gens se trouvent obligés de prendre position de manière prématurée. Ils ne connaissent encore rien de ce monde du travail industriel où ils doivent entrer et où leur attitude actuelle peut leur créer plus tard de grosses difficultés. Notre devoir serait de ne pas permettre que des écoles soient détournées de leur activité normale ».

Ce sera l'un de ses premiers actes publics dans une voie où vont le pousser sa fougue, sa générosité, sa connaissance vécue de la misère ouvrière et aussi la certitude, alors largement partagée, que le règne de la justice, de l'égalité et de la dignité humaine s'ouvre en Russie bolchevique.

En cette même année 20, il s'associe à la campagne demandant l'amnistie des « mutins de la mer Noire », ces marins de la flotte française (parmi lesquels André Marty) condamnés parce qu'ils ont refusé de bombarder Odessa.

Dans aucune de ces circonstances, les noms de

Marie Curie, de Jean Perrin, d'Emile Borel n'apparaissent à côté de celui de Langevin.

Marie écrit à Irène, en octobre 21 :

« Je suis contente, somme toute, que Marty ait été élu. Cela fera réfléchir les gens de la réaction et de la finance. »

Mais elle n'a pas plus engagé son nom dans cette campagne qu'elle ne l'engagera en d'autres.

Tout le clan, qui est maintenant sur le second versant de la vie, a gardé la passion réformatrice de sa jeunesse. Ni les titres, ni les honneurs, ni les postes dont les uns et les autres seront comblés n'en tiédiront la flamme. La conviction où ils sont que le sort et l'avenir des sociétés se jouent sur la science, donc sur la place qu'on saura lui donner, sur les moyens consacrés à la formation de scientifiques et à la recherche, cette conviction est sortie encore renforcée de la guerre.

La première guerre qui a été — ils le savent mieux que d'autres — celle des technologies autant que celle des hommes.

Mais Langevin croit que seule une société dont les structures seront transformées saura donner place et moyens à la science.

Borel croit que c'est la science qui transformera les structures de la société.

Jean Perrin et Marie sont attachés aux actions concrètes à effets concrets.

Or, concrètement, la situation de la science française est désastreuse.

Le « matériel » humain ? 10 % des hommes actifs sont morts. La moitié des normaliens des classes 1911/12/13 ont été tués ou blessés. Ceux-ci n'ont pas repris leurs études. La jeunesse, qui aurait dû fournir les mathématiciens, les physiciens, les chimistes, les cerveaux scientifiques des années 20, a été littéralement saignée.

Ceux qui restent ? Les plus brillants, hésitant à s'engager dans des carrières universitaires où les salaires n'ont pas suivi la hausse des prix, se dirigent vers l'industrie.

Le statut de chercheur n'existe pas. Toute la recherche « désintéressée » est encore le fait d'enseignants. Et, selon la forte formule de Jean Perrin, « les cerveaux sont fâcheusement pourvus d'estomacs ».

Quant aux moyens de travail... En 1920, la Faculté des sciences n'a pas de quoi payer ses dettes.

A l'Institut du Radium, Marie ne dispose même pas de machine à écrire. C'est parce qu'elle a l'idée de racheter à bas prix des surplus de guerre qu'elle a réussi à réunir un peu de matériel ; c'est en harcelant personnellement le ministre des Finances qu'elle obtient que lui soient cédées deux camionnettes. Elle a bien reçu une belle lettre officielle lui indiquant que l'on mettrait à sa disposition « tous les crédits nécessaires, tous les appareils indispensables et autres moyens... » Mais dans la mesure du possible. Et le possible est dérisoire.

Le philanthrope se fait rare, lui aussi. Les titulaires des fortunes issues de la guerre ignorent tout du grand mécénat et, parmi les autres, beaucoup n'ont plus les mêmes moyens.

Dans l'ordre de la science, les soutiens financiers, lorsqu'ils se manifestent, vont de préférence aux recherches d'ordre purement médical.

En 1920, Henri de Rothschild, qui est docteur en médecine, crée une fondation pour développer la radiothérapie, la met en œuvre par une importante donation personnelle, et lui donne le nom de Fondation Curie. C'est un hommage, mais l'institution est rattachée, comme il est normal, à la section de recherche biologique et médicale de l'Institut du radium, celle que dirige le Dr Regaud.

Cette recherche-là n'est pas du domaine de Marie. Le lien entre le radium et la médecine a été fortuit dans sa carrière. Ce qu'elle entend créer, c'est une véritable école de radioactivité, pour y former des chercheurs aux méthodes de travail et d'expérimentation qu'elle a établies. Le laboratoire Curie doit être le lieu privilégié des découvertes que promet à ceux qui sauront et pourront l'explorer avec tous les moyens nécessaires, la force qu'elle a nommée radioactivité.

Or, lorsqu'elle a reçu l'allocation annuelle que lui verse la Caisse de recherche scientifique, l'inflation a rongé le pouvoir d'achat au point que cette allocation suffit à peine à acheter deux instruments de mesure.

Le courage, la détermination, l'assurance qui l'ont faite reine deux fois couronnée de la radioactivité, sont impuissants devant l'évidence : Paris est une fête, mais la science française est exsangue. Vers qui, vers quoi se tourner ?

Les plus dynamiques parmi les scientifiques vont essayer de sonner l'alarme en donnant, partout, de la voix et de la plume : qu'il s'agisse de prestige, de compétition industrielle ou de progrès humain, une nation qui n'investit pas dans la recherche est une nation qui décline.

Cela, chacun le sait plus ou moins — plutôt moins que plus — aujourd'hui. Dans les années 20, c'est une notion neuve. Rares sont les Français qui ont associé la puissance allemande à la suprématie que sa science a exercée pendant le XIXe siècle.

Et rares encore ceux qui ont étudié les causes de cette suprématie : l'attrait exercé sur les meilleurs cerveaux allemands et étrangers par l'excellence de l'organisation universitaire, les équipements rationnels, l'abondance des débouchés publics ou privés, l'appui considérable de l'industrie.

Quand la supériorité allemande est devenue manifeste, la Grande-Bretagne a réagi en créant une série d'établissements d'enseignement et de recherche dont le fameux laboratoire Cavendish de Cambridge où travaille Rutherford — et elle ne cesse depuis la guerre de les développer.

Et la France ? Selon les interlocuteurs qu'ils cherchent à convaincre, les scientifiques appuient sur la pédale « prestige », ou « lutte industrielle », celle qui va bien évidemment reprendre avec l'Allemagne, ou « progrès humain ».

Charles Moureu, qui fut le spécialiste des gaz de combat, réussit à enflammer le nationalisme de Maurice Barrès. Au faîte de son influence, Barrès vibre à la tribune de la Chambre en décrivant « le laboratoire, étoile de vérité et modèle de discipline sociale », aux députés du Bloc National éberlués.

Rien ne saurait leur être plus étranger qu'une vision de la puissance nationale fondée sur le progrès scientifique et technique. La puissance c'est l'Armée. Et l'Armée française ne vient-elle pas de faire la preuve qu'elle est la meilleure du monde ?

La campagne de « propagande scientifique » conduite par les savants ne sera cependant pas vaine. Surtout lorsqu'un événement viendra frapper les imaginations. Un événement au centre duquel se trouve, encore une fois, Marie Curie.

19

Où Marie avait-elle connu Henri-Pierre Roché, grand connaisseur et collectionneur, accessoirement auteur de *Jules et Jim*, fort lancé dans la société parisienne autour de laquelle gravitaient les artistes ? Sans doute chez l'un ou l'autre des membres de cette société parisienne, donc internationale, que les scientifiques du temps ne dédaignèrent jamais de fréquenter. Ou peut-être chez Rodin...

Toujours est-il que Roché connaissait assez Marie Curie pour lui demander de recevoir un représentant de l'espèce qu'elle exécrait tout particulièrement, avec de bonnes raisons : celles des journalistes.

Constamment sollicitée d'accorder des interviews, Marie répondait automatiquement : « Madame Curie ne reçoit pas de représentants de la presse, sauf pour donner des renseignements d'ordre technique, ne parle jamais de questions personnelles, de sa vie ni de ses goûts. »

Aux quémandeurs d'autographes, de photos dédicacées, de conférences, aux correspondants de toutes sortes, elle répondait scrupuleusement, surtout lorsqu'il s'agissait de cancéreux demandant un conseil. Ce sera le cas de la belle danseuse Loïe Fuller atteinte d'un cancer au sein et redoutant une ablation. Marie l'adressera au docteur Regaud.

Donc, un matin de mai 1920, Marie accueille dans son bureau du pavillon Curie Henri-Pierre Roché qui accompagne une toute petite personne grisonnante, aux grands yeux noirs, légèrement claudicante : Mrs Meloney Mattingley, que ses amis appellent Missy, comme elle va immédiatement en informer Marie.

Connaissant un peu les deux femmes, Roché se réjouit à part lui de ce qui va résulter du choc, et se prépare à l'amortir en servant d'interprète.

La minuscule Missy est rédactrice en chef d'un magazine féminin de bonne réputation intitulé : *The Delineator*. A 39 ans, elle a une position personnelle assez considérable, de solides relations politiques à Washington et il en faut plus que Mme Curie pour la désarçonner. D'ailleurs, personne ne la désarçonnera jamais dans l'exercice de son métier, qui la conduira plus tard à interviewer Hitler et Mussolini.

Pour l'heure, elle arrive de Grande-Bretagne où elle s'est entretenue avec H. G. Welles et Bertrand Russell.

Elle voyage en Europe pour enquêter sur les secours apportés aux sinistrés que parraine son journal et en profiter pour rencontrer quelques personnalités européennes éminentes. C'est du moins ce qu'elle a exposé dans la demande d'entretien adressée à Marie.

La réponse négative qu'elle a reçue ne l'a évidemment pas découragée. Elle a trouvé l'intermédiaire capable de lui ouvrir cette porte si bien fermée.

Et l'imprévisible va se produire. L'une de ces mystérieuses consonances, franches comme un accord en ut majeur. Un coup de foudre de l'amitié, dont les conséquences vont être infinies.

Marie est charmante, allez savoir pourquoi, avec cette bizarre petite créature.

Telle que nous la connaissons, elle ne doit pas être fâchée non plus de montrer à Roché qu'elle n'a nul besoin d'interprète. A cet égard, elle aura toujours dix ans, Marie.

En fait, Missy s'exprime très convenablement en français et, plus tard, les deux femmes mêleront, dans leurs conversations et leur correspondance, les deux langues.

Mais la journaliste est assez fine pour comprendre que Mme Curie est fière de son anglais et, ce jour-là, elle se garde bien de la priver du plaisir d'en user.

Marie parle donc volontiers. Répond gracieusement aux questions de Missy, peut-être parce que ce sont de bonnes questions, directes, concises. Missy est une professionnelle. Elle a préparé son interview.

Et elle recueille des informations surprenantes.

Qu'il y a cinquante grammes de radium aux Etats-Unis, répartis entre tels et tels laboratoires — Marie les énumère — et un seul gramme en France, où il fut découvert.

Que Mme Curie ne peut pas poursuivre ses travaux, faute de matériel et d'équipement.

Que la découverte du radium ne lui a jamais rapporté un franc, parce que, délibérément, elle n'a pris aucun brevet. Pas de brevet, pas de redevances. Des centaines d'hommes et de femmes, atteints d'un cancer, sont aujourd'hui traités au radium, mais Mme Curie est, en un mot comme en dix, pauvre. Dans un pays pauvre.

Stupéfiant ! De quoi étonner dans les chaumières de la 5e Avenue, assurément. Et remuer les Américains auxquels Missy s'emploie énergiquement dans ses éditoriaux, à donner pleine conscience de leurs devoirs vis-à-vis des pays meurtris par la guerre.

« Si vous pouviez formuler un vœu, que désireriez-vous le plus au monde », demande-t-elle à Marie pour conclure.

La réponse tombe, immédiate :

« Un gramme de radium. »

Missy enregistre, remercie et s'en va.

Deux jours après, elle sonne, quai de Béthune cette fois. Elle n'a eu aucune peine à obtenir ce deuxième rendez-vous. Au cinquième, elle en saura sur Marie davantage que bien des gens qui la connaissent depuis dix ans. Pour quoi faire ? Missy a une bonne nature. Elle aime admirer, et Marie lui paraît admirable. Elle aime les actions positives, et quoi de plus positif que de travailler au bien-être de l'humanité ? Cette excellente disposition étant assortie d'un vigoureux sens pratique, Missy, qui se compare elle-même à une locomotive, déplace des séries de wagons sinon des montagnes.

Combien coûte un gramme de radium ? Un million de francs, soit cent mille dollars[1]. Cent mille dollars pour une cause noble attachée à un grand nom, cela se trouve. Elle croit pouvoir les réunir auprès de quelques richissimes compatriotes.

Evidemment, quand elle aura réussi, il faudra que Marie vienne en personne chercher son gramme de radium. Parallèlement, une autobiographie bien lancée peut lui rapporter des droits d'auteur substantiels. Quel bénéfice Missy tirera-t-elle personnellement de l'opération ? Purement moral. La société qui édite son journal, la Butterick Company, aura l'exclusivité des premiers articles consacrés à l'opé-

1. Nous sommes en 1920. Un dollar vaut 10 francs.

ration, lorsque Marie aura mis le pied sur le sol américain. Correct ? Correct, incontestablement.

Ce langage plaît à Marie, parce qu'il est simple et direct. Elle ne soulève sur le principe qu'une objection : si on parle d'elle aux Etats-Unis, la presse américaine exhumera l'affaire Langevin.

Sa confiance en Missy a progressé au point qu'elle aborde clairement ce sujet tabou. Missy comprend parfaitement. L'Amérique des années 20 est beaucoup plus puritaine que la France ne l'a jamais été.

Quand elle quitte Paris, elle convient avec Marie d'un code qui leur permettra de communiquer télégraphiquement sur cette délicate question. L'adresse télégraphique de Missy à New York : IDEALISM. Un programme, en somme.

Il y a entre les deux femmes quelques traits communs. L'énergie dans un corps fragile : Missy a été tuberculeuse. Une « carrière d'homme » : Missy, fille de médecin, a débuté à 16 ans dans la presse d'information, alors que le journalisme américain était exclusivement masculin. Le sens de l'argent, accompagné de désintéressement personnel. Un tempérament de missionnaire, enfin. Mais leur entente rapide suggère aussi que Marie a reconnu en Missy l'une de ces partenaires affectives qu'elle a le talent de détecter parmi les femmes : les bonnes, les maternelles, les sûres, toujours prêtes à se défoncer pour elle, sur un appel. Lointaine mais toujours présente, Bronia sous les traits de l'une ou de l'autre...

Quinze ans après leur première rencontre, Marie écrira à Missy pour lui demander de détruire toutes les lettres qu'elle lui a adressées au cours des années, parce qu' « elles font partie de moi et vous savez comme je suis réservée dans mes sentiments. »

Missy eut le bon esprit de trier avant de détruire.

Ce qui reste de leur correspondance qui fut, par périodes, quasi quotidienne, atteste la permanence de l'affection qui lia ces deux guerrières également éclopées, également intrépides.

De retour à New York, Missy accomplit en six mois un travail gigantesque.

Trouver des fonds pour une grande cause, rien de plus simple en théorie. La pratique est toujours un peu plus laborieuse.

La chance voulut que les femmes millionnaires en dollars ne se précipitent pas au secours de Marie, du moins en nombre suffisant. Ce que voyant, Missy décida en toute simplicité de lancer une souscription nationale. Elle forma un comité réunissant ce qu'il fallait de cautions scientifiques. Mobilisa l'épouse du roi du pétrole, Mrs John D. Rockefeller, celle du vice-président des Etats-Unis, Mrs Calvin Coolidge, la fondatrice de l'American Society for the Control of Cancer, Mrs Robert Mead, quelques autres dames du même calibre, et elle se lança dans la plus formidable entreprise de relations publiques jamais encore réalisée, après avoir cependant plongé dans les journaux de 1911 pour savoir à quoi s'en tenir sur les répercussions de l'affaire Langevin aux Etats-Unis.

L'écho en avait été assez considérable, en particulier dans la presse Hearst, pour que le pire fût à redouter.

Ce que voyant, Missy prit chaque taureau par les cornes — c'est-à-dire chaque rédacteur en chef de chaque journal new-yorkais par les sentiments. Ce n'était pas précisément la spécialité de ces Messieurs. Mais elle sut être si éloquente qu'il n'y en eut pas un pour lui refuser ce qu'elle demandait : que cet aspect du passé de Mme Curie soit enterré.

Non seulement la parole donnée fut tenue, mais Missy sortit du bureau du plus coriace d'entre eux, le directeur du *New York Evening Journal,* avec un chèque de cent dollars pour le « Marie Curie Radium Fund ».

Dès le début de 1921, la correspondance entre Missy et Marie devient savoureuse.

Si quelqu'un s'estime à son propre prix, c'est Marie. Si quelqu'un est prêt à le payer, c'est Missy. Mais attention : de part et d'autre, on se doit d'être « régulière ».

Marie a promis de venir chercher elle-même son gramme de radium. Confirme-t-elle ? Elle confirme. D'écrire son autobiographie. Confirme-t-elle ? Elle confirme. Bien. Quatre éditeurs lui feront des propositions.

Missy, dans les lettres dont elle bombarde Marie, parle tantôt d'un grain, tantôt d'un gramme de radium. Le 12 janvier, Missy reçoit le câble suivant, signé Pierre Roché : « Mme Curie demande si un grain ou un gramme. Grain insuffisant pour justifier absence du laboratoire car égal au quinzième de gramme. »

Il s'agit bien d'un gramme, Missy confirme.

Détail supplémentaire, c'est le président des Etats-Unis qui le remettra en personne à Mme Curie, au cours d'une réception à la Maison-Blanche.

Parfait. Je pourrai rester deux semaines, écrit Marie.

Le roi et la reine de Belgique sont restés six semaines, répond Missy. La reine du radium ne peut pas faire un séjour moins royal.

D'ailleurs, il faut bien six semaines pour caser le programme ambitieux que Missy a mis sur pied. Il ne s'agit de rien moins que de traverser les Etats-Unis d'est en ouest, d'aller d'universités en laboratoires, et de collèges en banquets, recevoir diplômes de docteur honoris causa, médailles et hommages en tous genres, souvent accompagnés de subsides.

Six semaines loin de mes filles, ce sera bien long, indique Marie.

Emmenez vos filles, répond Missy.

Le vacarme organisé par Missy autour du prochain voyage de Mme Curie dans la presse américaine est tel que le Colony Club s'empresse d'offrir l'hospitalité à la visiteuse.

Quoi ? le Colony Club ? Attention ! Marie aux Etats-Unis, c'est une création de Missy. Elle n'a pas monté cette fantastique opération pour faire la publicité du Colony Club. Elle écrit : « Le Colony Club est un endroit très beau et très luxueux, mais je ne suis pas sûre que vous y ayez la tranquillité que vous souhaitez. Je me sentirais, bien sûr, extrêmement honorée si vous acceptiez de vous installer chez moi. Mon mari et moi vivons très calmement et simplement, comme ici la plupart des gens qui travaillent dans les milieux littéraires. Je voudrais que vous soyez mon invitée le temps que vous resterez à New York et que ce séjour ne vous coûte rien. »

Soit, dit Marie, mais mes filles ? Le voisin de Missy, « mon ami, M. John R. Crane, ambassadeur en Chine », absent, se fera un plaisir de prêter son appartement.

Les journaux parisiens ont annoncé que les Etats-Unis s'apprêtaient à faire don d'un gramme de radium à l'Université de Paris. Marie bondit. Attention ! Missy a toujours dit qu'il s'agissait d'un don fait à Mme Curie. Réponse de Missy : « Le gramme de radium est pour vous, *pour votre usage personnel* et pour que vous-même décidiez de son utilisation après votre mort. »

Et elle ajoute cette phrase superbe : « Je serais

heureuse d'être de quelque utilité à l'Université de Paris si elle a besoin d'aide, mais pour l'instant mon temps et mon énergie n'ont en vue que vos intérêts. »

Si Marie en a jamais douté, elle ne peut plus en être désormais que totalement convaincue.

« Jc n'acccptcrai pas une seule proposition sans votre accord », est sa façon de le faire savoir à Missy.

Une fausse note dans la symphonie publicitaire fait trembler Missy. Un journal qui possède en archives un « dossier Curie » constitué de coupures de la presse parisienne y puise l'information selon laquelle Mme Curie est juive. On se souvient que cela fut écrit pour lui fermer l'Académie.

Missy fait rectifier le lendemain. Il n'y aura pas d'autre alerte quant à la résurrection du passé.

En mars, nouveau télégramme de New York : « Câbler coût laboratoire Midi-France. Envoyer aussi nouvelles photos vous et vos filles... »

Marie rêve en effet d'un laboratoire privé quelque part dans le Midi. Mais elle en a parlé sans trop y croire. Et n'a jamais fait procéder fût-ce à une ébauche de devis. Elle répond par lettre qu'un tel laboratoire serait assurément un bienfait pour sa santé et sa tranquillité d'esprit, fort utile de surcroît pour les travaux exigeant le traitement, irréalisable à l'Institut, de grandes quantités de minerais. Et achève ainsi :

> Si je vous dis, de plus, que mon laboratoire actuel a besoin d'un agrandissement sur place, et qu'il manque de crédits et de personnel à tel point que je ne suis pas du tout aidée dans mes travaux et que même, en ce moment, je tape moi-même à la machine la lettre que je vous écris — alors vous comprendrez sans peine que

des concours généreux me soient très nécessaires. »

Il ne lui reste plus qu'à aller recevoir ces concours là où on les lui offre. Il est convenu que ce sera en mai. Marie demande à Missy de prendre rendez-vous pour elle avec un grand spécialiste de New York. Elle vient d'écrire à Bronia :

> « Mes yeux sont très affaiblis et l'on n'y peut probablement pas grand-chose. Quant aux oreilles, un bourdonnement presque continuel, souvent très intense, me persécute. Je m'en inquiète beaucoup : mon travail peut être entravé — ou même devenir impossible. Peut-être le radium est-il pour quelque chose dans ces troubles, mais on ne saurait l'affirmer avec certitude.
>
> « Voilà mes peines. N'en parle à personne surtout pour que le bruit ne s'en répande pas... »

Le radium coupable ? C'est là première fois qu'elle en évoque l'idée. Elle aura bientôt confirmation qu'elle est atteinte d'une double cataracte.

Lorsqu'on apprit à Paris que Mme Curie allait recevoir des mains du président des Etats-Unis le miraculeux produit d'une collecte nationale, il y eut quelque agitation dans les rédactions et au ministère de l'Instruction publique. Comment fallait-il traiter la chose ?

Le ministre fit discrètement demander à Marie si elle accepterait la Légion d'honneur. Elle refusa, pour la seconde fois. C'est sa fidélité à Pierre.

Les rédacteurs en chef lavèrent la tête des jeunes journalistes qui disaient : « Mme Curie, qu'est-ce qu'elle fait déjà ? » et optèrent, sans se concerter, pour le mode lyrico-patriotique.

Le magazine *Je sais tout* conçut le projet de patronner un gala pour célébrer son départ. Un gala ? Accompagné d'un appel de fonds, Madame, accompagné d'un appel de fonds en faveur de l'Institut du radium... Une grande manifestation au bénéfice de la science française dont vous êtes la plus merveilleuse figure !

La merveilleuse figure accepta. Elle en était toujours à taper elle-même ses lettres à la machine.

Sacha Guitry fut chargé d'organiser la soirée. Le gratin de la science française fut mobilisé et se trouva réuni, le 27 avril 1921, au théâtre de l'Opéra, autour de Marie dont l'entrée fut saluée par des applaudissements nourris. Sarah Bernhardt, voix d'or et poids des ans sur sa jambe de bois, psalmodia une *Ode à Madame Curie,* quatorze strophes de Maurice Rostand. Jean Perrin et le docteur Regaud récitèrent chacun leur compliment. Guitry joua deux actes d'une pièce judicieusement intitulée *Pasteur*.

Missy avait déjà indirectement réussi cela au moins : la réhabilitation publique, en France, de son héroïne.

Quelques jours après, elle embarquait Marie et ses filles sur l'*Olympic,* paquebot de la White Star Line dont le président avait été convaincu de venir en personne conduire Mme Curie jusqu'à ses appartements : la suite habituellement réservée aux jeunes mariés.

Marie y passa le plus clair de la traversée, dans l'appréhension de ce qui l'attendait.

20

Le premier contact avec le « nouveau monde », comme on disait alors, fut désastreux de part et d'autre.

Marie n'avait jamais donné une conférence de presse. Elle y était si peu préparée, quoi que Missy lui en ait dit pendant la traversée, qu'elle avait en toute candeur rédigé une déclaration qu'elle comptait distribuer, dactylographiée, aux journalistes, comme elle le faisait à Paris avec les respectueux reporters du *Temps*.

Lorsqu'elle apparut sur le pont supérieur du paquebot où Missy avait prévu sa rencontre initiale avec la presse, il se passa ce que chacun connaît aujourd'hui pour l'avoir vu sinon subi. Une charge d'infanterie. Epouvantée, Marie se tassa dans son fauteuil, crispée sur son sac, chapeau arraché découvrant une tête blanche. Mitraillée par les photographes et parfois éblouie, cernée par les caméras d'actualités, pressée de questions familières, rapides, fusant de tous les côtés, elle resta lèvres pincées, figée, quasi muette.

Du quai montaient la rumeur de la foule agglutinée depuis plusieurs heures pour apercevoir l'étoile du radium « bienfaitrice de la race humaine », la musique des fanfares jouant alternativement *la Marseillaise, Le Star Spangled Banner,* l'hymne national polonais, les chants de bienvenue des bataillons de girl-scouts, les vivats des multiples comités d'accueil agitant des banderoles, les clameurs de la délégation polonaise — trois cents femmes agitant des roses rouges et blanches.

Sans répondre, fût-ce d'un geste, à tant de joyeuse hospitalité, Marie descendit la passerelle tête baissée et s'engloutit dans la première des gigantesques limousines que Mrs Andrew Carnegie avait mises à sa disposition, comme si elle fuyait un incendie, laissant admirateurs et admiratrices déconcertés : Mme Curie n'aimait donc pas l'Amérique ?

Dans le numéro du *Delineator* largement consacré à Mme Curie, ses pompes et ses œuvres, Missy avait décrit une femme « d'une rare beauté »... une « statue grecque » au « dos généreux », au visage « doux et arrondi »... Ses confrères rapportèrent ce qu'ils avaient vu : des épaules frêles, un dos voûté, un front ridé, un visage où il n'y avait plus rien de jeune.

Les photos illustrant la presse du jour leur donnaient cruellement raison. Elle avait beaucoup vieilli.

Aussi Mme Curie ne fit-elle pas la conquête de l'Amérique. Mieux, elle l'attendrit.

Dans un pays où le vison et l'orchidée étaient — les choses ont bien changé — inséparables du statut social, et où les femmes avaient l'illusion, en parlant fort, de faire la loi, la « savante pauvrement vêtue », la « petite femme timide », la « visiteuse lasse », suivie pas à pas par un cortège de journalistes rapportant ses silences faute de pouvoir rapporter ses propos, l'anti-vedette du spectacle Curie fit, comme on dit en jargon de théâtre, un malheur.

Mais à quel prix !

Extrait de cette mine d'or qu'est la générosité spontanée des Américains, ce second gramme de radium lui coûta presque autant d'efforts que le premier, arraché à l'ingrate pechblende.

Courant de collège féminin en collège féminin, de banquet en banquet, de Carnegie Hall au Waldorf, de West Point au Musée d'histoire naturelle au son des hymnes et des discours, dans une atmosphère de kermesse effusive où une admiratrice trop robuste lui foula le poignet en secouant une main déjà meurtrie pour l'avoir trop tendue, elle se retrouva en moins d'une semaine bras en écharpe et quasiment anéantie. Ce n'était qu'un début.

Redoutant de s'effondrer avant la réception à la Maison-Blanche, elle délégua ses filles à quelques-unes des « parties » organisées en son honneur par chacune des riches bienfaitrices qui ne demandaient, en échange de leur frénétique activité, que de pouvoir l'asseoir dans leur salon pendant une heure.

Sauvage comme une gazelle, brusque, fagotée, s'ennuyant et l'affichant, Irène était encore moins faite que sa mère, si possible, pour ce genre de festivités.

En revanche, les 16 ans d'Eve étaient exquis. Sous son joli chapeau, surexcitée par son propre succès, s'adressant à des interlocuteurs qui n'avaient pas plus d'intérêt qu'elle pour la physique mais autant qu'elle pour le jazz, la jeune fille « aux yeux de radium », comme de bien entendu, fut enfin — enfin ! — plus utile à sa mère qu'Irène, et sans aucun doute s'en délecta.

Elle ne s'amusait pas tous les jours à Paris, la petite sœur qui n'aimait pas les mathématiques...

La cérémonie de Washington devait avoir lieu le 20 mai. Le 19, après une ultime réception à New York, Missy rejoignit Marie dans sa chambre pour lui faire lire le document qui accompagnerait, le lendemain, la remise du radium.

Les deux femmes étaient également épuisées. Marie chaussa ses lunettes, examina le document, et dit calmement : « Il faut ajouter quelque chose. »

Ce soir-là, Missy sut définitivement qui était vraiment Marie. Et réciproquement.

Que voulait Marie ? Un paragraphe plus explicite sur le libre usage qu'elle pourrait faire de ce radium. Que craignait-elle ? De mourir, et alors qu'en adviendrait-il ? A qui appartiendrait-il ?

Il fallait que l'ayant reçu, Marie ait le droit de le donner à son tour, afin qu'il soit la propriété du laboratoire Curie.

Ce problème de succession l'obsédait depuis qu'à la mort de Pierre elle avait eu quelques difficultés. Quant à sa propre mort, en évoquer la proximité comme elle le faisait si volontiers, semblait être sa façon d'en conjurer la fatalité.

Soit, dit Missy. Corrigeons le document. Mais il faut que la rédaction de ces lignes additionnelles soient vérifiées par un avocat.

Trouvez un avocat, répondit Marie.

Il faut aussi que les donatrices soient d'accord sur cette rédaction, dit Missy.

Trouvez les donatrices, répondit Marie.

On aura déjà deviné que Missy trouva un avocat requis de se mettre d'urgence au service de Mme Curie. Trouva deux représentants des donatrices, dont l'une était l'épouse du vice et futur président des Etats-Unis, Mrs Calvin Coolidge. Il en fut fait comme Marie l'avait désiré. Après quoi, bien que la soirée fût fort avancée, Marie ouvrit la discussion au sujet de l'usage auquel seraient attribués les dollars qui continuaient d'affluer, et dont le montant dépassait déjà très largement les cent mille dollars du radium.

Les femmes américaines qui avaient constitué le Marie Curie Radium Fund eurent, ce soir-là, le sentiment désagréable que Mme Curie n'était décidément pas exactement la personne qu'on leur avait décrite, et commencèrent à éprouver l'agacement des scientifiques qui l'affrontaient dans les Congrès. Elles n'étaient pas des mauviettes, elles résistèrent longtemps. La discussion fut interrompue sans que la question eût été tranchée, les dollars en question — plus de cinquante mille — furent bloqués en banque pendant plusieurs années.

Mais on aura déjà deviné qu'à la fin, Marie imposa ce qu'elle avait décidé.

La Maison-Blanche fut sans surprise. Cohue, ambassadeurs, colonies française et polonaise, défilé d'invités devant Marie, toujours bras en écharpe, ses filles saluant à sa place, en français, en anglais, en polonais.

Marie avait revêtu pour la circonstance sa robe de dentelle noire, celle qu'elle portait dix ans plus tôt pour la remise du second prix Nobel.

Le président Harding était un homme aimable et inconsistant, qui se trouvait là parce qu'à la fin d'une convention du parti républicain bloquée par des rivalités internes, l'accord s'était fait sur le plus falot, catapulté sur la scène politique par la main de fer de son épouse qu'il appelait « la Duchesse ».

« Je ne suis pas fait pour ce poste, disait-il, et je n'aurais jamais dû être ici. » Remarque qui faisait au moins honneur à son jugement.

Il émit gracieusement quelques platitudes à l'intention de « l'âme du radium », « noble créature, épouse dévouée, mère aimante qui, en dehors de son œuvre écrasante, a rempli toutes les tâches de la femme ».

Lui passa autour du cou un ruban retenant une clé d'or destinée à ouvrir le coffret d'acajou exposé sur une table. Doublé de plomb, il pesait cinquante kilos plus un gramme. Le radium.

Déjeuners et réceptions, conférences et banquets, trains et autocars, Philadelphie, Boston, Pittsburgh, Buffalo, Chicago, universités et sociétés savantes, visites d'usines et de laboratoires... foules curieuses piétinant des heures durant pour apercevoir, un instant, celle par qui le cancer était vaincu...

Peut-être dans cette foule y eut-il ici ou là l'une des jeunes ouvrières d'une usine où l'on peignait, avec une peinture contenant du radium et du mésothérium, des chiffres lumineux sur les cadrans des montres et des pendules. Pour affiner leur pinceau, les ouvrières avaient l'habitude d'en lécher la pointe. La plupart moururent quelques années plus tard d'un cancer de la mâchoire.

L'origine du mal, baptisé « radium jaw » (mâchoire irradiée), avait été détectée en 1924 par un dentiste de New York, mais pour ses patientes, il était trop tard.

On sait que si les rayonnements du radium et autres métaux radioactifs détruisent bien les cellules cancéreuses, ils peuvent aussi en produire, parce qu'ils attaquent également les cellules saines. Mais ce qui gouverne aujourd'hui l'usage de la radiothérapie, personne n'en avait, en 1921, le moindre soupçon.

C'est de l'hypotension que le médecin de Missy diagnostiqua chez Mme Curie quand il déclara qu'elle avait impérativement besoin de repos. La plus fatiguée des deux était d'ailleurs, à ce stade du voyage, la petite Américaine souffreteuse, traînant sa patte courte.

Elle savait, comme Marie, cravacher l'animal quand il regimbe, mais elle avait atteint, elle aussi, le point critique où l'animal se couche. La folle équipée qu'elle avait conçue et conduite avait réveillé un foyer tuberculeux.

Quant à Marie, à la vue d'un quelconque comité d'accueil, bouquet à la main et chanson aux lèvres, elle frisait désormais la syncope.

Un journal traduisit en manchette : « Trop d'hospitalité ! Nous avons déjà failli tuer le maréchal Joffre par notre excès d'enthousiasme. Allons-nous tuer Mme Curie ? »

Cet excès d'enthousiasme n'avait pas franchi, il faut bien le dire, les frontières du monde purement scientifique.

Si les chercheurs américains n'avaient pas brillé au début du siècle — l'un d'eux, le physicien Rowland, remarquait alors que l'Amérique confondait la science avec l'invention mécanique — la guerre avait déclenché, comme partout, des questions et des amorces de réponse [1].

Mais tout l'effort relativement récent de recherche fondamentale restait financé par des fonds privés. Carnegie Corporation et Rockefeller Foundation en tête. Or, que venait faire Mme Curie aux Etats-Unis ? Rafler des fonds privés. Elle avait déjà largement bénéficié de la bienveillance dorée d'Andrew Carnegie. Tout ce qu'elle emporterait en France serait

1. C'est la Seconde Guerre mondiale qui fut décisive. Entre 1901 et 1938, 12 prix Nobel furent attribués à des Américains (en physique, chimie, médecine et physiologie). Entre 1939 et 1976, ils en ont reçu 88.

autant que les laboratoires américains n'auraient pas.

Et puis, qu'est-ce que c'était que ce cirque autour d'une dame qui, pour finir, n'avait rien fait depuis dix ans ?

De grandes universités — Yale, Columbia — décidèrent néanmoins de recevoir Marie et de lui décerner un diplôme de docteur ès sciences honoris causa, mais la plus ancienne et la plus arrogante, Harvard, dédiée « au savoir et à la crainte de Dieu », résolut de n'en rien faire.

Tout le département de physique de l'université s'y était opposé.

Le vieil ennemi de Marie, Beltram Boltwood, qui ne s'était jamais caché de la trouver scientifiquement nulle et humainement insupportable, n'y fut pas étranger.

Boltwood se trouva cependant nez à nez avec elle lorsqu'à l'invitation de l'American Chemical Society, Marie passa deux heures au Sloane Laboratory. Il la trouva « pathétique », « d'une amabilité inhabituelle » et parut découvrir à l'occasion « son grand intérêt pour les sujets scientifiques », ce qui rend l'ensemble de ses jugements passés pour le moins suspect [1].

D'autres chercheurs exprimèrent dans la presse leur mauvaise humeur devant la razzia opérée par la pathétique Marie dans les portefeuilles américains. Encore ne savaient-ils pas tout.

Bien que Missy eût annulé la tournée du « cirque » dans l'Ouest où Irène et Eve représentèrent leur mère, Marie avait récolté aux Etats-Unis, outre cent mille dollars de radium, vingt-deux mille dol-

1. C'est d'ailleurs à partir des méthodes établies par Marie que Boltwood avait isolé en 1907 un radioélément, l'ionium.

lars en mésothérium et autres minerais précieux, six mille neuf cents dollars en récompenses diverses, le reliquat de la souscription non encore close, soit cinquante-deux mille dollars, et de multiples dons en équipements de toutes sortes.

De quoi faire du laboratoire Curie ce haut lieu de la physique et de la radioactivité dont elle avait rêvé, digne des laboratoires étrangers les plus sophistiqués. Et le flot, guidé par Missy, continua de l'alimenter pendant plusieurs années.

Fabuleuse razzia.

Marie avait empoché de surcroît 50 000 dollars d'avance sur les droits d'auteur d'une insipide autobiographie. Missy avait en tout point tenu ses promesses, et bien au-delà.

Lorsque, sous l'œil d'une nuée de photographes, les deux femmes se dirent adieu sur le paquebot en partance pour le Havre, on entendit Marie murmurer : « Laissez-moi vous regarder encore une fois, chère chère amie... Peut-être que je ne vous verrai plus. »

Le cristallin des beaux yeux gris couleur de cendre devenait chaque jour plus opaque. Elle était convaincue d'être aveugle à brève échéance.

Marie et Missy s'étreignirent en pleurant.

Disons tout de suite que ces deux minces créatures expirantes ne se retrouvèrent pas moins, sept ans plus tard, à la Maison-Blanche, devant un autre président des Etats-Unis pour recevoir de quoi acheter un autre gramme de radium offert par le peuple américain. Pour la Pologne, cette fois.

Entre-temps, Missy, devenue rédactrice en chef du supplément hebdomadaire édité par le *New York Herald Tribune,* avait reçu elle aussi sa dose de radiations pour soigner « à titre expérimental » une tumeur que l'on croyait maligne.

Quant à Marie, elle avait subi trois opérations de la cataracte sans renoncer pour autant à courir de Hollande au Brésil, d'Italie au Danemark, de Tchécoslovaquie en Espagne, d'Ecosse en Pologne. Sans compter quelques déplacements à Genève où elle participait à la commission de la Société des Nations pour la coopération intellectuelle, et en Belgique pour les congrès Solvay.

Missy et Marie étaient bien de la même race. Celle des irréductibles.

Du bateau qui la ramenait en France, Marie écrivit une lettre affectueuse à Missy, exprimant le souci qu'elle-même et ses filles avaient de la santé de leur chère amie.

> « ... Nous nous demandons si vous avez consenti à vous faire sérieusement soigner. Je vous en prie, faites-le-nous savoir dès que possible. Nous vous aimons toutes et nous voulons vous voir solide et heureuse. »

Mais, dans la même lettre, elle s'inquiète également des 52 000 dollars déposés à l'Equitable Trust Company :

> « ... Bien sûr, il me serait délicat de discuter les décisions que vous-même et le comité pourrez prendre pour nous faciliter la vie, à mes filles et à moi... Pour ce qui est de l'attribution générale du fonds, je suis certaine que les femmes qui ont versé leur don pour ma cause aimeraient que cet argent soit utilisé en accord avec ma propre opinion et je pense que mes conseils pourraient vous être utiles. »

A l'arrivée du train-ferry venant du Havre, le 2 juillet 1921, il n'y eut, sur le quai de la gare Saint-Lazare, ni bouquets, ni banderoles, ni photographes pour accueillir Mme Curie.

Trois personnes seulement l'attendaient : un jeune chercheur du laboratoire, Marcel Laporte, chargé aussitôt du précieux coffret de radium, et deux journalistes, qui posèrent à Marie la même question : « Que pensez-vous du match Carpentier-Dempsey ? »

C'était la dernière question qu'elle avait entendue aux Etats-Unis. Elle répondit sèchement qu'elle était sans opinion sur la question.

Nul doute que, quelques heures plus tard, elle aurait eu quelque chose de plus à en dire. Devant la gare, pas de taxi. Aux abords de la gare, pas de taxi. Seulement des haut-parleurs diffusant round par round les étapes de la rencontre pour le titre de champion du monde, en train de se disputer à New York.

Et tous les Parisiens dans la rue, guettant les fusées qui allaient annoncer dans le ciel la victoire du Français par K.-O. au 4e round. Tous les Parisiens, y compris les chauffeurs de taxi.

C'est ainsi que Marie rentra à pied quai de Béthune, par une belle nuit d'été, avec tout le loisir de méditer en chemin sur la valeur relative des célébrités.

Quelques années plus tard, c'est encore sur le quai d'une gare que Marie se trouva en « rivalité de célébrité » avec un boxeur.

Cette fois, c'était à Berlin et c'était Jack Dempsey. Elle écrivit à sa fille :

> « Une foule assemblée sur le quai de la gare courait et criait pour acclamer le boxeur Demp-

> sey qui descendait du même train que moi. Il avait l'air content. Y a-t-il au fond une grande différence entre acclamer Dempsey et m'acclamer moi ? Il me semble que le fait d'acclamer de cette manière a en lui-même quelque chose qui n'est pas à recommander, quel que soit l'objet de la manifestation. »

Non, ce n'est pas quelque chose à recommander. Mais Marie ajoutait :

> « Je ne vois cependant pas clairement comment l'on devrait procéder ni à quel degré il devrait être permis de confondre la personne avec l'idée qu'elle représente. »

Représenter une idée, c'est ce à quoi elle allait consacrer l'essentiel des années qu'elle avait encore à vivre. Une idée simple, forte, et combien contestée aujourd'hui : il n'y a qu'une source de progrès, la science.

21

Tandis que Marie écumait l'Amérique, ses amis exploitaient à Paris le bruit fait autour de son expédition et découvraient un principe simple : il faut prendre l'argent là où il se trouve.

Ils sont prêts à s'adresser au diable, mais Edmond de Rothschild, déjà fort âgé, est plutôt le bon Dieu, au moins pour les artistes. Son intérêt pour la science n'est pas moins vif.

Il commence par doter de dix millions une fondation consacrée à des bourses pour jeunes chercheurs.

C'est l'une de ces bourses qui permettra à un élève de Langevin, dépourvu de titres universitaires, de commencer au laboratoire Curie une carrière de chercheur. Son nom : Frédéric Joliot.

Le vieux baron a envie de voir de ses yeux, dans un microscope approprié, cette danse que l'on appelle mouvement brownien, reflet de l'agitation chaotique des molécules en collision avec les atomes invisibles dont l'observation a fait la célébrité de Jean Perrin.

Celui-ci lui en offre une représentation.

Les boucles rousses de Perrin sont devenues blanches, mais sa vitalité, cette séduction de l'enthousiasme qu'il continuera si longtemps d'exercer sur les jeunes femmes comme sur les vieux messieurs, est efficace.

Lorsque le vieux baron finit d'escalader l'escalier fort raide qui conduisait au laboratoire situé sous les toits de la Sorbonne, il constata que « décidément, en France, la science est bien mal logée ».

Et décida de donner 50 millions pour que soit édifié un institut de biologie physico-chimique. Jean Perrin, André Mayer et Georges Urbain en seront les directeurs.

Emile Borel le met en relations avec le représentant de la Fondation Rockefeller. Un financement commun permettra la création de l'Institut Henri Poincaré pour les mathématiques et la physique mathématique. Borel le dirigera.

Le tout sera construit dans les années 20, autour et dans le prolongement de l'Institut du radium, rue Pierre-Curie.

Les appels des scientifiques au Parlement rencontrèrent également un écho, plus symbolique mais non négligeable. Après avoir entendu leur collègue Maurice Barrès évoquer « les salles sans lumière, humides, aux murs décrépits où les instruments s'oxydent », il y eut une majorité de députés, droite et gauche confondues, pour admettre un principe nouveau : celui d'une recherche indépendante de l'enseignement, bénéficiant de crédits propres.

Le laboratoire Curie en fut l'un des bénéficiaires. Marie alloua le cinquième de ce qu'elle reçut à ce titre aux travaux personnels d'Irène, devenue, à l'agacement non dissimulé de quelques-uns, la « dauphine ».

Borel, auquel ses amis reprochaient comme à Langevin de se disperser, mais que trop de choses amusaient pour qu'il consentît à s'ennuyer cinq minutes, eut le bon esprit de devenir député de son département natal, l'Aveyron, où son père avait été pasteur.

Il prétendait qu'il ne voulait plus entendre parler de hautes mathématiques, et, après la guerre, s'en était allé faire un tour en Chine. Quand on le sollicita de se présenter contre le général de Castelnau, il accepta à la condition que le socialiste Paul Ramadier figurât sur la même liste.

La liste passa — c'était en 1924, le balancier était reparti vers la gauche. Une fois élu, Borel s'occupa bien entendu de science. C'est lui qui inventa ce que l'on appela « le sou du laboratoire ».

Un prélèvement imposé à l'industrie pour aider à la formation professionnelle (la taxe d'apprentissage) était en discussion au Parlement. Borel fit observer que sans recherche scientifique, il n'y aurait pas d'industrie moderne. Il proposa que la taxe soit augmentée d'un septième et que le montant de la différence soit remis aux scientifiques.

Painlevé était président de la Chambre, Herriot président du Conseil, Léon Blum chef du parti socialiste... La vieille complicité des Normaliens ne fut pas étrangère au vote final.

L'année suivante, Borel fut ministre. De la Marine, évidemment, puisque ce n'était en aucune manière sa spécialité. Mais ceci est une autre histoire.

A la fin des années 20, les structures dans lesquelles s'exerçait la recherche scientifique n'avaient pas fondamentalement changé, mais on pouvait croire la situation redressée. Entre l'Institut Pasteur, l'Institut du radium et les Fondations Rothschild, une recherche indépendante du système universitaire s'était mise en place.

Parallèlement, Langevin a mené bataille, l'une des plus rudes batailles internes dont la Science, qui n'en manque pas, a été le théâtre.

Dès 1909, il a fait cours au Collège de France sur la relativité restreinte, et a invité Einstein à venir en parler. La guerre a suspendu ce projet.

Lorsque Langevin le reprend après la guerre, la théorie de la relativité générale semble confirmée. A la fin de 1919, les journaux britanniques titraient en manchette : « Une révolution dans la science : les idées de Newton ruinées. » La courbure des rayons lumineux par la gravitation venait d'être vérifiée lors d'une éclipse totale du soleil.

Néanmoins, la quasi-totalité des physiciens et mathématiciens refuseront farouchement et longtemps d'ouvrir ce que Langevin appellera « une fenêtre nouvelle sur l'éternité ». Le mot même de relativité ne sera pas prononcé lorsque le jury Nobel couronnera Einstein en 1921.

Pour inciter les physiciens français à saisir ce qu'il y a de radicalement neuf dans la pensée d'Einstein, Langevin poussa l'audace jusqu'à inviter le savant allemand à venir donner à Paris un cycle de conférences. C'était en 1922. De part et d'autre du Rhin, les nationalismes étaient également exacerbés [1].

Einstein, naturalisé suisse vers 18 ans, n'avait eu aucune activité pendant la guerre, sinon scientifique. En 1914, pour justifier la violation du territoire belge, 93 intellectuels allemands (dont Max Planck) avaient signé un *Manifeste au monde civilisé* soutenant le militarisme de leur pays, défenseur, selon eux, de la culture germanique.

Un contre-manifeste élaboré par le professeur Nicolaï appela à la coopération entre universitaires des nations belligérantes afin de préserver l'avenir

1. C'est en 1927 seulement que des scientifiques allemands purent être invités à participer au congrès Solvay dont c'était la 3e session depuis la guerre. Einstein fut invité en 1923 mais refusa de s'y rendre dès lors que l'institut belge refusait de convier d'autres Allemands.

de l'Europe, et proposa la création d'une Ligue des Européens. Il recueillit trois signatures dont celle d'Einstein. Comme Bertrand Russell en Grande-Bretagne, comme Marie Curie en France, Einstein était de ces intellectuels qui n'en finiraient jamais de s'étonner que les dépositaires théoriques des plus hautes valeurs de l'esprit soient si prompts à s'enivrer de sang.

Lorsque la proposition de Langevin lui parvint, le ministre des Affaires étrangères, Walter Rathenau, socialiste et internationaliste convaincu, le persuada que c'était son devoir d'accepter, bien qu'il fût une cible rêvée pour les nationalistes allemands.

Il l'était également pour les nationalistes français qui protestèrent vigoureusement contre la venue à Paris du « juif allemand », et annoncèrent qu'ils l'empêcheraient de parler.

De sorte que la première séance où Einstein parut au Collège de France, sous la houlette de Langevin, eut lieu sous la protection de la police filtrant les invités parmi lesquels se trouvaient, bien sûr, Marie, Perrin, Borel, Painlevé, Henri Bergson aussi, la comtesse Greffulhe qui décidément aimait la science — à moins que ce ne fût un scientifique... —, Mme Ménard-Dorian qui inspira parmi d'autres à Proust le personnage de Mme Verdurin — bref, du beau monde.

La comtesse de Noailles, dont la poésie passait pour être aussi bonne que son auteur avait de séduction pour le faire croire, voulut, comme tout le monde, rencontrer le grand homme. Emile et Marguerite Borel furent les amphitryons. Un dîner réunit chez eux Langevin et Perrin, brillants, Marie laconique, comme d'habitude, Anna de Noailles volubile, et Einstein enchanté de jouer avec la jolie comtesse au jeu des ficelles entrecroisées sur les doigts des deux mains.

Mais le séjour d'Einstein ne se résuma pas à un tohu-bohu mondain. Il parla plusieurs fois devant des auditoires scientifiques, rencontra chez Borel un certain nombre d'hommes politiques, et Paul Valéry. Il repartit avec le sentiment que sa visite avait servi la cause de la réconciliation internationale.

En rentrant à Berlin, prévenu qu'il était sur la liste noire de ceux que les nationalistes avaient décidé d'assassiner, il se cloîtra. Rathenau fut abattu en juin.

Quelques mois plus tard, c'est Einstein qui invitait Langevin à Berlin où ils participèrent tous deux à un meeting en faveur de la démocratie et de la paix. Obéissant aux menaces des nationalistes, le préfet de Berlin leur interdit à l'un et à l'autre de prendre la parole.

Mais Einstein ne fut jamais un « politique ». La vigueur mise par Langevin à propager la physique moderne s'accompagnait en revanche d'un engagement de plus en plus prononcé. Cette conjugaison ne fut pas étrangère au double échec qu'il essuya quand il se présenta à l'Académie des sciences.

En revanche, les meilleures maisons parisiennes — et celle de la reine Elisabeth de Belgique — ne cessèrent jamais de lui être ouvertes. Il y parlait peu, il est vrai, des réalisations de l'U.R.S.S. — encore que cela n'eût probablement pas dérangé ses hôtes, tant il apparaissait alors que toute l'espérance humaine s'y était réfugiée — mais du fascisme dont le triomphe en Italie, les manifestations en Allemagne portaient la guerre dans leurs flancs.

Ce pacifiste qui appelait passionnément à l'union des peuples pour préserver la paix ressemblait encore à un officier de cavalerie. Il était, en fait, un pur jauressien, animé du même souffle. L'homme qui disait autrefois : « Ah ! j'aurais aimé être acteur », était devenu un orateur vibrant que l'on écoutait dans les meetings.

Construire des instituts ? Trouver des crédits pour la recherche ? Perrin, Borel, Maric, ses amis avaient raison d'en faire une grande affaire et d'ailleurs, il y contribuait, mais qu'en resterait-il si une nouvelle guerre ?... Et qui pouvait empêcher la guerre, sinon le peuple, les peuples ?

En 1927, Langevin présida le premier grand meeting antifasciste tenu à Paris, salle Bullier, devant huit mille personnes.

Il ne semble pas que Marie y ait assisté.

Ses sentiments sur le sujet ne font pas question. Ce qui la tiendra obstinément à l'écart de la mêlée politique, ce n'est nullement une façon de renvoyer dos à dos les adversaires qui s'y affrontent. Son camp, elle l'a choisi de bonne heure. C'est celui de la démocratie contre l'autocratie, de la justice contre l'injustice, du progrès social contre le conservatisme, de la liberté d'esprit contre l'obscurantisme ou le dogmatisme.

Mais quelles sont les forces porteuses de progrès ? Les forces populaires, répond Langevin. Les forces de la science, répond Marie, et ce sont elles que nous, scientifiques, devons nous employer à libérer. Chaque homme, chaque femme que nous formons à l'esprit scientifique, que nous donnons à la science, est un serviteur du progrès.

Le romantisme révolutionnaire, l'illusion lyrique dont elle était déjà détachée à 20 ans, elle n'y a jamais puisé la moindre ivresse.

Elle ne les condamne pas, à condition qu'ils ne

s'accompagnent pas de violence. Elle ne fonde pas dessus.

Quand elle voyage en Espagne où le gouvernement républicain l'a invitée, elle écrit à Irène : « Le milieu que nous voyons est dans la joie de leur jeune république et c'est très émouvant de voir quelle confiance dans l'avenir existe chez les jeunes et chez beaucoup de leurs aînés. »

Mais elle ajoute : « Je souhaite bien sincèrement qu'il n'y ait pas trop de déceptions. »

« Ma mère est morte avant de voir la réaction fasciste qui mit l'Espagne à feu et à sang, écrira Irène. Il est certain qu'elle aurait considéré ces fascistes comme des criminels, mais en aurait-elle conclu qu'il aurait mieux valu que la République espagnole eût agi avec eux avec moins de mansuétude ? Je n'en sais rien. Elle était très peu sensible aux arguments d'opportunité quand ils s'opposaient à des principes qu'elle jugeait importants. »

Imperméable à toute influence, mais considérant que, « lorsqu'une chose est juste, il faut la faire, aurait-on mille raisons de s'abstenir », Marie ne signera de sa vie que deux pétitions : l'une, on l'a dit, en faveur des suffragettes anglaises ; l'autre, en 1927, pour Sacco et Vanzetti [1].

1. Sacco et Vanzetti, immigrants italiens, avaient été arrêtés en 1921 à la suite de l'assassinat d'un encaisseur, et condamnés à mort sans qu'aucune preuve de leur culpabilité ait été fournie. Mais on avait trouvé dans leur voiture du matériel de propagande anarchiste, et l'Amérique était en pleine « panique rouge ». Un comité de défense se forma. L'affaire traînait depuis six ans et avait pris une dimension mondiale, lorsque des intellectuels français intervinrent, sans prendre parti sur le fond — la culpabilité —, mais sur la peine de mort infligée dans de telles conditions. L'exécution de Sacco et Vanzetti provoqua un véritable traumatisme dans l'opinion américaine, rejetant une partie des libéraux vers l'Union soviétique, tandis que les conservateurs y voyaient le triomphe de la « force vive de l'ordre établi ».

Elle est de ceux qui labourent un seul sillon.

Ce qu'elle ne donne pas à Langevin — son nom, sa signature, sa caution, son engagement —, Jean Perrin l'obtiendra, lui, parce qu'il ne sollicite sa vieille et chère amie que pour « la cause », celle de la science.

Il dit : « On ne peut pas livrer toutes les batailles. La vie est courte. »

Donc, il livre la bataille de la recherche, non à des fins personnelles — il a atteint le sommet de la hiérarchie universitaire, et recevra en 1926 le prix Nobel de physique — mais pour la génération qui monte, et tout simplement pour son pays.

Car deux faits sont éclatants :

— la France n'a pas intégré la physique moderne et se trouve maintenant au troisième rang de la production scientifique européenne, peut-être même au quatrième, et il en voit le danger ;

— une part notable — les trois quarts, selon Perrin — du potentiel scientifique français est perdu, toute la part de la jeunesse détournée de la recherche parce qu'elle ne peut simplement pas en vivre, et qu'elle n'est pas issue des classes aisées. Tout le monde n'a pas les moyens, comme Maurice de Broglie — et plus tard son fils Louis, qui découvrira la mécanique ondulatoire — d'avoir son laboratoire personnel.

Harcelant d'un côté les maîtres de l'Université, de l'autre les chefs de gouvernement et leurs ministres à quelque parti qu'ils appartiennent, mobilisant Marie — de plus en plus impressionnante avec « son aspect et sa force morale de moine tibétain » — pour l'accompagner dans ses démarches, ce que

Jean Perrin et ses amis conçurent et dont Perrin finit par obtenir la création, est le très fameux C.N.R.S.

Celui-ci ne se concrétisa définitivement qu'après la mort de Marie, pendant les dernières semaines du gouvernement de Front Populaire auquel Jean Perrin appartenait, et s'acheva sur une farouche bataille livrée au Sénat par Perrin contre... Joseph Caillaux.

A 73 ans, au crépuscule d'une carrière houleuse, le vieil homme cynique, président de la Commission des finances, était le contempteur acharné des scientifiques, et plus généralement du progrès technique. Il aurait aujourd'hui de l'audience. Caillaux ne réussit pas à étrangler le C.N.R.S. nouveau-né dont Perrin voulait assurer la pérennité.

La longue histoire de la création de cette institution et de ses étapes nous entraînerait trop loin. Mais parce qu'elle fut l'œuvre du « clan Curie », de ce petit groupe soudé à travers tant d'années par la dévorante passion du Progrès et la certitude que la recherche scientifique en était la clef, il fallait au moins en faire mention.

Qu'il y ait eu dans leur foi, comme dans toute foi, une part d'utopie, sans doute. Mais s'il existe une autre voie pour réduire la part du malheur humain qui peut être réduite — l'autre étant plus réfractaire que l'atome —, la démonstration n'en a pas encore été faite.

22

Au retour de son équipée américaine, Marie écrit à Bronia :

> « ... J'ai tellement souffert dans ma vie que je suis à bout de souffrance. Seule une véritable catastrophe pourrait encore m'atteindre. J'ai appris la résignation et j'essaye de trouver quelques petites joies dans la grisaille de la vie quotidienne...
>
> « ... Dis-toi que tu peux bâtir des maisons, planter des arbres, cultiver des fleurs, les regarder pousser et ne penser à rien d'autre. Nous n'avons plus beaucoup de vie devant nous, alors pourquoi nous tourmenter encore ? »

Résignation, sagesse... c'est la part de comédie de Marie, celle qu'elle se jouait déjà à elle-même à 20 ans, quand elle prétendait ne plus rêver que d'un emploi d'institutrice.

A lire cette lettre datée d'août 1921, on pourrait l'imaginer passant les treize années qui lui restent à vivre juchée sur son passé et s'y laissant doucement ensevelir sous les fleurs, étrangère, enfin, à l'incorrigible agitation humaine.

En fait, non seulement elle ne cessera jamais de vouloir modeler l'avenir, mais elle ne supporte pas l'idée d'en être exclue.

« Lorsqu'on me parle de mes splendides travaux, il me semble que je suis déjà morte, que je me regarde être morte », dit-elle à Eve.

Et c'est peu de dire qu'elle ne veut pas être morte. Sinon, il y a longtemps que ce serait fait. Mais six semaines avant qu'elle ne s'éteigne, Marie Curie en était encore à faire construire une nouvelle maison.

Qu'est-ce donc qui la tient debout, cette femme si menue, rongée par la radioactivité, recrue de souffrances ?

La passion et l'orgueil. Ce défi qu'elle n'a jamais cessé de se lancer à elle-même et qui lui fait obligation.

A l'Arcouëst, ce hameau breton de marins et de cultivateurs colonisé par un groupe de « sorbonnards » qui s'y sont installés dans le sillage de l'historien Charles Seignobos et du biologiste Louis Lapicque, Marie, fière de sa silhouette fine dans son maillot noir, travaille méthodiquement l'*over arm-stroke* que lui ont enseigné ses filles, et constate : « Je crois que je nage mieux que M. Borel... Jean Perrin a fait une belle performance, mais j'ai été plus loin que lui, n'est-ce pas ? »

Lorsque, le soir, on y joue aux « lettres » — on ne dit pas encore : au scrabble — il faut aussi qu'elle gagne. Et d'ailleurs, elle gagne.

Innocents défis.

D'autres le seront moins, qu'elle relèvera aussi. Lorsque, devant ses yeux blessés, le brouillard s'épaissit, seules ses filles et ses sœurs sont mises dans le secret dont elle exige qu'il soit rigoureusement gardé. Personne ne doit soupçonner que Mme Curie est en train de perdre la vue.

A la Sorbonne, elle continue de monter seule sur l'estrade de l'amphithéâtre, à parler devant une foule d'étudiants dont elle ne discerne plus les visages, consultant parfois des notes de cours qu'elle a calligraphiées en lettres énormes, traçant au tableau noir des chiffres qu'elle ne distingue pas.

Sur la table du petit laboratoire contigu au bureau où elle travaille, elle a fait inscrire les repères de ses appareils de mesure en gros chiffres colorés. Pour lire, elle se sert d'une loupe.

Quand les médecins décident, une première fois, de l'opérer, elle entre en clinique sous un faux nom, Mme Carré.

Après de longues semaines où se sont multipliées complications et hémorragies, elle émerge de la nuit, les yeux amputés de leur cristallin. Et, de Cavalaire, écrit à Eve qui a été sa tendre infirmière :

> « J'ai pris part à deux promenades dans des sentiers de montagnes caillouteux et peu commodes. Cela se passe assez bien, et je peux marcher vite, sans accidents. Ce qui me gêne le plus est la vision double, c'est elle qui m'empêche de reconnaître les personnes qui s'approchent. Chaque jour, je fais des exercices de lecture et d'écriture. Jusqu'à présent, c'est plus difficile que la marche... »

Dans les mois qui suivent, deux opérations sont encore nécessaires après lesquelles elle connaîtra six ans de répit.

Elle met, à refuser l'infirmité, à retrouver un usage suffisant de ses yeux pour pouvoir travailler, circuler, voyager seule, un acharnement tel qu'elle y parviendra.

Et ce défi-là est si pathétique, cette volonté si

impressionnante dans ce corps frêle, qu'une conjuration se formera peu à peu autour de la « patronne » pour lui épargner d'avoir à comprendre qu'en dépit de ses ruses, elle a été devinée.

Ce long bâtiment de brique aux corridors étroits qu'elle a conçu et fait sortir de terre, qu'elle a alimenté en radium, en minerais divers, en instruments, qu'elle a entièrement organisé, est devenu le centre mondial pour la mesure des échantillons de radium destiné à la médecine et à l'industrie, mais ce n'est que l'un de ses aspects.

Le laboratoire Curie contient les plus importantes sources connues des principaux éléments radioactifs naturels (on en a identifié une quarantaine, tous issus de l'uranium ou du thorium).

Ces richesses, Marie les a accumulées avec son inusable patience, frappant à toutes les portes et obtenant qu'elles s'ouvrent, en particulier celles de l'Union minière du Haut Katanga.

Une quarantaine de chercheurs travaillent sous sa direction, parmi lesquelles beaucoup de jeunes femmes que Marie accueillera toujours volontiers. L'une d'elles, Marguerite Perey, chimiste dépourvue de tout diplôme universitaire, connaîtra une renommée internationale en isolant le francium.

Les Français font souvent une grande partie de leur carrière au laboratoire. Certains étrangers aussi, qui ont dû fuir leur pays. De jeunes scientifiques y travaillent, venus de tous les coins du monde, d'U.R.S.S. et du Brésil, de Bulgarie et du Japon. Après avoir soutenu leur thèse de doctorat en France, ils créent souvent dans leur pays des instituts spécialisés en radioactivité qui gardent des liens étroits avec Paris.

Ceux qui arrivent inexpérimentés sont attachés à un chef de recherches, comme Irène l'a été à sa mère.

Frédéric Joliot débutera également comme préparateur de Marie. Une fois apportée la preuve de sa valeur, un chercheur reçoit la charge d'un travail indépendant. Ceux qui sont particulièrement doués disposent de leurs propres appareils et sont autorisés à choisir un sujet de recherches, toujours dans le domaine de la radioactivité.

Marie a fait de l'Institut du radium l'un des rares laboratoires où se poursuit, dans le monde, l'étude de la radioactivité.

Son grand rival est le laboratoire Cavendish, dirigé maintenant par Rutherford auquel on reproche parfois, dans son pays, de consacrer Cavendish à un domaine que l'on juge trop étranger à l'industrie.

En 1919, en bombardant le noyau d'un atome d'azote avec des rayons alpha, il l'a transformé en atome d'oxygène. C'est-à-dire qu'il a trouvé le moyen de transmuter un noyau à volonté. Il a marqué ainsi, au calendrier de la science, la date de naissance de la physique nucléaire.

On a alors espéré que des résultats pratiques importants seraient atteints. Que l'on pourrait peut-être libérer l'énergie nouvelle.

« Auprès de cette découverte, écrit Perrin, celle du feu serait peu de chose dans l'histoire de l'humanité. »

Rutherford l'a cru aussi. Dès avant la guerre, il a signalé les possibilités à la fois fabuleuses et terrifiantes, dans le domaine des armes, que recèlent les éléments radioactifs.

Ces éléments qui se transforment en éléments différents — qui transmutent — lorsqu'ils émettent de l'énergie, Frederick Soddy, le chimiste qui a observé le phénomène avec lui, a écrit qu'ils apporteraient sans doute la solution à l'épuisement des réserves de charbon [1].

Mais, au début des années 20, personne ne croit plus guère à des applications spectaculaires de l'énergie atomique. Les physiciens qui continuent à travailler sur le noyau de l'atome sont à l'écart du courant principal de la physique, et poursuivent leurs recherches « comme un genre de sport », selon Chadwick. Ou pour les satisfactions esthétiques qu'ils retirent de leurs observations.

Pure science, science pure...

Vieux rêve.

Entourée par ses « enfants du laboratoire », qu'elle nourrit et guide de sa formidable expérience, examinant elle-même le travail de chacun dans le détail, Marie le réalise et elle est là à son meilleur...

Cette agressivité qu'elle a dû développer tout au long de sa vie, d'abord pour pénétrer dans le territoire des hommes, puis pour y être reconnue dans toute sa valeur, enfin pour y assurer son royaume, cette agressivité toujours prompte à reparaître, qui peut la faire si dure, écrasante, implacable dans la rivalité, elle la dépouille en entrant au laboratoire, comme on enlève son manteau.

Autour d'elle, il n'y a pas de cour. Elle n'a pas de sujets.

Elle a « des enfants » qui, une fois admis dans la famille, sont en quelque sorte marqués du sceau. Le sceau Curie. Simplement, comme dans toutes les fratries, il y a des enfants plus doués les uns que les autres. Mais tous ont droit à ses soins. Et puis, il y a le ou plutôt la préférée, l'enfant de chair, la prin-

1. On n'imagine pas alors que le pétrole se substituera au charbon, ni ce qui s'ensuivra.

cesse de sang, Irène, qui n'a pas toujours le talent de s'en faire pardonner.

Fut-elle réellement privilégiée par sa mère ?

En tout cas, certains en eurent le sentiment. Dans une circonstance dont on ignore le détail, le laboratoire retentit des coups de poing frappés contre la porte verrouillée du bureau de Marie par son chef de travaux, Fernand Holweck, hurlant à son endroit : « Chamelle ! Chamelle ! »

Nul doute qu'elle pouvait l'être.

En vérité, elle est capable de tout.

S'agit-il d'un conflit provoqué par la hauteur brusque d'Irène, que Marie a arbitré en faveur de sa fille ? Ou par une promotion trop rapide de celle-ci ? Ou par l'attitude que certains lui reprochent encore à l'égard d'un chercheur du laboratoire, Salomon Rosenblum, qui a découvert en 1929 la structure fine des rayons alpha en se servant d'une source radioactive intense que Marie a préparée pour lui de ses mains ?

Impossible de vérifier une légende selon laquelle, après cette découverte qui sera l'une des gloires du laboratoire Curie, la première, Marie donnera moins de facilités et de moyens à Rosenblum qu'à Irène et ne se dépensera pas outre mesure pour qu'une distinction vienne couronner les travaux du jeune homme.

Les scientifiques ne sont pas des saints.

Le laboratoire Curie a certainement été le théâtre de jalousies, d'antipathies, de relations passionnelles, de luttes de personnes, ni plus ni moins que n'importe quel groupe humain.

Il reste que Marie sut en assurer la cohérence, le développement, et donner à tous ceux qui eurent le privilège d'y travailler la fierté d'avoir été le collaborateur ou la collaboratrice de Mme Curie.

Mais s'il est évident que ce laboratoire fut le lieu de sa jouissance, qu'elle est incapable de s'en passer

— elle l'écrit à Bronia —, il semble que l'on se tromperait en croyant que cette jouissance fut surtout celle du pouvoir.

L'acmé de son plaisir, c'est la concentration absolue, lorsque ses mains, d'une précision et d'une virtuosité qui réduisent à zéro le coefficient d'erreur personnelle, procèdent à une expérience.

Elle devient alors comme un plongeur glissant en eau profonde dans le monde du silence, protégée de tous les tumultes, ne percevant même plus sa propre rumeur, heureuse infiniment, extasiée. Et calculant toujours en polonais.

L'une de ses collaboratrices la décrit ainsi, dans la dernière année de sa vie, alors qu'elle s'est effacée dans la conduite du laboratoire dont Debierne prendra après elle la direction :

> « La journée de travail ne suffit pas pour la séparation (d'un élément radioactif). Mme Curie reste au laboratoire le soir, sans dîner. Mais la séparation de cet élément est lente : on passera donc la nuit à travailler...
>
> « Il est deux heures du matin et la dernière opération reste à faire : la centrifugation, pendant une heure, du liquide autour d'un support spécial. La centrifugeuse tourne avec un bruit qui fatigue, mais Mme Curie reste à côté d'elle sans vouloir quitter la pièce. Elle contemple la machine comme si son désir ardent de réussir l'expérience pouvait provoquer par suggestion la précipitation de l'actinium X. Pour Mme Curie, rien n'existe en ce moment en dehors de cette centrifugeuse : ni sa vie du lendemain, ni sa fatigue. C'est une dépersonnalisation complète, une concentration de toute son âme sur le travail qu'elle accomplit... »

Mais il n'y a pas de plongeur qui ne doive remonter, parfois, à la surface. Alors, Marie réintègre sa statue.

Car depuis son retour d'Amérique, elle est devenue un monument national.

Aux cérémonies dont elle ne va cesser d'être l'objet et où on lui tresse des couronnes, elle se plie désormais. Mais à la façon des reines. Obligation professionnelle. Elle incarne. Quoi ? Là est l'ambiguïté de sa gloire du moment.

On vénère, on honore, on pensionne (40 000 francs par an, réversibles sur ses filles) la grande Française qui a fait reculer le cancer, alors que la radiothérapie est pour elle contingente. C'est une conséquence accessoire de ses travaux.

Son image publique est devenue celle de la Mère Soignante vers qui monte la ferveur.

C'est, par exemple, l'Académie de médecine — et non celle des sciences — qui la nomme à l'unanimité membre associée libre « en reconnaissance de la part qu'elle a prise à la découverte du radium et d'une nouvelle médication, la curiethérapie ».

C'est la Fondation Curie, consacrée à la radiothérapie, qui célèbre le 25e anniversaire de la découverte du radium avec président de la République, ministres, délégations en tous genres et flonflons d'usage, dans le grand amphithéâtre de la Sorbonne où elle continue d'enseigner.

Dans le même temps, des centaines, voire des milliers de personnes qui manipulent le radium, les substances radioactives et les rayons X, dans les usines, les laboratoires et les hôpitaux, sans véritable protection ni précaution, sont en train de détruire leur organisme, comme elle détruit le sien — mais sa résistance est extraordinaire —, comme Irène est en train de détruire le sien. Comme une charmante jeune femme, Mme Arthaud, que Marie a connue, dont on apprend soudain qu'elle est morte d' « anémie ». Elle a travaillé à l'adjonction de radium et de mésothorium à certains médicaments. Comme Maurice Demenitroux, un chimiste qui a travaillé, jeune homme, avec Pierre et Marie et qui vient de mourir, à 40 ans, d' « anémie ». Il s'employait, dans une usine de Creil, à mettre au point un procédé d'extraction du thorium X. Comme Marcel Demalander, qui a été l'assistant personnel de Marie. Leucémie.

Ces disparitions, et bien d'autres plus nombreuses encore, qui se produisent partout où l'on manipule des substances radioactives, ont déjà provoqué dans plusieurs pays la création de comités d'études sur le danger éventuel des radiations.

Il n'y en a pas en France et la règle non écrite du laboratoire Curie a toujours été sinon de nier du moins de sous-estimer ce danger. Depuis les expériences pratiquées par Pierre, en 1904, sur les cobayes, les chercheurs se protègent seulement du faisceau direct des rayons derrière des écrans de bois ou de plomb. Même les systèmes de ventilation pour évacuer les gaz radioactifs sont inexistants.

Marie se conduira jusqu'à la fin de sa vie à l'égard du radium comme une mère à qui l'on voudrait faire accroire que son fils glorieux et bien-aimé est aussi, à ses heures, un assassin. Repoussant les preuves même lorsqu'elles s'accumuleront.

Ce fils glorieux, qui lui a coûté tant de déchirants efforts, reste aujourd'hui associé à son nom comme une découverte géniale, alors que le génie de Marie, c'est une hypothèse qu'elle a formulée seule et ce qu'elle a révélé : la radioactivité est la conséquence d'un phénomène intervenant à l'intérieur de l'atome. Le reste a été de l'obstination, du courage, du travail.

Le jour du sacre de la Sorbonne, elle a tenu à ce que son frère et ses sœurs soient présents. Jozef, Bronia et Hela sont venus tout exprès de Pologne. Il y a longtemps certes que la petite sœur a tenu et au-delà la promesse de l'aube : « Il faut que ces dons qui sans aucun doute existent dans notre famille percent à travers l'un de nous. »

Mais, en la circonstance, c'est à l'hommage officiel de la France, qui a voulu la rejeter, de la Sorbonne, qui a voulu l'expulser, qu'ils sont venus assister.

Ce terreau familial, ni les années ni l'éloignement n'en ont jamais déraciné Marie. Là est sa sève.

Elle retournera plusieurs fois dans son pays natal.

« Ce fleuve, écrit-elle à propos de la Vistule, a pour moi un attrait profond dont l'origine m'est obscure. »

La seule trace de lyrisme que l'on trouve sous sa plume, c'est la terre de Pologne qui l'inspire.

Comme il faut, bien sûr, que Varsovie ait un Institut du radium, c'est Bronia qui mène campagne ; elle inonde le pays d'affiches proclamant : « Achetez une brique pour l'Institut Marie Sklodowka-Curie », de cartes postales reproduisant en fac-similé une déclaration manuscrite de Marie. L'Institut sera construit. Bronia le dirigera. Mais pour qu'il fonctionne, il faudra que Missy s'en mêle encore une fois.

23

Lorsque, sachant Missy de passage à Paris, retour d'Italie où elle a interviewé Mussolini, Marie vient la voir, les deux femmes n'ont pas cessé de s'écrire. Marie a fait décorer Missy de la Légion d'honneur, seule récompense que la petite Américaine, qui n'en demandait aucune, recevra jamais pour son action avec une photo dédicacée de Marie qu'elle a humblement sollicitée.

Missy est lasse. Elle a vieilli. Son mari est mort, emporté par la tuberculose. Son métier n'est pas de tout repos. Et l'Amérique de 1928 n'est plus celle de 1921. L'idéalisme, si cher à Missy, l'a désertée. Son ami Coolidge, devenu président après la mort subite de Harding, puis président élu en 1924, a déclaré : « Ce pays est un pays d'affaires et il veut un gouvernement d'affaires. »

Il arrive au bout de son mandat et le pays est en pleine campagne présidentielle.

A côté de l'Amérique des affaires, celle des intellectuels est profondément désabusée. L'un écrit que « la science a détruit la foi dans les valeurs morales, la dignité humaine, la vie même » (Joseph Wood Krutch). L'autre déclare que « faire le bien est de mauvais goût » (Mencken). Un autre se demande

« comment l'humanité maintenant privée des grands mythes pourra satisfaire aux besoins humains qui avaient rendu les mythes nécessaires » (Walter Lippmann).

On lit ici et là que « le vertige de l'argent est une infecte dégoûtation ».

Missy, qui connaît son monde, ne s'y trompe pas. Il n'est pas question de passionner le public américain pour les besoins en radium de la Pologne. Pour Marie elle-même, la Mère bienfaitrice, si elle se dérange encore une fois en personne, on peut en revanche réussir.

Pourquoi Missy se lance-t-elle dans cette nouvelle entreprise ? Elle l'écrit avec lucidité : « Je ne trouve plus grand-chose dans la vie qui en vaille la peine, mais servir, même dans ces humbles tâches, une grande cause, m'apporte de réelles compensations. »

Comme toujours — et comme Marie —, quand elle prend une affaire en main, elle entend la réussir.

Donc, pas question que Marie vienne aux Etats-Unis, comme elle en émet l'intention, en compagnie de Bronia, en « polonaise ».

J'y tiens, dit Marie.

Non, dit doucement Missy.

Si, répond Marie. D'ailleurs, en hiver, je suis souvent malade. Ma sœur est médecin, j'ai besoin d'elle.

Non, répond toujours doucement mais fermement Missy.

Oublions cette fois, s'il vous plaît, aussi bien la Pologne que la France. C'est Mme Curie, citoyenne du Radium, qui doit se déranger pour venir recueillir le fruit d'une souscription à elle destinée.

Marie cède.

Pour mener l'opération à bien, il faudra mobiliser les grands personnages du monde politique, indique

Missy. Elle prévoit l'élection du républicain Herbert Hoover, « un de vos admirateurs ». Et conseille à Marie de lui envoyer ses félicitations.

Je ne me mêle jamais de politique, répond Marie.

Hoover n'est pas un politicien, écrit Missy, mais « un savant animé d'idées humanitaires ».

En vérité, Hoover n'est pas un « savant », mais un ingénieur qui a organisé au début de la guerre les secours destinés à la Belgique avec une maestria qui l'a conduit à devenir administrateur du Ravitaillement pour l'Europe.

Consterné de voir le vieux continent transformé en « un brasier de haine », il a participé aux discussions de traité de paix à Paris, avec l'espoir que l'idéalisme qui a transcendé pendant la guerre les égoïsmes collectifs va régénérer l'Europe. La première conférence des ministres alliés à laquelle il assiste lui enlève ses illusions. Il ne va plus désormais se battre que pour accomplir sa mission : ravitailler le continent. Selon un jeune diplomate anglais également écœuré au point qu'il a démissionné de sa délégation, John Maynard Keynes, Hoover sera « le seul à sortir grandi de l'épreuve de Paris ».

Mais il a été totalement dégoûté des Européens. Cependant, il a fait partie du comité de patronage du « Marie Curie Radium Fund » en 1921.

Marie s'exécute donc et, en retour, Hoover l'invite à séjourner à la Maison-Blanche.

Je ne veux dans mon programme ni interview, ni autographes, ni photos, ni poignées de main, dit Marie.

Vous n'aurez que des visites de laboratoires, des conférences scientifiques et des petites réceptions officielles, répond Missy.

Et ce fut comme elle l'avait dit.

L'appui du président des Etats-Unis avait été décisif.

Marie reçut de ses mains la somme destinée à l'achat d'un gramme de radium que lui offrait le peuple américain. La souscription avait rapporté encore une fois plus qu'il n'était nécessaire. Marie, plus attendrissante que jamais derrière ses grosses lunettes, avait encore une fois fasciné les hommes du « business » soigneusement sélectionnés par Missy.

L'un d'eux, Owen D. Young, à la fois membre de la Federal Reserve Board et président de la General Electric Corporation, l'aida à négocier l'achat du radium à un prix minimum et à placer fructueusement le reliquat de la souscription. Elle rapporta sensiblement plus de radium qu'elle n'en était venue chercher, munie de surcroît d'une solide collection d'échantillons de minerais radioactifs, de nouveaux équipements gratuits pour le laboratoire, et de nouvelles bourses pour ses chercheurs.

Reçue comme un chef d'Etat en voyage privé, les ardeurs de la presse lui furent épargnées.

Décrivant à Irène une escapade à la campagne, elle raconta :

> « On m'a fait descendre l'escalier de service pour éviter les soixante reporters qui attendaient devant l'entrée principale. Puis nous avons fait de New York à Long-Island une course sensationnelle. Devant nous, un policeman à motocyclette, donnant des coups de sirène et écartant d'un mouvement énergique, d'une main ou de l'autre, toutes les voitures sur la route — moyennant quoi nous filions comme une voiture de pompiers lancée au secours d'un incendie. C'était tout à fait amusant. »

Une confidence qui, venant de Marie, doit incliner à l'indulgence à l'égard de ceux que met en état d'ébriété mentale une traversée de Paris en voiture officielle précédée de deux motards. Il y a là un alcool d'une nature particulière que la machine humaine n'absorbe décidément pas sans en être tant soit peu déréglée.

L'année suivante, Missy informa Marie que « M. Ford se fait personnellement un plaisir et un honneur de rendre votre tâche encore plus efficace en vous offrant une automobile pour l'usage que vous aurez à en faire dans votre pays. Mrs Henry Moses a dit qu'elle serait très heureuse de vous fournir le chauffeur. »

Marie accepta avec simplicité.

24

Depuis que Missy lui a enseigné la puissance des relations publiques — leçon jamais oubliée —, elle est devenue un consciencieux commis voyageur de la Science, acceptant tous les déplacements de quelque utilité.

Pendant un séjour à Prague, elle écrit à Irène :

> « Je suis ahurie de la vie que je mène et incapable de vous dire quelque chose d'intelligent. Je me demande quel vice fondamental il y a dans l'organisation humaine pour que cette forme d'agitation soit dans une certaine mesure nécessaire ; *Dignifying science,* dirait Mrs Meloney. Et ce qui n'est pas niable, c'est la sincérité de tous ceux qui font ces choses et leur conviction qu'il faut les faire. »

Irène l'accompagne au Brésil, Eve en Espagne, où « elle fait des conquêtes comme d'ordinaire », et à Genève où « M. Einstein est très gentil avec elle. »

Genève, Marie s'y rend à cause de la Société des Nations. Cette Commission pour la coopération intellectuelle dont elle est membre et sera bientôt vice-président, ressemble à toutes les commissions.

Les discours y abondent. Quant au reste...

« Ses membres avaient beau être efficaces, c'est l'entreprise la plus inefficace à laquelle j'aie jamais été associé », en dira Einstein.

Mais quand Marie a planté ses dents quelque part, rien au monde ne peut la détourner de persévérer et d'espérer.

« Si imparfaite qu'elle soit, l'œuvre de Genève a une grandeur qui mérite qu'on la soutienne », dira-t-elle à Eve.

Elle parvient à faire adopter quelques dispositions de nature à mettre de l'ordre dans ce qu'elle appelle l' « anarchie du travail scientifique dans le monde », et à faire admettre, au terme d'une longue bataille, le principe du droit de propriété des savants sur leurs découvertes.

La discussion s'enlisa quand on en fut à définir les modalités d'application de ce principe. La propriété pour quoi en faire ? Des profits ? Horreur ! Un contrôle sur l'utilisation des découvertes ? Inconcevable ! La science est à tout le monde. Soit. Mais comment découvre-t-on ? Il faut de l'argent, des machines de plus en plus lourdes, des locaux de plus en plus grands, des équipes de plus en plus nombreuses. Le bricolage dans les hangars, c'est fini !

Pas le génie, certes.

Einstein peut travailler sur ses genoux, avec son crayon et ses bouts de papier, et dire : « le métier idéal, pour celui qui se consacre à la physique théorique, est celui de gardien de phare. »

Mais pour construire, par exemple, en France, le cyclotron de Bellevue, l'une des premières installations du monde permettant de sonder les atomes, œuvre du vieil ami de Pierre et Marie, Aimé Cotton, il a fallu, dans les années 20, près de deux millions [1].

Marie n'eut pas la satisfaction de voir l'idée pour laquelle elle avait tant travaillé aboutir à ce qu'on appelle aujourd'hui des contrats de recherches.

L'un des premiers fut mis en œuvre en 1939 lorsque Frédéric Joliot et ses coéquipiers, dont Francis Perrin fils de Jean devenu aussi physicien, cédèrent les profits éventuels tirés de la découverte éventuelle qu'ils poursuivaient : la libération de l'énergie nucléaire.

En échange de quoi ils reçurent d'une part l'uranium (fourni par l'Union minière du Haut-Katanga) contre la moitié de ces futurs et hypothétiques profits, d'autre part les moyens nécessaires à leurs travaux (fournis par le C.N.R.S.), contre l'autre moitié.

Aux termes de la convention négociée par l'équipe de Joliot, les « découvreurs » s'assuraient le contrôle de l'emploi des profits du C.N.R.S., automatiquement réinvestis dans d'autres recherches.

C'était la traduction pratique de ce que souhaitait Marie Curie : pas de profit personnel pour les scientifiques, mais les moyens de travailler, et l'utilisation d'une partie des profits tirés de leur travail au bénéfice de la science.

Au début des années trente, ce qui ne se nommait pas encore colloque, séminaire ou symposium, mais tout bêtement débat, commençait à prospérer.

Paul Valéry pria Marie de présider, en 1933, un débat organisé à Madrid sur « l'Avenir de la Culture ». La majorité des participants étaient des écrivains et artistes de tous pays, « Don Quichotte de l'esprit qui se battent contre leurs moulins à vent », selon Valéry.

1 Qui en représenteraient aujourd'hui 7 ou 8 de nos francs

Ils se retrouvaient à Madrid pour dire que la culture était en crise, la création stérilisée par la standardisation et la spécialisation, et mise en péril par la science.

Par la science ! Qu'avait-on dit là !

> « Je suis, déclara Marie, de ceux qui pensent que la Science a une grande beauté. Un savant dans son laboratoire n'est pas seulement un technicien : c'est aussi un enfant placé en face de phénomènes naturels qui l'impressionnent comme un conte de fées. Nous ne devons pas laisser croire que tout progrès scientifique se réduit à des mécanismes, des machines, des engrenages qui d'ailleurs ont aussi leur beauté propre... Je ne crois pas non plus que, dans notre monde, l'esprit d'aventure risque de disparaître. Si je vois autour de moi quelque chose de vital, c'est précisément cet esprit d'aventure qui paraît indéracinable et s'apparente à la curiosité... »

Ces réunions qui souvent lui pèsent, car peu de choses ont le pouvoir de la distraire, peu de gens celui de l'intéresser, ces déplacements auxquels elle se prête, elle n'y trouve qu'un plaisir : toujours enragée d'excursions, elle s'éclipse et s'en va découvrir quelques-unes des splendeurs de la Terre. Car jusqu'à cinquante ans passés, recluse, elle n'en a quasiment rien vu.

De partout, elle écrit et décrit à ses filles. La littérature n'est pas son affaire. La Croix du Sud est « une très belle constellation ». L'Escurial est « très impressionnant »... Les palais arabes de Grenade sont « très beaux »...

Le Danube est bordé de collines. La Vistule... Ah !

la Vistule « serpente paresseusement dans son large lit, glauque à proximité, et au loin bleui par les reflets du soleil. Les plus adorables bancs de sable, etc. etc. » Mais la Vistule est polonaise et là, elle n'est plus la pure observatrice, satisfaite d'observer, dont on s'étonne presque, à la lire, que les dimensions des palais de Grenade et le nombre de pièces de l'Escurial ne soient pas également consignés.

Mis à part les chênes et les érables « d'une grande beauté » aperçus de sa voiture autour de Washington, son second voyage aux Etats-Unis n'a pas eu son volet « merveilles de la nature ». D'ailleurs, elle a déjà admiré, la première fois, les chutes du Niagara.

C'est un autre genre de tourisme qu'elle y a pratiqué et il l'a laissée songeuse : en circulant à travers les laboratoires américains, elle a constaté ce qu'ils sont devenus en quelques années.

Le département de physique de l'université de Columbia, par exemple, occupe un bâtiment de treize étages où l'on étudie la nature de l'atome.

Marie dispose, elle, d'un bâtiment où les laboratoires s'étalent sur trois niveaux dont le sous-sol.

Si modestes que soient, relativement, les installations de l'Institut du radium, c'est là qu'une découverte décisive sera faite qui donnera à Marie sa dernière grande joie.

C'est en 1933, retenons la date. Jusque-là, Irène et son mari, Frédéric Joliot, ont été trahis par la chance.

Ensemble, ils ont mis au point des procédés chimiques permettant de récolter les traces de polonium qui restent sur les ampoules de radon, après leur usage en médecine, ampoules que Marie a collectées dans le monde entier.

Grâce à leur technique très élaborée, les Joliot ont

obtenu les échantillons de polonium les plus purs et les plus radioactifs du monde entier.

Au lieu de les répartir entre les différents chercheurs du laboratoire, ils les ont concentrés en une seule source puissante avec laquelle ils ont, on l'a dit, frôlé la découverte du neutron. Mais c'est Chadwick qui l'a réalisée.

Etudiant le neutron, ils ont frôlé une seconde découverte importante. Mais d'autres ont trouvé avant eux l'explication du phénomène énigmatique qu'ils ont observé, concernant les positons.

En 1933, ils ont monté une nouvelle expérience, toujours avec leur source de polonium. Les résultats de cette expérience doivent être présentés en octobre au congrès Solvay où leurs travaux précédents, qui ne sont pas négligeables, leur valent l'honneur d'être invités.

C'est Langevin qui préside maintenant le Comité scientifique Solvay. Il a également invité Rosenblum et, comme toujours, la fleur de la physique mondiale la plus avancée.

Dans son discours d'ouverture, Langevin demande qu'un message de sympathie soit envoyé à Albert Einstein qui n'a pas pu répondre à son invitation.

Lors de l'arrivée de Hitler au pouvoir, en mars, Einstein se trouvait à l'étranger. Il a aussitôt annoncé sa décision de ne plus rentrer en Allemagne et son refus de servir la cause « de ceux qui cherchent à saper les idées et les principes qui ont acquis au peuple allemand une place d'honneur dans le monde civilisé. »

Il a également refusé de signer un manifeste contre la guerre en raison de la « glorification de la Russie Soviétique » que comportait le texte.

A travers toutes les informations qu'il s'est efforcé de recueillir, a-t-il indiqué, « il semble qu'il y ait au sommet une lutte personnelle pour des mobiles purement égoïstes, par les moyens les plus crapuleux. A la base, la liberté individuelle et d'expression paraît complètement supprimée. On se demande si la vie vaut la peine d'être vécue dans de pareilles conditions ».

Au moment où s'ouvre le congrès Solvay, Einstein arrive aux Etats-Unis, où il décidera de rester ; l'Allemagne hitlérienne vient de sortir de la Société des Nations et l'on va débattre, à Bruxelles, des « structures et propriétés des noyaux atomiques ».

Outre Marie et sa fille, une troisième femme de grand renom, l'Allemande Lise Meitner, a été priée au Congrès. Elle appartient au célèbre institut Kaiser Wilhelm de Berlin, où elle collabore avec le directeur, Otto Hahn, radio-chimiste éminent, concurrent de longue date de Marie Curie. Et, bien sûr, sont présents Rutherford, Pauli, Niels Bohr, Heisenberg, Maurice et Louis de Broglie, Chadwick, Cockroft, Enrico Fermi, etc.[1].

Les Joliot ne sont pas peu fiers d'exposer devant cet aréopage ce que démontre, selon eux, leur expérience. Scepticisme général.

Lise Meitner est catégorique.

Est-ce parce qu'il a pris le même parti que Chadwick se fait rembarrer par Marie, à déjeuner, lorsqu'il essaie de lui exprimer son admiration ?

Elle le salue, tourne la tête, plonge dans son assiette et ne lui adresse plus la parole.

Les Joliot rentrent à Paris à la fois déprimés et

1. Fermi, Italien, suivit Einstein sur la route de l'exil parce que sa femme était juive. C'est son équipe qui réalisa la première fission en chaîne contrôlée aux Etats-Unis, en 1942. Lise Meitner, avant de se réfugier en Suède, participa aux travaux de chimie qui devaient aboutir, fin 1938, à la découverte de la fission par Otto Hahn.

stimulés parce que Niels Bohr et Pauli les ont encouragés à poursuivre.

Ils s'obstinent donc à bombarder de l'aluminium avec les rayons alpha de leur polonium.

Et, en poursuivant dans cette voie, provoquent la réaction que les physiciens cherchent à déclencher depuis des années : la radioactivité artificielle. Ils ont produit un élément radioactif artificiel.

Bondissant de joie, dans la pièce de sous-sol où ils travaillaient à l'Institut du radium, ils préviennent Marie, qui est chez elle.

Que fait-elle ?

Elle va chercher Langevin. C'est avec lui qu'elle arrive dans le petit laboratoire où, au comble de l'animation, Joliot donne des explications.

Marie prend, de ses doigts brûlés, le tube contenant le radioélément artificiel. Elle le tient elle-même devant le compteur Geiger dont la précision — encore aléatoire à l'époque — a été vérifiée par un spécialiste allemand en stage au laboratoire, Gentner.

Le crépitement caractéristique se fait entendre. Le visage de Marie s'illumine, radieux. « Jamais je n'oublierai, racontera Joliot, l'expression de joie intense qui s'empara d'elle. »

Dans un roman d'anticipation, *The World set free* (Le Monde libéré) écrit en s'inspirant des publications scientifiques de Frederick Soddy, H. G. Wells avait prévu que la radioactivité artificielle serait découverte en 1933. Il prédit, dans le même livre, qu'un jour des « bombes atomiques » détruiront des villes sous le feu et les radiations, et décrit ainsi la première explosion :

« Le monde n'était plus qu'un éblouissement

rouge violacé et un bruit, un bruit assourdissant qui pénétrait tout. Elle eut l'impression d'une grosse boule de feu rouge violacé, telle une créature vivante en folie... La bombe atomique avait réduit les problèmes internationaux à une totale insignifiance... Il semblait évident que ces bombes et les puissances de destruction plus grandes encore dont elles étaient les précurseurs pourraient très facilement fracasser toutes les relations et toutes les institutions humaines... »

... Le temps viendrait nécessairement où « un individu pourrait transporter dans un sac à main une quantité d'énergie latente suffisante pour démolir la moitié d'une ville »...

Mais, dans le même livre, publié en 1913, le prophète Wells annonce que cette guerre terrifiante sera suivie par la création d'un Etat mondial utilisant l'énergie atomique pour transformer la société et la nature pour le bonheur de toute la planète.

Tout espoir ne doit donc pas être perdu.

L'année suivante, quand Irène et Frédéric Joliot reçoivent le prix Nobel de chimie qui couronne leur découverte, la radioactivité a déjà tué Marie.

Elle n'assistera pas à une version nouvelle de la scène que, trente ans plus tôt, elle a vécu.

Le jour de la remise du diplôme à Stockholm, Irène n'est pas dans la salle à écouter son mari, mais sur la scène. Et sur cette scène, c'est elle qui prend la parole la première, pour prononcer le discours d'usage.

25

Marie Curie aurait-elle eu des fils, ceux-ci ne s'en seraient peut-être pas relevés. Passe encore — mal — d'avoir un père célèbre, mais une mère...

Eve trouva lourde, selon son propre aveu, la liberté que lui laissa Marie. Elle rêvait d'autorité, fût-ce pour pouvoir se rebeller, hésitait sur le choix d'un métier.

Marie était quelque peu déconcertée par ce qu'elle avait mis au monde : une très jolie personne devant laquelle le cher Einstein faisait plus volontiers des ronds de jambe que devant la sérieuse Irène, sensiblement plus apte, cependant, à comprendre ce à quoi il s'occupait.

Les dons de cette jeune beauté pourvue d'un sens inné de l'élégance lui étaient étrangers. Marie fut heureuse quand elle crut qu'Eve avait trouvé sa vocation, le piano, et supporta vaillamment les gammes et les arpèges dont retentit l'appartement du quai de Béthune. Mais sa propre ambition avait été trop largement comblée pour qu'elle la transfère et exige d'Eve l'enfermement, le renoncement, le travail acharné que suppose une carrière de virtuose.

Pour Irène, en revanche, la ligne avait été très tôt

tracée. Mais il semble que la compétition, banale, entre les deux filles dans le cœur de leur mère, conduisît Irène à s'y placer dans une posture particulière.

Dans le trio Curie, tel qu'on le voit évoluer au cours des années 20, Eve est l'enfant de la maison, Irène l'élément viril, et Marie la composante féminine.

Combinaison qui fut heureuse pour Marie et lui donna la stabilité affective dont elle avait besoin.

Elle était si peu « virile », Marie... Et la forme de son courage, et son obstination, et ses méthodes de fourmi, et cette longue familiarité avec la souffrance physique toujours dominée, et sa double face douce / dure, et ses dépressions, et cette relation païenne avec la terre source de vie la disent femme. Elle est d'ailleurs une admiratrice inconditionnelle de sa contemporaine Colette.

Le seul trait qui la distingue profondément des femmes de sa génération et de la suivante, c'est qu'elle n'a jamais douté d'elle.

Elle tremble. Jusqu'à son dernier cours à la Sorbonne, elle sera ravagée par le trac, mais la conscience exacte et inébranlable de ce qu'elle vaut dans l'ordre de ses propres valeurs ne l'abandonne jamais. Là est son originalité, son unicité.

La caution masculine à ses travaux — la caution de Pierre —, ce sont les autres qui ont cru devoir la lui donner. Elle n'a jamais eu que faire de caution masculine.

Cela ne l'a privée ni du plaisir de faire des confitures, ni de se délecter en donnant le sein à ses enfants, ni d'aimer les hommes et d'en avoir besoin.

Elle appelait Owen D. Young, ce gentleman américain qui guidait aux Etats-Unis ses transactions financières, « mon protecteur ». Quel homme de soixante ans, illustre de surcroît, aurait l'idée de baptiser ainsi un ami compétent ?

Nul doute, en revanche, qu'aucun « protecteur » ne lui apparut jamais dans un débat scientifique.

Irène, se situant près d'elle comme le substitut de Pierre et y trouvant sans doute, du moins pour un temps, son propre équilibre, va composer avec Marie une sorte de couple.

La façon dont les deux sœurs ont rapporté, chacune de leur côté, quelques moments de leur existence de jeunes filles partagée avec leur mère, lovée entre elles, montre un peu de leurs échanges au cœur de cette économie affective :

Irène :

« J'avais l'habitude de me lever tôt, de faire chauffer le petit déjeuner et de l'apporter sur un plateau près du lit de ma mère ; c'était un moment tranquille pour les discussions littéraires, scientifiques ou autres.

« Pendant sa jeunesse, ma mère avait beaucoup lu, elle aimait la poésie et savait beaucoup de vers par cœur... Quand j'avais découvert quelque poésie de Victor Hugo, Verlaine, de Kipling que je trouvais particulièrement admirable, elle était toujours disposée à m'écouter la réciter et à la commenter. Du reste, quand je sortais de la blibliothèque un livre qui y était depuis des années et que je laissais sur ma table pour le lire, il y avait toute chance pour que ma mère se sente brusquement inspirée pour le relire et qu'il disparaisse de ma chambre pour se retrouver dans la sienne.

« ... Quand j'allais voir le soir une pièce classique ou un opéra, j'avais pris l'habitude de venir en rentrant m'asseoir près de son lit et discuter le spectacle à cette heure indue... »

Eve : Si, après le dîner, Eve doit sortir, aller à quelque concert, Mme Curie vient s'étendre sur le divan de sa chambre. Elle regarde sa fille s'habiller. Leurs opinions sur la toilette et l'esthétique féminines se contredisent intégralement.

« Oh ! ma pauvre chérie, quels affreux talons ! Non, tu ne me feras jamais croire que les femmes soient faites pour marcher sur des échasses... Et quelle est cette nouvelle mode, décolleter le dos des robes ? Le devant, encore, était supportable, mais ces kilomètres de dos nus ! Premièrement, c'est indécent, deuxièmement tu risques une pleurésie, troisièmement c'est laid : le troisième argument devrait te toucher à défaut des deux autres... »

Les plus pénibles instants sont ceux du maquillage... Marie examine Eve, loyalement, scientifiquement. Elle est consternée.

« Je n'ai pas d'objection de principe à opposer à ce barbouillage. Je ne puis te dire qu'une chose : je trouve cela affreux... Pour me consoler, je viendrai t'embrasser dans ton lit, demain matin, avant que tu n'aies eu le temps de mettre ces horreurs sur la figure. Et maintenant, sauve-toi ma petite enfant. Bonsoir. Ah ! tu n'aurais pas quelque chose à me donner à lire ? »

A Irène, elle écrit :
« Je suis enchantée que tu sois satisfaite de la

déviation magnétique. Comment se porte le polonium sur nickel ? »

A Eve : « Je crois qu'il est décevant de faire dépendre tout l'intérêt de la vie de sentiments aussi orageux que l'amour... »

Irène était âgée de 26 ans, avait soutenu sa thèse et assumait une partie de l'enseignement dispensé au laboratoire lorsqu'un matin de 1925, elle apporta à sa mère, avec le petit déjeuner, une information aussi intéressante qu'inattendue : elle était fiancée.

Marie demanda avec qui.

L'entrée de Frédéric Joliot dans la « famille royale » ne fut pas plus aisée que celle de Tony Armstrong épousant Margaret d'Angleterre.

Et selon ceux qui furent ses amis, il n'oublia jamais complètement les interprétations désobligeantes dont son mariage fit l'objet dans les milieux scientifiques.

Après avoir terminé l'Ecole de physique et de chimie, il avait fait un stage dans un laboratoire industriel, puis son service militaire et, en achevant de remplir cette obligation, s'interrogeait sur son avenir. Industrie ? Pourquoi pas ? Carrière purement scientifique ? Il préférait, mais avec quels moyens ? Non normalien, il n'avait aucun espoir à placer dans l'Université.

Un camarade dans le même cas demanda conseil à leur ancien maître, Paul Langevin.

C'était en 1922. Celui-ci incita les deux garçons à postuler une bourse Rothschild et recommanda Frédéric Joliot à Marie.

Quand le jeune homme se présenta, encore en uniforme d'officier du génie, fortement intimidé, devant Mme Curie, il apprit qu'il entrerait en fonctions le lendemain.

Il avait encore trois semaines de service à accomplir ? Objection négligeable.

« Je m'en charge, dit Marie. J'écrirai à votre colonel. »

Et le lendemain, « les enfants du laboratoire » virent arriver un grand jeune homme ardent, gai, soigné, sportif, fumant trop et déclarant qu'il n'était pas un intellectuel.

Irène, qui avait alors une sérieuse avance scientifique sur lui — et resta toujours meilleure chimiste que lui — le guida, comme elle en guidait d'autres, dans l'acquisition de techniques qu'il ignorait.

Trois années se passèrent pendant lesquelles Frédéric Joliot dut aussi enseigner dans une école privée et accomplir quelques travaux accessoires pour boucler ses fins de mois.

Ensuite, c'est grâce aux premiers postes salariés créés par le C.N.R.S. qu'il put poursuivre.

« Je n'avais pas la moindre idée que nous pourrions nous marier, dit-il plus tard, parlant d'Irène. Mais je l'observais. Ça a commencé par l'observation. Sous son aspect froid, oubliant parfois de dire bonjour, elle ne créait pas toujours, autour d'elle, au labo, de la sympathie. En l'observant, j'ai découvert dans cette jeune fille, que les autres voyaient un peu comme un bloc brut, un être extraordinaire de sensibilité et de poésie et qui, par de nombreux côtés, donnait comme un exemple vivant de ce qu'avait été son père. J'avais lu beaucoup de choses sur Pierre Curie, j'avais entendu des professeurs qui l'avaient connu et je retrouvais en sa fille cette même pureté, ce bon sens, cette tranquillité... »

Lorsqu'on apprit au laboratoire et hors du laboratoire que « la fille de la patronne », la rugueuse

Irène, épousait le beau et bouillant Joliot qui avait trois ans de moins qu'elle, les commentaires allèrent bon train. Irène y resta toujours souverainement indifférente. Contrairement à sa mère, elle se souciait fort peu de son « image » et possédait un solide sens de l'humour.

« Il y a des maris qui portent sur eux la photographie de leur femme. Demandez à Fred de vous montrer la photo qu'il a, lui, dans son portefeuille », disait-elle. C'était celle d'un brochet majestueux que Joliot, grand pêcheur, était fier d'avoir harponné.

Avec la même détermination que son père, Irène avait choisi celui dont il lui convenait de partager la vie. Et bien choisi.

Joliot eut plus de mal, semble-t-il, à supporter une certaine suspicion narquoise et mit une bonne dizaine d'années à faire admettre que, tout bonnement, il aimait sa femme, même s'il l'aimait aussi parce qu'elle était la fille de Marie et Pierre Curie.

Marie était, d'ailleurs, la dernière qu'il aurait pu abuser sur la qualité de ses sentiments. Méfiante et lucide dès 20 ans, ne se trompant guère dans ses jugements, elle mit le jeune homme en observation pendant les fiançailles d'Irène, demanda seulement qu'il s'abstienne de fumer devant elle, et donna son affectueuse bénédiction. Quoi qu'il lui en coûte. Car il lui en coûta, évidemment, de perdre sa compagne/compagnon de tous les instants, pour étroites que demeurèrent leurs relations lorsque Irène et Frédéric Joliot quittèrent le quai de Béthune après y avoir habité quelques mois.

« Ce garçon, disait Marie, parlant de Joliot à son vieil ami Jean Perrin, ce garçon est un feu d'artifice. »

Il devait en donner plus tard quelques éclatantes démonstrations.

Qu'on l'ait appelé Joliot-Curie montre assez, néanmoins, que n'étant pas prince du sang, il fallait au moins l'ennoblir.

On trouve la curieuse séquelle de cette opération dans les dictionnaires français où Pierre Curie est le physicien qui découvrit, avec sa femme Marie Sklodowska, le radium.

Alors qu'Irène Joliot-Curie est avec son mari, Frédéric Joliot-Curie, l'auteur de nombreuses découvertes qui leur valurent, etc.

Néanmoins, Irène ne réussit, pas plus que sa mère, à entrer à l'Académie des sciences où elle se présenta deux fois.

Au moins ne suggéra-t-on jamais qu'elle avait fait carrière sur les épaules de son mari.

Marie Curie-Sklodowska était arrivée trop tôt dans l'histoire des femmes.

26

Marie va avoir 65 ans, 66... Elle est restée si souple, si jeune d'attitude qu'on la surprend le plus souvent, quand elle travaille chez elle, dans sa posture de prédilection : assise par terre, documents étalés autour d'elle. Mais les beaux yeux de cendre, soumis à une quatrième intervention, se sont ternis, le visage émacié s'est flétri.

Elle occupe toujours la chaire de physique générale à la Sorbonne où elle fait cours les lundis et mercredis à 5 heures, se rend tous les matins au laboratoire, mais là, peu à peu, elle a lâché la main. Sans trop de réticence parce que le flambeau passera à Irène, mais néanmoins sans joie.

Et puis, le soir, il faut bien rentrer. Alors, chaussée de pantoufles, une veste jetée sur les épaules parce qu'elle est devenue frileuse, elle erre dans l'appartement aux pièces trop vastes où le piano à queue et une table de ping-pong font figure de guéridons, attendant que la servante annonce le dîner.

Les dimanches, parfois, sont tristes.

Ses filles resteront toujours attentives, proches, présentes dès qu'elle les appelle, mais requises chacune, comme il est normal, comme il est sain, par leur propre existence où elle n'intervient jamais.

Irène a une fille, puis un garçon.

Elle aura, à propos de leur naissance, un mot digne de sa mère :

« J'ai réalisé que, si je n'avais pas mis des enfants au monde, je ne me serais pas consolée de n'avoir pas fait une expérience aussi surprenante alors que cela m'était possible. »

Eve habite toujours quai de Béthune mais, avec l'assentiment de sa mère, elle a loué un petit appartement personnel.

Les amis de Marie ne la négligent pas, viennent la consulter au sujet de ceci ou de cela. Debierne est toujours là, à sa disposition.

Les Joliot, qui déjeunent régulièrement chez elle, la tiennent au courant du tumulte du monde, pour autant qu'elle veuille encore s'y intéresser : la chasse à la « science juive » ouverte dans l'Allemagne hitlérienne... Plus d'un million de chômeurs en France... Le scandale Stavisky... Les émeutes déclenchées par l'extrême droite pendant une manifestation d'anciens combattants, qui font plusieurs morts à Paris le 6 février 1934... Le Comité de vigilance des intellectuels contre le fascisme, lancé et présidé par Langevin, Alain le philosophe et Paul Rivet. L'adhésion de Joliot au parti socialiste [1]...

Marie écoute, en frottant le bout de ses doigts brûlés contre son pouce. Et leur parle du laboratoire.

Elle n'est pas délaissée, loin de là. Ni oisive. Elle est seule.

Elle écrit à Missy, elle écrit à Bronia que la mort a durement frappée en lui enlevant ses deux enfants, puis son mari.

1. C'est pendant la guerre que Frédéric Joliot s'inscrira au parti communiste. Et Langevin après la guerre, en septembre 44.

« Bien que tu te sentes solitaire, tu as cependant une consolation : vous êtes trois à Varsovie et tu peux ainsi avoir un peu de compagnie et de protection. »

Un peu de compagnie, un peu de protection... D'où pourraient-elles maintenant venir à Marie ?

« Crois-moi, poursuit-elle, la solidarité familiale est tout de même le seul bien. Moi, elle me manque, alors je le sais. Tâche d'en tirer quelque réconfort et n'oublie pas ta sœur parisienne. Voyons-nous le plus souvent possible... »

Elle glisse au laboratoire, tombe et se casse le poignet droit, traite cette fracture par le mépris, et une série de complications s'ensuivent.

Puis c'est un gros calcul biliaire qui la tourmente. Opération ? D'une pareille opération, son père est mort. Elle s'y refuse et s'astreint à un régime draconien.

Irène et Fred, préoccupés de la voir si évidemment souffrante, la persuadent de venir les rejoindre en Savoie où ils sont partis faire du ski.

Malade, elle ? Finie, Marie ? On va bien voir. Toujours agile, elle patine ou part sur des raquettes explorer les montagnes. Un soir, on s'inquiète... Elle n'est pas rentrée. Où donc est-elle passé ? Elle a voulu voir le coucher de soleil sur le mont Blanc et rentre, nuit tombée, pas peu fière de son exploit.

Elle prie, elle supplie la chère Missy de venir prendre quelques vacances avec elle. Mais Missy est elle-même atteinte d'une péritonite.

Quand elle s'en relèvera, elle donnera l'assurance que Marie lui demande avec une insistance où sourd l'angoisse : le radium restera-t-il bien au laboratoire après la mort de Marie ? Les dispositions légales faisant d'Irène l'héritière du radium, ainsi que les dispositions définissant l'usage qui peut en être fait et celui des reliquats de la souscription américaine, seront-elles bien respectées ?

Missy promet et, comme toujours, ses engagements seront tenus. Mais Missy est loin. Marie songe à aller la voir aux Etats-Unis. Y renonce. Joie : Bronia s'annonce pour les vacances de Pâques. Et voilà les deux sœurs qui descendent, en voiture, dans le Midi, en faisant mille détours parce que Marie veut faire admirer à Bronia de beaux paysages, passer par Montpellier pour voir Jacques Curie.

Avant de partir, elle a précisé à Irène :

> « J'ai écrit une résolution provisoire faisant office de testament au sujet du gramme de Ra et je l'ai placée avec les documents d'Amérique dans un paquet sur lequel, en rouge, est indiqué le contenu.
>
> « Le tout se trouve dans le tiroir du meuble de la salle de repos, au-dessous des tiroirs fermés à clé... »

Elle a aussi expurgé les quarante-sept dossiers où se trouvent ses archives, effaçant tout ce qui pourrait altérer l'image qu'elle entend laisser d'elle, et demandé à Missy de détruire ses lettres.

Cette dernière expédition dans le Midi tourne mal. Quand elle arrive à Cavalaire, exténuée, enrhumée, dans une maison glacée, elle s'effondre en sanglots dans les bras de Bronia.

Elle rentre à Paris, réconfortée par quelques jours de soleil, mais fiévreuse.

Encore une fois, Bronia va s'en aller inquiète de

cette gare du Nord où elle a si souvent débarqué à l'appel de Marie, d'où elle est si souvent repartie le cœur serré.

Mais, cette fois, c'est la dernière où du train qui l'emporte, elle verra la silhouette de Marie s'éloigner.

Quelques jours plus tard, un après-midi de mai 1934, au laboratoire où elle a voulu venir travailler, Marie murmure : « J'ai de la fièvre, je vais rentrer... »

Elle fait le tour du jardin, examine un rosier qu'elle a elle-même planté et qui a mauvaise mine, demande que l'on s'en occupe de toute urgence... Elle ne reviendra pas.

Qu'est-ce qu'elle a ? Rien apparemment. Aucun organe essentiel lésé, aucune maladie précise que les médecins puissent identifier et soigner.

Elle est couchée sans force, avec de la fièvre, docile soudain à tous les soins que vainement on lui prodigue, la transportant en clinique, la ramenant chez elle.

Les amis de toujours viennent faire visite à la malade, entrant dans la comédie que joue Eve en proposant des échantillons de tissu, de peinture pour le nouvel appartement, plus petit, où elle a décidé de s'installer en attendant que soit construite une nouvelle maison, à Sceaux.

La fièvre ne cède pas. Les médecins parlent de sanatorium, d'air pur. Eve organise une consultation entre quatre professeurs réputés. Ceux-ci approuvent. La fièvre de Marie indique bien, selon eux, le réveil d'anciennes lésions tuberculeuses. Un départ immédiat à la montagne s'impose. Ont-ils peur que Mme Curie ne leur reste entre les mains ?

Marie part, avec Eve et une infirmière. Voyage torturant au bout duquel elle s'évanouit, dans le train, entre les bras de sa fille. Voyage inutile.

Une fois installée au sanatorium de Sancellemoz, sous un faux nom naturellement, Marie subit de nouveaux examens, de nouvelles radios. Ses poumons sont intacts.

Mais sa température atteint 40°. Un professeur appelé de Genève diagnostique, en comparant des analyses de sang, une anémie pernicieuse foudroyante.

Le thermomètre que Marie consulte elle-même, il n'est pas question de lui dissimuler ce qu'il indique. Mais elle a eu si peur d'avoir à subir une opération de la vésicule que le diagnostic d'anémie l'apaise.

Elle a atteint ce moment de grâce où même Marie Curie ne veut plus voir la vérité. Et la vérité est qu'elle se meurt.

Elle aura un dernier sourire de joie lorsque, consultant pour la dernière fois le thermomètre qu'elle tient dans sa petite main, elle observe que la température a subitement baissé. Mais elle n'a plus la force d'en prendre note, elle, à qui un chiffre n'a jamais échappé sans être consigné. Cette chute de température, c'est celle qui annonce la fin.

Eve, bouleversée mais se tenant, elle aussi, comme Marie lui a toujours enseigné à le faire, ne quitte plus sa mère un instant et l'entend murmurer, regardant la tasse de thé où elle essaie de remuer une cuiller :

« Est-ce qu'on l'a fait avec du radium ou du mésothorium ? »

Puis quelques paroles indistinctes.

Et quand le médecin vient lui faire une piqûre :

« Je ne veux pas. Je veux qu'on me laisse tranquille. »

Il faudra seize heures encore pour que s'arrête le cœur de la femme qui ne voulait pas, non, qui ne voulait pas mourir. Elle avait 66 ans.

Marie Curie-Sklodowska avait achevé sa course.

Une fois encore, le jeudi 5 juillet 1934, Madame Curie fit la « une » des journaux du monde entier.

Elle fut enterrée selon ses vœux, en présence de ses enfants, de sa famille et de quelques amis. La grille du cimetière de Sceaux avait été fermée pour contenir la foule des curieux.

Sur son cercueil descendu dans la fosse, Bronia et Jozef jetèrent une poignée de terre. De terre de Pologne.

Ainsi s'acheva l'histoire d'une femme honorable.

Marie, je vous salue...

Mars 1981

Après la mort de Marie

Ernest Rutherford, devenu lord Rutherford of Nelson, tombe d'un arbre dont il élaguait les branches et meurt à 66 ans (1937).

Jean Perrin devient sous-secrétaire d'Etat à la Recherche scientifique, département créé par le gouvernement de Front Populaire, obtient un triplement des crédits accordés au C.N.R.S., fonde le Palais de la Découverte à Paris. En 1941, quitte la France occupée et rejoint son fils Francis aux Etats-Unis où il meurt à 71 ans (avril 1942).

Paul Langevin, arrêté en 1941 par la Gestapo, est assigné à résidence à Troyes. Son gendre, Jacques Solomon, physicien, l'un des créateurs de l'organe clandestin *L'Université libre,* est fusillé en 1942, sa fille déportée. Réussit à passer en Suisse. Après la libération, établit avec Henri Wallon un plan resté fameux — et non appliqué — de réforme de l'enseignement. Meurt à 74 ans (1946). Les cendres de Jean Perrin et de Paul Langevin ont été transférées le même jour de 1948 au Panthéon.

Emile BOREL est déchu par Vichy de son mandat de maire de Sainte-Affrique, arrêté par la Gestapo, relâché. Après la guerre, réintègre sa mairie et le conseil de la Légion d'honneur, préside la Société internationale de statistiques, célèbre joyeusement le cinquantenaire de son mariage et meurt à 85 ans (1956).

Irène JOLIOT-CURIE devient sous secrétaire d'Etat à la Recherche scientifique dans le gouvernement de Front Populaire, poste qu'elle occupe brièvement selon ses vœux et où Jean Perrin lui succède. Maître de conférences à la Sorbonne en 1937. Laisse échapper la découverte de la fission, faute de savoir interpréter les résultats de ses recherches qui permettront à Otto Hahn de trouver la véritable solution de l'énigme de l'éclatement du noyau d'uranium. Après la guerre, dirige l'Institut du Radium. L'un des trois commissaires à l'Energie Atomique, avec Francis Perrin et Pierre Auger. Meurt à 59 ans de leucémie (1956). Funérailles nationales.

Frédéric JOLIOT devient professeur au Collège de France, en 1937. Début 1939, apporte la preuve physique de la fission simultanément avec Otto Frisch (neveu de Lise Meitner) qui travaille à Copenhague. La même année, réussit avec ses deux coéquipiers, Hans Halban et Lew Kowarski, à démontrer la possibilité théorique de la réaction en chaîne en même temps que le groupe d'Enrico Fermi y parvient aux Etats-Unis. En juin 40, son laboratoire du Collège de France est occupé et utilisé par les Allemands, dont un ancien chercheur au laboratoire Curie, Wolfgang Gentner lequel protègera autant qu'il le pourra les scientifiques français. Membre actif de la Résistance. A la création du Commissariat à l'Energie Atomique par de Gaulle, en octobre 45, est nommé Haut-Commissaire. Préside à la construction du premier réacteur nucléaire. Etoile scientifique du parti communiste, déclare publiquement : « Si demain on nous demande de faire du travail de guerre, de faire la bombe atomique, nous répondrons non ». Révoqué en 1950. Meurt à 58 ans (1958). Funérailles nationales.

La première explosion thermonucléaire soviétique a lieu en 1953 grâce aux travaux d'André Sakharov. La première explosion française en 1960.

Eve CURIE s'engage pendant la guerre dans les Forces Françaises Libres. Correspondante de guerre pour de nombreux journaux américains, codirectrice de *Paris-Presse*. Epouse Henri Labouisse, ambassadeur des Etats-Unis en Grèce puis directeur général du United Nations Children Fund (U.N.I.C.E.F.). A ce titre, c'est M. Labouisse qui reçoit à Stockholm des mains du roi de Suède le prix Nobel de la Paix 1965 décerné à l'U.N.I.C.E.F. Ainsi se trouva une fois de plus, assistant à la cérémonie de remise des prix Nobel, une Curie.

Eve Curie-Labouisse, toujours belle à 75 ans passés, vit aux Etats-Unis.

qu'il [illegible] pour [illegible] les scientifiques français. Membre actif de la Résistance, [illegible] Comité [illegible]
[illegible] l'organisation [illegible] est [illegible] commissaire [illegible] l'est [illegible] à la direction [illegible] Professeur [illegible] du [illegible] de [illegible] travail [illegible] 1950 [illegible] (1958), [illegible] Radium.

La première [illegible] 1958 [illegible] travaux [illegible] la première explosion française en 1960.

Ève Curie [illegible] pendant la guerre [illegible] les [illegible] Libres, [illegible] correspondante de guerre [illegible] journaliste [illegible] directrice [illegible] de *Paris-Presse*. [illegible] Henry [illegible] Labouisse, ambassadeur des États-Unis [illegible] puis directeur général de [illegible] l'Enfance (U.N.I.C.E.F.). A ce titre, Henry Labouisse [illegible] à Stockholm des mains du roi de Suède [illegible] le Prix 1965 [illegible] une fois de [illegible] la cérémonie de remise des prix Nobel [illegible] Curie.

Ève Curie [illegible] toujours [illegible] à Paris.

Bibliographie

EVE CURIE : *Madame Curie,* Gallimard 1938.

La quasi-totalité des lettres échangées entre Marie et sa famille polonaise, l'extrait de son « Journal », de nombreux détails personnels ne sont connus que par ce récit.

ROBERT REID : *Marie Curie,* Seuil 1975

C'est grâce à cette biographie d'un auteur anglais que l'existence d'une documentation relative en particulier aux relations de Rutherford et de Boltwood avec Marie a été révélée.

SPENCER WEART : *La Grande aventure des atomistes français,* Fayard 1979.

Le Dr Weart, directeur à l'Institut américain de physique et historien des sciences, apporte dans cet ouvrage une forte documentation sur la situation de la science et des scientifiques en France entre les deux guerres, et sur les atomistes pendant et après la Deuxième Guerre mondiale.

P. BIQUARD : *Paul Langevin,* Seghers 1969.

J. D. BREDIN : *Joseph Caillaux,* Hachette Littérature 1980.

H. CONTAMINE : *La Victoire de la Marne,* Gallimard 1970.

E. Cotton : *Les Curie et la radioactivité,* Seghers 1963.

H. Cuny : *Louis Pasteur,* Seghers 1963.

M. Curie : *Pierre Curie,* Payot 1923, Denoël 1955.

M. Curie : *La Radiologie et la guerre,* Alcan 1921.

A. S. Eve : *Rutherford,* Cambridge University Press 1939.

J. Galtier Boissière : *La Grande Guerre,*Productions de Paris.

O. Glasser : *Dr W.C. Röntgen,* Thomas Springfield 1945.

H. Goldberg : *Jean Jaurès,* Fayard 1970.

E. Hausser : *Paris au jour le jour,* Ed. de Minuit 1968.

B. Hoffmann et H. Dukas : *Albert Einstein créateur et rebelle,* Seuil 1975.

J. Hurwic : *Marie Sklodowska-Curie,* , Institut d'Histoire de la Science et de la Technique de l'Ac. des Sciences polonaise.

A. Langevin : *Paul Langevin mon père,* Ed. Français réunis 1971.

F. Lot : *Jean Perrin,* Seghers 1963.

C. Marbo : *Souvenirs et rencontres,* Grasset 1968.

V. Margueritte : *Aristide Briand* 1932.

P. Robrieux : *Histoire intérieure du P.C.F.,* Fayard 1980.

C. P. Snow : *Les deux cultures,* J. J. Pauvert 1968.

A. Schlesinger : *L'ère de Roosevelt,* Denoël 1971.

Z. Sternhell : *La droite révolutionnaire,* Seuil 1978.

J. Terrat branly : *Mon père Edouard Branly,* Corréa 1949.

S. P. Thompson : *The life of lord Kelvin,* Mac Millan 1910.

Le Congrès de Tours, présenté par A. Kriegel, Archives Julliard 1964.

La science contemporaine, P.U.F. 1964.
La correspondance Marie-Irène Curie, Ed. Français réunis 1974.

Ont été consultées les archives des : Bibliothèque Nationale (Fonds Curie et presse française), Laboratoire Curie, Cambridge University Library, Yale University Library ; Columbia University Library, New York Public Library, Bibliothèque des Nations Unies, Bibliothèque du Congrès.

Source des lettres citées

Pages 22, 25, 26, 33, 34, 36, 38, 39, 40, 41, 44, 45, 46, 47, 48, 60, 91, 97, 100, 101, 119, 126, 130, 159, 178, 272, 306, 331, 333, 369 : *Madame Curie* par Eve Curie (Gallimard).

Pages 82, 83, 84, 85, 86, 87, 170, 171, 178, 179, 189, 190, 191 : E.C. et Bibliothèque Nationale.

Pages 106, 134, 178, 201 : *Marie Curie* par Robert Reid (Seuil).

Pages 147, 148, 253, 265, 267, 268, 287, 292, 304, 305, 319, 344, 346, 349, 370 : Bibliothèque Nationale.

Pages 247, 303 : Cambridge University Library.

Pages 301, 318 : Columbia University Library.

Pages 181, 182, 225 : Albert Einstein par Banesh Hoffmann (Seuil).

Page 276 : Paul Langevin, mon père par André Langevin (Ed. Français Réunis).

Sources iconographiques : Institut du Radium et Palais de la Découverte.

Achevé d'imprimer le 29 avril 1981
sur presse CAMERON,
dans les ateliers de la S.E.P.C.
à Saint-Amand-Montrond (Cher)
pour le compte de la librairie Arthème Fayard
75, rue des Saints-Pères - 75006 Paris

ISBN : 2-213-01006-4

Dépôt légal : 2e trimestre 1981.
N° d'Édition : 6201. N° d'Impression : 804-453

Imprimé en France

H/35-6774-0